Le secret sous la dune

BARBARA ERSKINE

L'autre vie de lady H.
Le secret sous la dune   *J'ai lu* 4219/6

BARBARA ERSKINE

Le secret sous la dune

Traduit de l'anglais
par Vincent Pomminville

Éditions J'ai lu

«Where'er we tread 'tis haunted, holy ground.»
BYRON

«C'était pendant l'horreur d'une profonde nuit...»
RACINE

A A.J.

Titre original :

MIDNIGHT IS A LONELY PLACE
HarperCollinsPublishers

PROLOGUE

Ses cheveux avaient la couleur des feuilles de hêtre en automne. La somptueuse crinière s'échappa des peignes tandis qu'il la pressait contre lui en cherchant ses lèvres. Sa peau à lui était tannée par le soleil et le vent ; celle de la jeune femme, nue contre lui, avait la blancheur du marbre.

Le lourd torque d'argent en forme de spirale qu'il portait entama sa chair, mais elle ne s'en aperçut pas. Elle ne sentait que son corps contre le sien, la force de ses cuisses musclées, la puissance de sa langue qu'il enfonçait dans sa bouche comme s'il voulait la dévorer tout entière.

— Claudia...

Il haleta son nom comme une caresse, une supplication, un appel angoissé, qui se transforma en cri de triomphe. Il retomba alors, tremblant, dans ses bras.

Elle sourit. Levant les yeux vers le ciel, au-delà de la voûte bruissante des feuilles de chêne, elle se sentit comblée. Le monde n'était plus qu'une petite clairière au cœur d'un bois désert. Elle en oubliait son enfant et son époux. Pour l'homme qu'elle tenait dans ses bras, elle était prête à perdre l'un et l'autre, à perdre sa maison, son rang, la vie même.

Il fit un mouvement et, se soulevant sur les coudes, plongea son regard dans le sien. Son visage était étrangement dénué d'expression ; ses yeux gris argenté étaient vides.

— Claudia... murmura-t-il de nouveau.

5

Il posa la tête contre sa poitrine. C'était la petite mort, celle que l'homme recherchait. La mort qui suivait l'union. Il sourit, empoignant sa chevelure pour la garder prisonnière, traçant de ses lèvres le contour de ses joues, de ses paupières. Que dirait le mari de cette femme, un fils de Rome, un officier de la légion, s'il venait à savoir ? Que ferait-il en apprenant que sa femme avait un amant, et que cet amant était un prince druide ?

1

— J'ai horreur d'être célèbre! avoua Kate Kennedy.

Assises par terre, sa sœur Anne et elle partageaient des plats chinois avec un gros chat de Birmanie répondant au nom de Carl Gustav Jung.

Kate devait sa notoriété à une biographie de Jane Austen. Dès sa parution, on l'avait invitée à la télévision; trois quotidiens et deux hebdomadaires avaient exigé des entrevues; elle avait fait la tournée des bibliothèques et librairies d'Angleterre, et avait rencontré Jon Bevan, l'un des romanciers et poètes les plus brillants du pays, d'après le *Guardian*. La raison de tout cet intérêt résidait principalement dans ce que le cahier littéraire du *Times* avait appelé son «exposé brûlant» sur la sensualité cachée de Jane Austen, sa sexualité réprimée.

Trois semaines après avoir connu Jon, Kate avait emménagé dans son appartement de Kensington. Changement de vie radical et définitif.

Anne, sa sœur aînée et ex-colocataire, avait accepté cette désertion avec philosophie : «Ça devait arriver à l'une ou à l'autre, un jour.» Elle-même écrivain et spécialiste en psychologie jungienne (Kate avait pillé sa bibliothèque pour écrire *Jane*, se concentrant particulièrement sur les quelques ouvrages freudiens), elle avait regardé avec amusement sa sœur se débattre avec cette nouvelle célébrité, qui, toutefois, ne la réjouissait pas.

— Si ça te déplaît tant, dit Anne en léchant la sauce au soja sur ses doigts, tire ta révérence. Enferme-toi, refuse les interviews. Cultive une certaine misanthropie et porte un voile. Tes ventes doubleront immédiatement.

— Cynique, répondit Kate en souriant. Jon dit que je suis folle. Lui adore ça, bien sûr.

— Je verrais assez bien Jon abandonner l'écriture pour un boulot dans les médias, fit Anne d'un ton songeur.

Elle s'essuya les mains avec une serviette en papier imprimée de caractères chinois. D'un air pensif, elle ramena ses genoux sous son menton.

— Il n'est pas bien pour toi, tu sais, Kate. C'est un vampire. Il pompe ton énergie créatrice.

— Quelle bêtise !

— Je te le dis. Tu as accepté le rôle de femme d'intérieur sans même t'en rendre compte. Tu es folle de lui ! Voilà des mois que tu es revenue d'Italie et tu n'as même pas commencé ton nouveau livre.

Kate constata avec étonnement qu'elle se sentait coupable.

— Je n'ai pas fini mes recherches.

— Sur quoi ? Sur l'amour ? (Anne sourit.) Et Jon pense-t-il encore que tu es folle de vouloir écrire sur Byron ?

— Je crois. D'après lui, Byron est trop connu. J'aurais dû choisir quelqu'un d'obscur... et de moins attrayant, ajouta-t-elle après une courte réflexion. Mais par bonheur mon éditrice ne pense pas comme lui. Elle a vraiment hâte de voir le livre.

Elle soupira avec lassitude, tendant à Carl Gustav la dernière crevette, soigneusement mise de côté pour lui. La jalousie manifestée par Jon l'avait secrètement réjouie et flattée.

— Est-ce pour cela que tu as choisi Byron ? Parce

qu'il était beau? demanda Anne en poursuivant son examen.

— Pour ça, et parce que j'aime sa poésie, que j'adore l'Italie, et qu'il m'a donné la chance de passer de merveilleux mois à parcourir l'Europe, partout où il a vécu.

Kate se mit à ramasser les assiettes vides.

— C'était un homme véritablement intéressant, charismatique.

Elle regarda Carl Gustav, qui se nettoyait méticuleusement le museau et les pattes après avoir croqué sa crevette avec beaucoup de délicatesse.

— A vrai dire, je suis prête à commencer, maintenant. Mes notes sont complètes, du moins pour la première partie.

— Je suppose qu'il y a de pires façons de gagner sa vie! dit Anne.

Elle se leva et alla faire du café.

— Dis-moi, Jon et toi, vous êtes toujours heureux? s'enquit-elle par-dessus son épaule. Vraiment heureux?

Kate fit signe que oui.

— Assez pour vous marier?

— Non... non, je ne crois pas qu'aucun de nous deux soit du genre à se marier. En tout cas, pas pour le moment.

— Mais tu envisages de vivre avec lui pendant longtemps.

Il y eut un moment de silence. Kate regarda attentivement sa sœur.

— Pourquoi veux-tu savoir ça?

— On vient de m'offrir un poste à Edimbourg. Si je l'accepte, je devrai laisser l'appartement.

— Je vois.

Kate se tut un instant. Ainsi, l'heure de brûler ses vaisseaux était venue.

— Et Carl Gustav?

— Oh, il vient avec moi. J'en ai discuté longuement avec lui.

Anne se pencha et caressa le chat avec amour. Il lui avait toujours appartenu davantage qu'à Kate.

— En fait, il est même passablement en faveur d'Edimbourg, n'est-ce pas C. G. ?

— Et il approuve le poste ?

— C'est un bon boulot. A l'université. Un progrès considérable sur cette horrible échelle sociale que nous sommes censés escalader sans répit.

Kate détourna son visage, surprise du pincement au cœur qu'elle avait éprouvé à l'idée de voir Anne s'éloigner.

— En as-tu parlé avec maman et papa ? demanda-t-elle au bout d'une minute.

— Ils approuvent, et je pourrai les voir tout aussi souvent. Je ne vais quand même pas au bout du monde, Kate ; ce n'est qu'à six cents kilomètres.

Kate sourit.

— Eh bien, si C. G. est d'accord, et que maman et papa le sont aussi, ce doit être bien. Débarrasse-toi de l'appartement avec ma bénédiction, et j'essaierai de m'accrocher à Jon un bout de temps !

Mais les choses devaient en aller autrement.

C'était écrit, supposa Kate. Le lendemain du déménagement d'Anne pour le Royal Circus, Jon et elle avaient eu leur première dispute. A propos d'argent. Son argent à elle.

— Combien vont-ils te payer ?

Il la regarda d'un air effaré.

Elle fit glisser la lettre devant lui. Il la lut lentement.

— Mais c'est un contrat américain ! Tu devais être au courant depuis des mois.

Il semblait vexé et son ton était accusateur.

— Je ne voulais rien te dire avant la signature du contrat. Tu sais comme ces choses-là prennent du temps…

Elle avait voulu lui faire une surprise. Il aurait dû être content pour elle.

— Merde ! C'est injuste ! dit-il en se levant brusquement. Je ne reçois que quelques centaines de dollars d'avance pour mon dernier livre de poésies, et toi — il bafouillait d'indignation —, toi, tu obtiens ça !

Il flanqua la lettre sur la table.

— Jon… dit-elle en le regardant sans comprendre.

— Allons, Kate, sois réaliste. Tu écris bien, mais on ne peut pas appeler ça de la littérature !

— Tandis que tes livres à toi, c'en est ?

— Je ne vois pas comment on pourrait le contester.

— Non, effectivement, fit-elle en respirant profondément.

Subitement, il réalisa à quel point il l'avait vexée. En silence, il maudit son caractère emporté et passa son bras autour de ses épaules.

— Ecoute, tu me connais. Je parle trop, sans réfléchir. Tu es vraiment douée. Et puis, tu fais assez de recherches ! Oublie ça. J'étais seulement fâché. Et puis non, soyons francs : jaloux.

Il la serra dans ses bras.

— J'irais peut-être même jusqu'à ravaler ma fierté et t'emprunter un peu de cet argent.

C'était la toute première fois qu'il lui laissait entrevoir ses ennuis financiers.

Il arriva à ses fins en la culpabilisant, comme elle s'en aperçut plus tard. C'était une manipulation subtile, un chef-d'œuvre du genre. Elle lui mettait l'argent dans les mains, le forçait à l'accepter. Elle le lui donnait, le lui prêtait, chacun des chèques servant d'excuse tacite au fait qu'elle gagnait plus que lui. Quand arriva la fin, il lui restait moins d'un millier de livres à la banque, et elle ne toucherait rien d'autre avant son prochain chèque de droits d'auteur, à l'été, bien que Jon eût promis en bonne et due forme de tout lui rendre.

Pourtant, même alors, ce ne fut pas la tension

croissante à propos de l'argent qui les sépara. Ce fut autre chose, de soudain et d'absolument inattendu.

C'était un jour froid et déprimant du début de décembre. Jon était allé la retrouver à la salle des manuscrits du British Museum, où elle contemplait un livre ouvert protégé par une vitre. L'écriture de Byron, inclinée, en pattes de mouches, s'étalait sur la dédicace de *Don Juan*. L'atmosphère de la salle, la climatisation, le bourdonnement assourdi de l'étrange éclairage artificiel étaient en train de lui donner mal à la tête. Elle était si concentrée que lorsqu'elle sentit une main se poser sur son épaule, elle eut peur et un petit cri lui échappa. Elle se retourna et se souvint alors que Jon lui avait dit qu'il viendrait la retrouver pour prendre un café en vitesse.

Comme d'habitude, la cafétéria était bondée. Tandis qu'ils s'asseyaient à une table, près du mur, elle ne se doutait pas que la guerre allait éclater. Un couple de touristes japonais bardés d'appareils photo se glissa, avec force courbettes et sourires d'excuse, aux deux places encore libres à côté d'eux. Du café déborda dans la soucoupe de Jon. Il avait eu du mal à faire entrer ses longues jambes sous la table, en s'installant en face de Kate, une enveloppe à la main et son plateau dans l'autre. Sa silhouette mince et sa chevelure flottante lui donnaient un air d'élégance nonchalante, que démentaient les regards qu'il lançait autour de lui.

L'esprit toujours occupé par Byron, Kate ne s'était pas rendu compte de l'enthousiasme de Jon.

— Tu viens avec moi, Kate !

Il saisit la lettre qu'il avait posée entre eux, sur la table, et l'agita devant elle. Une lueur de triomphe brillait dans ses yeux.

— Aller avec toi ? Aux Etats-Unis ? Mais je ne peux pas.

Lui accordant enfin toute son attention, Kate le considéra avec surprise. L'expression d'étonnement et de colère qu'elle lut un moment sur son visage confirma son impression subite qu'il ne comprendrait pas.

— Pourquoi?

Sa réaction l'avait blessé et décontenancé. Il avait cru qu'elle serait aussi heureuse que lui. Il se renfrogna. Pourquoi ne réagissait-elle jamais comme il s'y attendait?

— C'est une chance inouïe pour moi, Kate. Mon nouveau roman va être publié aux Etats-Unis. Une tournée de conférences. De la publicité. Peut-être — enfin — de vrais revenus. N'est-ce pas ce que tu souhaitais pour moi?

— Si, bien sûr.

Son ton perdit toute réticence et elle le regarda tendrement.

— Je suis très contente pour toi. C'est merveilleux. Seulement, moi aussi, j'écris un livre, si tu t'en souviens. Je ne peux pas tout lâcher. Mes recherches sont terminées; mes notes sont prêtes. Je suis sur le point de commencer la rédaction. Tu sais que je ne peux pas partir avec toi. C'est hors de question.

— Pour l'amour du ciel, Kate, tu peux commencer à écrire n'importe quand.

Jon lança la lettre sur la table. Il avait compté sur sa présence. Il n'arrivait pas à se voir là-bas sans elle.

— Je ne te demande pas d'abandonner ton projet. Je ne te demande même pas beaucoup de temps. Nous n'y resterions que quinze jours à peine.

Kate jeta un regard à la Japonaise assise à l'autre bout de la table. Avec tact, elle gardait les yeux baissés tout en déballant un immense sandwich à plusieurs étages d'où débordaient des tranches de jambon et de fromage et des feuilles de salade.

— Deux semaines, tu le sais aussi bien que moi, c'est très long quand on écrit, répliqua-t-elle avec humeur.

Son mal de tête avait empiré. Elle se sentait fatiguée et déprimée, mais elle pouvait se montrer aussi têtue que lui, à l'occasion.

— Ne sois pas stupide, Jon. D'ailleurs, tu te débrouilleras bien mieux sans moi.

Il avait réussi, Dieu sait comment, à la culpabiliser.

— Mais j'ai besoin de toi. Derek a prévu des choses fantastiques pour moi, dit Jon en tapotant la lettre du bout de l'index. La télé à New York et des soirées fabuleuses. Des interviews pour le *New York Magazine* et le *Publishers Weekly*. Tu rencontrerais tout le monde. Il s'attend que tu viennes, Kate. Nous sommes une attraction du monde littéraire…

Une vague d'impatience monta en elle.

— Je me moque bien que ton éditeur m'attende, Jon. Je me moquerais bien que le président des Etats-Unis m'attende. Tu es peut-être une attraction, mais pas moi. Pas plus que je ne suis un joli petit accessoire destiné à mettre en valeur ta brillante image. Si je vais à New York, ce sera pour faire la promotion du *Prince des Ténèbres*, pas pour me faire photographier, toute souriante, à ton bras. Je suis désolée, mais je reste ici pour travailler.

Jon hocha la tête. Il s'assombrit.

— Tu ne peux pas rester dans l'appartement, Kate.

— Qu'est-ce que tu veux dire? Bien sûr que je le peux.

A ce stade, elle n'avait pas encore tenu compte des signaux d'alarme montant de son inconscient.

Jon se croisa les bras. Son visage prit l'expression d'entêtement qui lui était habituelle, mais adoucie, cette fois, par une nuance d'anxiété.

— Derek m'a demandé de prêter l'appartement à Cyrus Grandini pendant mon absence.

Une fraction de seconde, Kate resta bouche bée.

— Et puis-je te demander qui est Cyrus Grandini? bégaya-t-elle enfin.

— Oh, Kate, fit-il, impatient. Le poète. Bon Dieu, tu dois en avoir entendu parler!

— Non, et je n'ai aucune intention de partager l'appartement avec lui.

— Il n'est pas question de partager. Je regrette, Kate, mais j'ai accepté de le lui passer pour deux semaines.

— Et moi ? Je croyais que c'était chez moi aussi, dit-elle en s'efforçant de contenir la panique qui montait dans sa voix.

— Tu es chez toi, tu le sais. Mais Derek s'attendait que tu viennes à New York, et moi aussi. J'ai cru que tu sauterais sur l'occasion.

— Eh bien, ce n'est pas le cas.

— Alors, tu devras trouver un autre endroit où loger pendant deux semaines. Je suis désolé.

Elle savait maintenant à quoi s'en tenir.

Elle se leva en repoussant sa chaise derrière elle avec tellement de force que son voisin japonais faillit en lâcher sa pâtisserie. Lui aussi se leva brusquement, reculant de la table pour qu'elle puisse se glisser devant lui de façon inélégante. La frustration, la colère et le mécontentement s'emparèrent d'elle.

— Si je dois partir, ce sera pour de bon, déclara-t-elle catégoriquement, tandis que son voisin se rasseyait et tendait la main, d'un air plutôt désespéré, vers sa pâtisserie.

— D'accord. Si c'est ce que tu veux.

Il avait détourné la tête et, le menton appuyé sur une main, fixait les chevaux du Parthénon sur la frise qui ornait le mur, brusquement et honteusement près des larmes. Interprétant correctement son attitude rigide, la touriste japonaise, qui s'était également préparée à le laisser quitter la table, se détendit et mordit à pleines dents dans son sandwich.

Il était vingt-trois heures passées quand Jon revint à l'appartement.

La porte d'entrée donnait directement sur le petit salon où Kate était en train de lire, assise confortablement dans la chaude lumière de la seule lampe de table. Elle pouvait entendre la neige frapper la fenêtre, dehors. Sur les épaules du lourd manteau de Jon, la glace accumulée luisait.

— Alors, as-tu changé d'avis ? demanda-t-il.

Un court instant, elle resta confuse, encore perdue dans le monde de Lord Byron et de ses amis. A contrecœur, elle réintégra le présent.

— Non, je n'ai pas changé d'avis.

— Ça ne fonctionne pas, hein ?

Il s'était placé devant l'appareil de chauffage électrique et avait commencé à dérouler sa longue écharpe.

— Qu'est-ce qui ne fonctionne pas ?

Elle gardait les yeux rivés sur son livre. Au ton qu'il avait pris, son estomac s'était contracté désagréablement, et les caractères imprimés devant ses yeux s'étaient fondus en un brouillard noir inintelligible.

— Nous.

Elle leva enfin les yeux.

— Parce que je ne vais pas aux Etats-Unis avec toi ?

— A cause de ça et d'autres choses. Kate, admettons-le. Tu es trop obsédée par ton maudit poète pour me consacrer du temps. Regarde-toi. Même maintenant, tu ne peux pas t'arracher à ton foutu travail.

Il bondit vers elle et saisit son livre.

— Tu vois ! dit-il en le brandissant triomphalement. *Les Poètes victoriens !* Il (Kate présuma qu'il s'agissait de Byron) est toujours entre nous. Tu n'as plus de temps pour nous, pour notre relation.

Kate bondit.

— Tu oses me dire ça, toi... alors que tu n'arrêtes jamais de parler de ton propre travail ? De tes amis, de tes soirées, de tes interviews à la télévision ? Tu as admis que tu voulais m'emmener aux Etats-Unis uniquement comme accessoire ! Le cirque littéraire

16

Jon Bevan. Le merveilleux, l'astucieux, l'incroyable poète et romancier Jon Bevan, et sa jolie petite amie, qui écrit de si piquantes biographies — mais qu'il ne faudrait surtout pas prendre au sérieux autant que l'Œuvre de M. Bevan.

Ses mains se mirent à trembler lorsqu'elle se rendit compte de ce qu'impliquaient ses paroles. C'était une condamnation à mort sans équivoque de leur histoire d'amour. Il n'y aurait pas de retour en arrière, pas de réconciliation, pas d'oubli des insultes lancées.

— Tu as raison, Jon. Notre relation ne peut pas marcher. C'est fini. Terminé !

Elle sortit brusquement de la pièce en le repoussant.

Leur chambre était minuscule. Le lit double, poussé contre le mur, laissait juste assez d'espace pour un bureau, celui de Kate. Son ordinateur portatif y trônait, au milieu de papiers et de livres. Le bureau de Jon était situé dans le salon, qu'elle venait de quitter. Le salon de Jon. L'appartement de Jon. Elle regarda autour d'elle avec désespoir, puis attrapa son manteau. Elle l'enfila à la hâte et courut à la porte d'entrée.

— Kate, cesse d'agir comme une enfant. Nous pouvons nous entendre.

Jon la suivait, subitement terrifié par ce qu'il avait fait.

— Pour l'amour du ciel, où vas-tu ?

— Dehors, fit-elle, aux prises avec la serrure.

— Tu ne peux pas sortir. Il est presque minuit et il neige.

Sa colère avait disparu. Il se voyait tout d'un coup tel qu'il devait paraître à ses yeux : un être égoïste, arrogant, insensible et cruel.

— Kate, je t'en prie, dit-il en lui tendant la main.

Sans répondre, elle claqua la porte et dévala l'escalier.

2

Il lui manquait.

L'appartement était en ordre, déjà vide, bien qu'elle y demeurât encore, et les jours s'écoulaient rapidement. Il lui fallait trouver rapidement un autre endroit où vivre, pour retrouver l'estime d'elle-même et écrire.

Elle tenta de justifier ce qui était arrivé, de se l'expliquer. Il avait raison : les choses n'avaient pas fonctionné. Il y avait eu trop de conflits et trop de compétition entre eux. Mais c'était elle qui avait fait tous les sacrifices : son temps, sa concentration, son argent et sa détermination.

Eh bien, c'était terminé ! Elle pouvait maintenant se consacrer à un seul but, à un seul homme : Byron. Assise à table, elle étendit du miel sur une tranche de pain et regarda la mie se défaire. En fronçant les sourcils, elle essaya de rassembler les miettes. Elle ne pouvait rester à Londres, c'était évident. L'argent qu'elle avait prêté à Jon constituait ses seules réserves. Elle venait de passer la matinée à consulter son relevé bancaire et son livret d'épargne, calculatrice en main, pour voir combien de temps elle pourrait faire durer ses dernières centaines de livres. Dieu merci, elle avait eu le bon sens d'en placer un peu dans un fonds exonéré d'impôts, auquel elle n'avait pas touché, même pour Jon. Tout était sa faute. Comme elle avait été sotte de s'enticher ainsi, une vraie poire ! Elle ne pouvait s'en prendre qu'à elle-même. Mais aussi à Jon. L'insulter intérieurement lui avait fait un peu de bien, toutefois elle revenait toujours au vide de son existence, et au fait que Jon lui manquait.

Mais la vie devait continuer et, deux jours plus

tard, elle se retrouva à la BBC, où son vieil ami, Bill Norcross, dirigeait un service de production.

— Alors, la rumeur était vraie ? Jon et toi êtes séparés. La belle Kate Kennedy a montré les crocs et mordu la main qui la nourrissait.

Bill se cala dans son fauteuil et fit signe à Kate de s'asseoir.

Ravalant une riposte, elle s'assit, consciente que les yeux de Bill remontaient automatiquement du haut de ses bottes de cuir noir à l'ourlet de sa jupe. Rassurée par le fait que ses cuisses étaient cachées par d'épais collants de laine noire, elle croisa les jambes, délibérément provocante.

— Il ne m'a jamais nourrie, Bill. Je payais ma part, dit-elle calmement.

Bill sourit amicalement. Kate était grande, comme Jon, et leur allure était si semblable que beaucoup de gens les avaient crus frère et sœur. Mais alors que Jon paraissait agile et détendu, Kate donnait une impression d'élégance et de grâce, avec son abondante chevelure brun clair et ses longs doigts minces. Elle tenait maintenant les lunettes qui lui avaient servi à inspecter brièvement le visage de Bill, comme si un regard de dix secondes suffisait pour toute une vie.

— J'ai besoin de ton aide, Bill. Il me faut un endroit où rester quelque temps... Je me demandais si je pouvais utiliser ton cottage.

— Mon Dieu, tu dois être désespérée, dit Bill en fronçant les sourcils. Sais-tu où il se trouve ?

— Dans le North Essex, non ? fit-elle en riant.

— Dans le plus beau coin de l'Essex, qui est également, à mon avis, le plus beau coin d'Angleterre. Mais hélas, en cette saison, c'est également le plus inaccessible et le plus froid. Je n'y ai que très peu des prétendues commodités modernes, la chambre à coucher est pleine de gravats, le toit fuit, et l'endroit est très humide. Tu y serais mal. Est-ce que Jon t'a mise à la porte ?

— D'une certaine façon, dit-elle en serrant les lèvres. Je croyais que nous partagions un appartement, mais apparemment, ce n'était pas le cas.

— Alors, vous avez rompu ?

Elle fit signe que oui.

— Les envolées dramatiques sont terminées. Maintenant, nous sommes devenus terriblement civilisés.

Cela lui faisait mal d'en parler.

Elle connaissait Bill depuis quinze ans, depuis qu'ils s'étaient rencontrés à l'université, durant leur première année. C'était un de ses meilleurs amis, mais elle ne lui dirait rien à propos de l'argent. Ce qu'elle avait fait de ses économies pour être aujourd'hui incapable de se payer un appartement décent ne le regardait pas. D'ailleurs, Jon avait promis de la rembourser dès qu'il recevrait sa prochaine avance. Ou la suivante... Ce cher Jon ! Si gai, si généreux, si idiot, si égoïste. Qu'il aille au diable ! Dire qu'elle avait été assez sotte pour s'enticher de lui !

Bill croisa les bras. Il était corpulent et commençait à perdre ses cheveux, bien qu'il ne fût que dans la trentaine. A son grand regret, son visage aimable et plein d'humour n'arrivait à exprimer rien d'autre qu'une perpétuelle et charmante bonhomie.

— Ai-je raison de croire que Jon t'a soulagée de la majeure partie du pognon que tu as gagné avec *Jane* ?

Kate leva un sourcil.

— C'est ce qu'il t'a dit ?

— Pas exactement, non. Mais je l'ai deviné. Après tout, je vous connais tous deux depuis longtemps, bien avant que vous ne vous soyez rencontrés. Es-tu tout à fait sur la paille, ou as-tu les moyens de payer un loyer ?

— J'ai encore des moyens, dit Kate prudemment, mais pas à Londres.

— Non, pas à Londres, bien sûr, mais près de chez moi, dans l'Essex. Dans la baie de Redall. Mes voisins ont un cottage qu'ils veulent louer pour six mois. C'est à quelques kilomètres du mien, et bien plus civilisé. Tranquille, aussi. Tranquille comme une tombe, dit-il en riant soudain.

— Accepteraient-ils de me le louer ?

— J'en suis persuadé. Ils ont besoin d'argent. Si je te recommande et que tu te débrouilles pour payer trois mois d'avance, je suis à peu près sûr de pouvoir tout arranger pour toi.

Il se pencha brusquement pour ouvrir un tiroir et lança devant elle un tas de vieilles photos écornées.

— L'endroit est lugubre, Kate. Tu ferais bien de réfléchir. Tu y seras terriblement seule.

Elle prit les clichés en lui lançant un regard.

— Je sais que c'est lugubre. Je connais la côte pour y être allée une fois ou deux.

Les photos montraient une série de scènes de vacances : des gens, des bateaux, des chiens, des enfants, du sable, des galets, et toujours la mer, une mer trouble, gris-vert. Sur l'une d'elles, on voyait un petit cottage, au loin.

— C'est le tien ?

— Oui. Je n'y vais pas beaucoup en hiver. Je ne supporte pas le froid et la désolation.

Elle lui lança un regard malicieux.

— Ça me semble très bien, mais trop fréquenté. Il me faut de la solitude. J'écris un livre, n'oublie pas.

— Bien entendu.

Bill se leva, en écartant les bras dans un grand geste.

— Si j'arrive à trouver, pour Roger et Diana, un locataire prêt à payer le privilège d'habiter cet endroit abandonné de Dieu et s'y geler les couilles — à moins que nous ne parlions de toi — ils me seront à jamais redevables. Laisse-moi quelques jours pour leur téléphoner et leur envoyer ton chèque, et je t'assure que si la banque ne le refuse pas, ils t'accueilleront à bras ouverts.

Elle se leva.

— Ne raconte pas à Jon que je pars, en supposant qu'il s'y intéresse, dit-elle en partant. Pour l'instant, je veux une rupture complète. A mes conditions.

Elle était surprise de sa propre absence de colère.

— Petite sotte. Ecoute, je vais y aller avec toi en fin de semaine. Ça ne ferait pas de mal à mon cottage de l'aérer un peu. Ensuite, je t'abandonnerai au vent d'est pour regagner le confort de mon appartement.

Elle ne mit que peu de temps pour vider ses affaires de l'appartement de Jon. Il ne semblait pas y en avoir beaucoup, à part les livres, bien sûr.

Leur rupture s'était faite à l'amiable, en fin de compte. Ils s'étaient montrés adultes, méthodiques et absolument calmes dans le partage de leurs affaires : un divorce sans les complications juridiques. Après un baiser glacial sur la joue, Jon était parti pour New York plus tôt que prévu. Il ne lui avait pas demandé où elle allait et n'avait fait aucune mention de l'argent.

Une demi-douzaine de boîtes et de valises entassées à l'arrière de sa voiture, des plantes dans des boîtes de carton, soigneusement emballées contre le vent froid, et une brassée de vêtements qu'elle ne portait plus : tout ce qui restait de son séjour à Londres. Elle fit plusieurs voyages entre son ancien appartement et le grenier de Bill, à Hampstead. Tout resterait sauf les plantes qu'il dorloterait, loin des vents de l'East Anglia. Elle ne garderait que son ordinateur et son imprimante, ses livres, ses boîtes de fiches et de notes, ainsi que quelques valises contenant des jeans, des chandails épais et des bottes de caoutchouc. Ce ne fut qu'après avoir tout entassé dans sa petite Peugeot et avoir fait un dernier tour de l'appartement qu'elle sentit dans sa gorge une petite boule traîtresse qui menaça de l'étouffer. Elle la ravala de force. Maintenant commençait le reste de sa vie. Elle fit claquer la porte d'entrée, poussa les clés dans la boîte aux lettres et les entendit tomber sur le tapis, de l'autre côté, avec un bruit mat et définitif correspondant exactement à son état d'esprit. Elle n'avait pas demandé comment Cyrus Grandini s'introduirait dans l'appartement, et Jon ne le lui avait pas dit. Relevant le col de sa veste, elle dévala l'escalier jusqu'à sa voiture.

3

La marée montait, attirée inexorablement par la pleine lune, perdue au-dessus d'imposants cumulus. La plage de galets était déserte, au creux des ténèbres. Tandis que les vagues léchaient les pierres en silence, poursuivant leur prudente exploration, du sable se détacha d'un monticule situé derrière et alla se perdre dans l'eau noire. Dans l'espace nouvellement créé, une fissure se forma. Une touffe d'herbes entremêlées s'inclina, accrochée par un réseau de fines racines enchevêtrées. L'herbe siffla en se couchant sous le vent. Une rafale souleva des grains de sable, qui tourbillonnèrent vers l'est. Bientôt, le vent et la marée se mirent à travailler de concert et, inexorablement, la mer poursuivit sa progression.

La poche d'argile, restée dans la plaine inondable de la rivière Strowell après le départ des glaciers, avait formé, deux mille ans plus tôt, le fond d'un marais d'eau douce. Drainé depuis longtemps, le marais avait disparu et le riche pâturage qui l'avait remplacé était devenu, au cours des siècles, champ cultivé, puis fourré de broussailles, puis forêt, avant que l'avance constante de la mer sur la côte est ne l'eût transformé en plage de galets. Après plus de deux millénaires d'érosion, la couche de terre et de sable couvrant l'argile n'avait plus que quelques centimètres.

4

Dans l'embrasure de la porte, Diana Lindsey, vêtue d'un pantalon, d'un anorak et d'un grand châle de laine d'agneau, regardait son fils allumer le feu. C'était une jolie petite femme aux cheveux blonds et aux yeux vert pâle, aux mains rugueuses et rougies par le travail.

— Dépêche-toi. Le petit déjeuner sera bientôt prêt, Greg. J'ai déjà perdu assez de temps, ce matin, avec toutes tes histoires.

La lumière du jour, filtrée par les nuages, entrait par la fenêtre du petit salon et éclairait les tapis aux couleurs vives ornant le parquet, ainsi que le canapé et le fauteuil qu'on avait tirés près du feu. Diana était contente de cette pièce. Ils n'avaient eu que vingt-quatre heures pour déménager les affaires de Greg et les remplacer par quelques meubles respectables : une table et deux chaises pour la cuisine ; une petite chaise basse victorienne pour la chambre à coucher, qui n'avait eu jusque-là que le lit double pour tout mobilier ; des draps, des serviettes et une boîte contenant l'épicerie de base. La commande d'épicerie était une idée de Bill. Elle dépassait de loin les obligations d'un propriétaire, mais Diana avait reconnu qu'il serait plus gentil d'éviter à une future locataire de faire des kilomètres supplémentaires pour se procurer un peu de nourriture et de café. La touche finale avait consisté à allumer le poêle à bois, d'où provenait maintenant un ronflement régulier, et à mettre du jasmin d'hiver dans un vase.

Greg ferma les portes du poêle et se leva. Sa forte carrure remplissait la petite pièce et il devait incliner la tête sous les poutres du plafond.

— Voilà. Satisfaite maintenant, m'man ? Mme l'Intellectuelle aura autant de confort qu'un scarabée dans une bouse de vache.

— Ne sois pas vulgaire, Greg.

Elle lui faisait ce reproche de façon automatique, ennuyée. Elle se rendit à la cuisine pour une dernière inspection. Les casseroles étaient pratiquement neuves : Greg ne s'était jamais donné la peine de se faire quoi que ce soit d'autre que du café. Elle avait apporté elle-même les ustensiles de la ferme.

— Parfait. Allons-y. Bill a téléphoné pour dire qu'ils seraient probablement ici pour l'heure du thé. Il voulait qu'elle soit installée avant qu'il fasse nuit.

— Quelle sagesse !

Greg ouvrit la porte d'entrée. Dans le poêle, derrière les vitres noircies, les flammes baissèrent puis redoublèrent de force, avant de reprendre leur taille normale.

— Est-ce que j'appelle Allie ?

Il tourna au coin du cottage, laissant sa mère regagner la Land Rover, au bout du chemin creusé d'ornières qui menait, à travers un bois sombre, jusqu'à la ferme Redall, quelques centaines de mètres plus loin. La maisonnette à charpente de bois, peinte en rose pâle, était blottie au milieu d'un demi-cercle d'arbres. A l'arrière, un gazon brouté par des lapins s'étendait jusqu'à la bande de sable et de galets qui séparait l'estuaire de la rivière Strowell de la plage et des vagues glacées de la mer du Nord. L'endroit était battu par les vents, même lorsque le soleil brillait de façon intermittente, comme aujourd'hui.

— Allie !

Greg mit les mains en porte-voix et cria le nom de sa sœur. Au moment où sa mère ouvrait la portière de la Land Rover pour y monter, il disparut derrière le cottage, contre le vent.

Alison Lindsey, quinze ans, était accroupie à l'abri d'une des dunes de sable et de galets, entre le cottage et la mer. Elle avait coiffé ses cheveux blonds en queue-de-cheval et les avait enfoncés dans le col de son blouson jaune. En voyant apparaître son frère, elle leva la main. Le vent fouettait des mèches de cheveux devant ses yeux.

— Qu'as-tu trouvé?

Greg sauta en bas du petit escarpement sablonneux et s'arrêta à côté d'elle. A l'abri du vent, tout était soudainement très calme; il faisait presque chaud dans les rayons de soleil capturés par le sable.

— Regarde. A cet endroit, la mer a emporté le sable. Ça doit s'être passé durant la marée haute.

Elle avait gratté le sable et Greg vit qu'elle s'était abîmé un ongle. Un mince filet de sang se mélangeait aux grains dorés collés à sa peau. Elle avait creusé le côté de la dune et déterré quelque chose.

— Tu vois, c'est un morceau de poterie.

Intrigué, il prit le tesson. Une de ses faces, couverte d'un enduit rouge, portait un motif en relief, à peine égratigné par le sable. La glaçure était encore brillante.

— Joli. Ça doit venir du cottage. Viens, maintenant. M'man est dans tous ses états. Elle veut nous faire tous manger avant d'aller à Ipswich ou je ne sais plus où cet après-midi, et je veux disparaître avant que Mme l'Intellectuelle ne se pointe.

Alison reprit le tesson des mains de son frère et l'enfonça dans la poche de son anorak.

— Pourquoi l'appelles-tu comme ça? Elle est célèbre, tu sais. Elle a écrit un livre.

— Exactement, dit-il en souriant d'un air sombre. Et elle va sans doute se croire infiniment supérieure aux péquenauds que nous sommes.

Il rit brièvement en escaladant l'escarpement et se tourna pour tendre la main à sa sœur, la tirant hors de la dépression sablonneuse.

— Eh bien, elle va vite s'apercevoir que vivre à la campagne en ce temps-ci n'est pas aussi facile qu'en été. Peut-être qu'alors elle finira par partir.

— Et te laisser reprendre le cottage?

De ses yeux verts, Alison scruta le visage de son frère avec sérieux et perspicacité.

— Ne dis rien à m'man, Allie, mais je pense que toi et moi, nous pourrions trouver une façon de chasser Mme l'Intellectuelle de Redall. Nous pourrions peut-être donner un coup de main au climat. L'effrayer d'une manière quelconque.

— Tu parles! dit-elle en riant. Mais n'avons-nous pas besoin de l'argent? reprit-elle en fronçant les sourcils.

— De l'argent! gronda Greg. Est-ce que personne ne pense à autre chose, par ici? Pour l'amour de Dieu, il y a autre chose sur terre. Nous n'allons pas mourir de faim. L'indemnité de départ de p'pa et sa pension représentent plus qu'il ne nous faut pour des années. Nous pouvons payer l'essence, l'électricité et la nourriture. Les parents ont les moyens de s'acheter de l'alcool. Avec mon allocation de chômage, je peux avoir des couleurs et des toiles. Pourquoi tout le monde court autant après l'argent?

Alison haussa les épaules. Elle n'était pas assez bête pour contredire son grand frère. D'ailleurs, il avait probablement raison. Elle repoussa fermement l'idée sournoise que la façon de voir de Greg était simpliste et incroyablement immature. Après tout, il avait douze ans de plus qu'elle. Ils arrivèrent à la Land Rover. Repoussant pour la millième fois des mèches de cheveux de ses yeux, Alison ouvrit la portière et grimpa sur la banquette avant, près de sa mère.

A la ferme, le troisième rejeton des Lindsey, Patrick, mettait la table pour le déjeuner, faisant discrètement le tour de la cuisine en chaussettes, tandis que son père sommeillait sur la chaise en rotin, devant la cuisinière, les deux chats pelotonnés sur ses genoux. Le silence de la pièce n'était rompu que par le tic-tac de l'horloge ancienne, dans un coin, et par le discret bouillonnement provenant de la cuisinière. L'odeur du poulet mijotant dans une sauce épaisse, assaisonnée de fines herbes, rendait l'air dense et riche. Patrick, plus âgé qu'Alison de deux ans, était le plus studieux de la famille. Dans sa chambre, à l'étage — la meilleure de la maison, selon Alison, en raison de ses dimensions —, un ordinateur, une imprimante, des calculatrices et des centaines de livres se disputaient l'espace disponible, débordant occasionnellement dans le couloir, devant la chambre de sa sœur. A ce moment précis, Patrick était perdu dans ses pensées. Il ne remarqua ni le bruit de moteur ni la vitesse à laquelle le chat numéro deux, Jones-la-marmelade, sauta en bas de ses genoux et bondit sur la planche à découper, où il se mit à lécher la motte de beurre que le jeune homme avait imprudemment sortie du réfrigérateur.

La porte qui s'ouvrait réveilla Roger, surprit Patrick, et donna brusquement conscience au chat qu'il ne devait pas se trouver là.

— Seigneur, comme il fait froid dehors !

Diana s'approcha de la lourde casserole de fonte et en inspecta le contenu avant même d'enlever son manteau.

— Bill a téléphoné.

Roger s'étira et se pencha pour ramasser le journal qui avait glissé de ses doigts inertes pendant son sommeil. Indigné par ce chambardement, le chat numéro un, Smith-le-veinard, quitta son maître et alla s'asseoir sur le tapis, devant la cheminée, où il se mit à contempler les braises d'un œil énigmatique.

— Ils devraient arriver vers quinze heures. Apparemment, elle n'est pas mal du tout. Tu pourrais essayer de lui faire du charme, Greg, pour une fois. Je ne peux pas croire, si tu tiens tant soit peu de ta mère, que tu méconnaisses absolument cet art.

— Oh, toi !

Diana donna une petite tape sur la tête de son mari, mais Greg ne vit pas leur jeu. Enfermé dans un monde intérieur intense, fait d'imagination frustrée, il ne remarquait pas souvent le badinage affectueux de ses parents. Il se dirigea vers la cheminée et y jeta une bûche.

— La vieille dune, derrière le cottage, est à moitié partie, leur lança-t-il du salon. Vous savez, celle qui l'abrite du vent du nord-est. Encore quelques marées comme celle de la semaine dernière et la maison pourrait bien finir par être emportée.

— Quelle bêtise !

Diana, après avoir accroché son manteau, attachait maintenant autour de sa taille un grand tablier où un gigantesque autobus londonien rouge semblait vouloir traverser l'espace rebondi de son ventre. Elle secoua la tête.

— C'est impossible. Ce cottage est là depuis des centaines d'années.

— Et il y a longtemps, il était à des kilomètres de la mer, ma chérie.

Roger se leva. Douloureusement mince, le visage fatigué, signe de la maladie qui l'avait forcé à prendre une retraite anticipée.

— Pourquoi n'ouvrirais-je pas une bouteille de vin ? Ton ragoût sent tellement bon que je pourrais en manger.

Il sourit et son épouse, qui retournait vers la cuisinière avec une cuillère en bois, s'arrêta pour le serrer furtivement dans ses bras.

— Montre à papa le morceau de poterie que tu as trouvé dans la dune, Allie, lança Greg de la pièce voisine.

Sa sœur, toujours vêtue de son anorak, s'était assise à table, les coudes plantés parmi les couteaux et les fourchettes que Patrick avait alignés avec une précision toute géométrique. Elle fouilla dans sa poche et l'en sortit.

Roger le prit et le fit tourner entre ses doigts avec intérêt.

— Voilà qui est inhabituel. Plutôt vieux, je pense. Regarde la couleur de la glaçure, Greg.

Il tendit l'objet vers son fils. A contrecœur, Greg quitta la cheminée. Prenant le fragment, il le fit également tourner entre ses mains.

— Tu devrais aller montrer ça au musée, fillette, dit-il à Alison. On verrait ce qu'ils en pensent.

— Je pourrais bien.

Alison se leva et surprit tout le monde par l'enthousiasme qui faisait briller ses yeux. L'air d'ennui soigneusement étudié qui lui était habituel l'avait quittée pour un instant.

— Je crois que c'est romain. Il y en a d'exactement semblables au musée du château.

— Allie, mon chou, c'est impossible ! Pas ici. Les Romains ne sont jamais venus aussi loin de Colchester.

— Mais si. On a trouvé beaucoup d'objets romains à la ferme de Kindling, intervint Roger. Tu t'en souviens ? Ils ont trouvé les restes d'une villa. Un riche Romain de Colchester est venu prendre sa retraite par ici. Ils ont trouvé une inscription.

Alison hocha la tête.

— Marcus Severus Secundus, dit-elle d'une voix douce.

— C'est ça, approuva Roger. Il y a eu un article sur lui dans le journal local. Et ils ont trouvé des choses encore plus anciennes. De l'âge du fer, je crois, ou de l'âge du bronze, je ne sais plus. Penses-tu toujours travailler sur l'archéologie pour ton projet scolaire, Allie ?

— Ça se pourrait.

Sa bouffée d'enthousiasme s'était apparemment dissipée. Elle s'assit de nouveau en écartant les coudes, dispersant couteaux et fourchettes. Patrick fronça les sourcils, mais ne dit rien. Il avait appris depuis belle lurette que le moindre commentaire lui attirerait une bordée d'injures de la part de sa sœur, ce qui finirait par gâcher le repas. C'était arrivé déjà trop souvent.

— Je vais fouiller cette dune.

La déclaration inopinée d'Alison arrêta Roger, qui avait entrepris de verser le vin, au beau milieu de son geste.

— Cela me semble un peu ambitieux, ma grande, dit-il prudemment.

— J'ai déjà trouvé quelque chose, auparavant.

— Au même endroit? dit Greg en la regardant, sceptique, de l'autre côté de la table. Pourquoi n'as-tu rien dit?

— C'est pas tes oignons!

Alison s'empara d'un verre de vin.

— Eh, c'est le mien...

— T'as qu'à t'en verser un autre.

Comme ses parents ne disaient rien, elle leva le verre d'un air de défi et le porta à ses lèvres.

— Qu'as-tu trouvé, Allie?

La voix de Roger avait pris le ton conciliant qu'il utilisait souvent avec sa fille.

— Je vais vous montrer.

Elle se leva et, toujours le verre à la main, se dirigea vers l'escalier du salon, derrière la porte du coin, près de la cheminée.

— Il y a toute une pile de livres d'archéologie dans sa chambre, dit Patrick à mi-voix, lorsqu'elle fut hors de portée.

— Tu n'es pas encore allé dans sa chambre! Tu sais qu'elle n'aime pas ça... lui glissa Diana, exaspérée.

— Elle m'avait piqué mon chandail d'Aran. J'en avais besoin.

Patrick avait les lèvres pincées, exactement comme sa sœur, quand Alison revint avec une boîte à chaussures dans les mains.

— Regardez. J'ai trouvé tout ça sur la plage. Ces deux-là, je les ai déterrés de la dune.

Elle renversa le contenu de la boîte qui s'éparpilla au milieu d'une pluie de sable. Il y avait plusieurs tessons, quelques morceaux d'os gravés, et un ou deux fragments non identifiables de métal tordu et corrodé.

— Je pense que c'est une tombe. Une tombe romaine, dit Alison solennellement.

Il y eut un moment de silence.

Lentement, Greg secoua la tête :

— Non, sûrement pas. Si ces trucs ont une importance quelconque, ils viennent plutôt des collines rouges. Ça a probablement à voir avec les anciens marais salants. Enfin, ce n'est pas que ce soit inintéressant, ajouta-t-il rapidement, devant l'air revêche de sa sœur. Peut-être devrions-nous les montrer à quelqu'un qui s'y connaît.

— Non ! dit Alison en s'emportant contre lui. Je ne veux pas qu'on le sache. C'est à moi. C'est ma tombe. C'est moi qui l'ai trouvée. Tu ne vas dire à personne que c'est ici, compris ? C'est moi qui creuserai et tout ce que je trouverai sera à moi. Si tu racontes ça à quelqu'un, tu gâcheras tout. Tout !

Balayant ses trésors dans la boîte, elle referma brusquement le couvercle et quitta la pièce en coup de vent.

— Laisse-la, dit Diana en se tournant paisiblement vers la cuisinière. Elle s'en fatiguera lorsqu'elle réalisera à quel point c'est un travail difficile. D'ailleurs, je suis sûre qu'il n'y a là rien de vraiment intéressant. Nettoie-moi tout ça, veux-tu, Patrick, mon chéri ? Sinon nos invités vont arriver avant que nous ayons fini.

5

Ses ongles entaillèrent profondément la paume de ses mains ; les veines de son front et de son cou étaient gonflées et battaient à chaque pulsation de son cœur, mais son silence était celui du fauve à l'af- fût. Sous le cuir souple de ses sandales, pas une feuille ne bruissait, pas une branche ne craquait. Sans bruit, il écarta les feuilles devant lui et regarda dans la clairière. La longue tunique et le manteau de sa femme gisaient parmi les jacinthes des bois, une tache de bleu parmi le bleu. Les armes et les vête- ments de l'homme étaient à côté de lui. Il pouvait voir l'épée dégainée, le pâle éclat de la lame dans la lumière mouchetée par l'ombre des feuilles. Il pouvait entendre les gémissements de plaisir de la femme, voir les marques rouges de ses ongles sur les épaules de son amant. Jamais elle ne s'était ainsi tordue sous lui ; jamais elle n'avait émis un son ; jamais elle n'avait labouré sa peau dans son extase. Sous lui, celle qu'il adorait et vénérait restait immobile, sou- mise, accomplissant son devoir les yeux ouverts, fixant le plafond avec une expression à peine perceptible de mépris.

Il ravala sa colère, se contraignant au silence. Son glaive reposait dans son étui, à sa taille, mais il ne tendit pas la main vers lui. La mort au moment de l'extase les enverrait directement auprès des dieux. Ce serait trop facile, trop rapide. En les regardant, il sentit les derniers restes de son amour se métamor- phoser en haine. La punition qu'il infligerait à son épouse durerait le reste de ses jours, mais pour son amant, il échafauderait une mort capable de satis- faire sa fureur. En attendant le moment propice, il patienterait. Il accueillerait son épouse dans son foyer, dans son lit, avec le sourire. Sa haine, comme sa colère, resterait cachée.

Une lumière changeante envahissait le bureau de Roger. Provenant du morne jardin, elle éclairait de rayons pâles et mobiles le plafond bas aux lourdes poutres de chêne. Greg se laissa tomber dans le fauteuil de son père et promena un regard morose autour de lui. Impossible de peindre ici. Il lui fallait trouver un moyen d'obliger Mme l'Intellectuelle à quitter le cottage, afin de le récupérer.

La petite pièce était remplie de toiles et de tablettes à dessin. Son chevalet occupait tout l'espace entre le bureau et la fenêtre; la table était chargée de boîtes de couleurs, de crayons et de toutes sortes de vieux objets récupérés au cottage; une odeur nouvelle d'huile de lin et de térébenthine s'imposait par-dessus la senteur des vieux livres, la lourde fragrance des fleurs séchées de Diana et le parfum de la cire à la lavande. Tout à ses pensées, il se leva et fouilla parmi une série de toiles. Il en tira une, la posa sur le chevalet et s'assit devant pour la contempler.

Ce portrait le tracassait. Il faisait partie d'une série à laquelle il travaillait depuis deux ou trois ans. Toujours la même femme. Les portraits étaient tristes, mystérieux. Des évocations d'atmosphère plutôt que des représentations; la beauté suggérée plutôt qu'affirmée. Cette toile était la plus grande — un mètre sur un mètre trente — de toutes celles qu'il avait entreprises depuis longtemps, et c'était également celle qui lui avait donné le plus de difficultés.

Greg resta assis quelques minutes, se mordillant le pouce. C'étaient les couleurs qui clochaient. La femme était trop floue, trop indistincte. Il approcha de la toile, se pencha vers elle d'un air absorbé et lui donna quelques coups de pinceau. Il l'avait faite trop belle, trop séduisante. Il devait plutôt la peindre telle qu'elle était : une putain, une traîtresse, une chatte en chaleur.

Il travailla avec fureur, précisant les principaux traits, dessinant mieux les lèvres et les yeux, retouchant la ligne des cheveux. Sa colère grandissait à chaque coup de pinceau.

Puis il se recula et contempla son travail en plissant les yeux, conscient qu'à mesure que le soleil descendait dans le ciel, la lumière changeait, et avec elle, le visage. Il regarda durement sa palette, qu'il avait déposée sur le bureau de son père, conscient que sa colère le quittait aussi rapidement qu'elle était venue, et se demandant, comme il l'avait déjà fait, quelle en était la raison.

6

Kate quitta la route et la voiture se mit à tressauter le long d'un chemin de terre traversant les bois. Devant eux, le ciel, parsemé de lambeaux de nuages, avait cette intensité lumineuse qui dénote la proximité de la mer.

— J'espère que nous n'aurons pas à rouler longtemps là-dessus, dit-elle en ralentissant, tandis que le véhicule s'enfonçait pour la seconde fois dans une ornière.

Elle baissa sa vitre et aspira profondément l'air froid, qui portait une forte senteur d'aiguilles de pin, de terre et d'humus.

— Malheureusement, ça empire, dit Bill en grimaçant. Tu devras laisser ton auto à la ferme. Roger ou Greg amèneront toutes tes affaires au cottage avec la Land Rover.

Le chemin se divisait en deux. Kate immobilisa sa voiture.

— Quelle direction ?

— A droite. Ma maison est par là, à gauche, à quelques centaines de mètres. La ferme est de ce côté-là, en bas.

Avec précaution, elle embraya. Le chemin se mit à descendre abruptement. Ils rebondirent à nouveau dans les ornières tandis que les arbres devenaient plus denses. Entre les pins, on voyait de vieux chênes, des noisetiers envahis de clématites séchées et des buissons de ronces impénétrables.

La ferme était située à l'orée du bois et faisait face à l'est, du côté de la mer. Un soleil intermittent éclairait une mince bande de terres cultivées et d'arbres fruitiers. On ne voyait aucun cottage.

Elle arrêta la voiture à côté de la grange. La maison avait une teinte rosée. C'était un long bâtiment peu élevé, couvert de plantes grimpantes, qui devaient, l'été, foisonner de clématites et de roses. Même en plein cœur de l'hiver, l'endroit était extraordinairement joli.

— C'est ravissant !

— Pas trop sauvage pour toi ?

Aussi loin que l'œil pouvait voir, il n'y avait devant eux que de l'eau et les bandes gris-vert de la laisse. Un dernier rayon de soleil ouvrit un sentier de lumière en direction de la mer. Son riche coloris ne subsista qu'un moment et s'évanouit.

— Dépêchons-nous, la nuit va bientôt tomber et il faut t'installer, dit Bill en ouvrant la portière.

Kate regarda attentivement ses hôtes en leur serrant la main. Roger et Diana Lindsey semblaient tous deux âgés d'une cinquantaine d'années. Ils paraissaient tranquilles et accueillants.

— J'ai pensé que vous aimeriez prendre un peu de thé avant de vous rendre au cottage, dit Diana, en l'entraînant vers le canapé. Mettez-vous à l'aise — faites descendre les chats — et mon fils apportera vos bagages là-bas.

— Elle en a beaucoup, intervint Bill, les mains

36

tendues vers les bûches rougeoyantes. Des ordinateurs et des trucs du genre.

— Ô Seigneur! fit Diana en fronçant les sourcils. Dans ce cas, vous aurez certainement besoin d'aide.

— Où se trouve le cottage?

Tout en appréciant le thé, le confort et la chaleur du feu, Kate avait hâte de voir son logis.

— C'est à quelques centaines de mètres, à travers les bois. Vous serez juste au bord de la mer, ma chère. J'espère que vous avez emporté des vêtements chauds.

Avec sollicitude, Diana remplit à nouveau la tasse de son invitée, s'interposant entre elle et le bas de l'escalier, où elle avait perçu un mouvement. Les enfants espionnaient. Ils feraient sans doute leur entrée dans un moment. Elle soupira. «Les enfants, vraiment!» Elle pensait à Alison et Greg. Patrick était sûrement là-haut, avec ses ordinateurs, et il ne descendrait que lorsqu'on l'appellerait pour le dîner. Elle redoutait des ennuis de la part de sa fille et de son fils aîné — un adulte qui avait pourtant passé l'âge de faire des bêtises.

— Appelle Greg, dit-elle à Roger par-dessus son épaule. J'aimerais qu'il aide Mlle Kennedy…

— Kate, je vous en prie.

— Kate, alors, fit-elle en lui souriant. Il pourrait commencer à charger les bagages dans la Land Rover.

Greg semblait avoir entre vingt-cinq et trente ans. Il était donc sensiblement du même âge que Kate. Ses beaux traits étaient légèrement défaits — trop de bière et pas assez de soin de lui-même — et son chandail de laine épaisse était taché de peinture. Il serra la main de la jeune femme de façon assez amicale, mais elle sentit chez lui une légère réserve, voire du ressentiment, et elle le trouva moins séduisant.

— Je suis désolée. Je crois que ça va vous déranger de me conduire au cottage, dit-elle en le défiant du regard.

— Mais c'est nécessaire, pour que notre locataire soit confortablement installée.

Sa voix était profonde, musicale, mais froide. Bill dut également le sentir. Kate le vit se renfrogner en se soulevant du canapé.

— Allons-y, Greg. Je vais te donner un coup de main. Laissons les autres finir leur thé, hein ?

Lorsque la porte s'ouvrit et que les deux hommes disparurent dans le crépuscule, une mince volute de fumée transportant une douce odeur de pomme redescendit de la cheminée.

— Vous pouvez mettre votre voiture dans la grange, Kate, dit amicalement Roger en étirant ses jambes devant le feu. Vous viendrez la reprendre quand vous voudrez, et si vous avez des choses un peu lourdes à transporter, faites-nous signe. Dommage que le chemin soit si mauvais. Je me dis toujours que je vais demander au voisin d'amener une niveleuse pour l'égaliser un peu.

— Je suis venue pour m'isoler, dit Kate en souriant. Je ne vais pas passer mon temps à aller et venir. J'irai chercher des provisions au magasin le plus proche et je me couperai du monde pour quelque temps.

Cette idée l'enthousiasmait.

— Vous serez bien ici, alors. Surtout si le temps se met de la partie, dit Roger en émettant un grognement qui était peut-être un rire. Il y a quand même un téléphone. Mais si vous voulez la paix, ne divulguez pas trop le numéro.

Il leva la tête quand la porte s'ouvrit.

— Paré, lança Bill en souriant. Si ça ne te fait rien, Kate, je vais me mettre en route. Ma maison est quand même assez loin à pied. Je vais te confier à Greg et je viendrai faire un tour demain matin, si ça te convient. Je pourrai alors te montrer de jour le chemin pour revenir ici, et nous prendrons un verre quand tu me déposeras à Colchester pour que je prenne le train de Londres.

Les phares de la Land Rover éclairaient les arbres d'une lumière verte inquiétante tandis qu'ils s'éloignaient lentement de la ferme, en bringuebalant dans l'obscurité. Kate glissait à gauche et à droite sur le siège inconfortable. Elle agrippa le tableau de bord pour se retenir, pensant avec inquiétude à son portable, quelque part à l'arrière.

— Pardon, est-ce que je vais trop vite ?

Greg ralentit légèrement et la regarda du coin de l'œil. Il avait déjà remarqué sa beauté, bien plus grande que ce qu'on avait rapporté. Sa chevelure était châtaine, longue et épaisse. Ses traits étaient bien dessinés, ses vêtements, coûteux, mais il eut l'impression qu'elle ne s'y intéressait pas vraiment. Le chic indéniable qui émanait de sa personne était sans doute plus naturel que recherché, et cette pensée l'ennuya. Il lui semblait injuste qu'elle soit si favorisée.

— Vous ne devez pas être du genre nerveux. Je ne connais pas beaucoup de femmes qui aimeraient vivre là-bas, complètement seules, en plein hiver.

Kate étudia son profil à la lueur du tableau de bord.

— Non, je ne suis pas du genre nerveux. La solitude me plaît, et je suis venue ici pour travailler. Je ne crois pas que j'aurai le temps de m'ennuyer.

— Tant mieux. Vous ne craignez pas les fantômes, j'espère ?

C'était l'idée d'Allie : lui faire peur en parlant de fantômes. Ça valait la peine d'essayer. Du moins, jusqu'à ce qu'il trouve mieux.

— Les fantômes ? dit-elle.

— Je blague. (Ses yeux étaient fixés sur le chemin devant lui.) Ce coin a appartenu à un officier de la légion romaine, Marcus Severus Secundus. Il y a une statue de lui au château de Colchester. Un beau salaud. J'aime à penser qu'il erre dans le jardin, parfois, mais je ne peux pas prétendre l'avoir déjà vu.

Il fit un sourire en coin. Pas trop, trop vite. Elle n'était pas idiote. Ni nerveuse, de toute évidence.

— Je suis certain qu'il est inoffensif, conclut-il, fronçant les sourcils pour se concentrer sur le chemin.

A ses côtés, Kate sourit. Son enthousiasme, contrairement à l'effet espéré, se trouvait accru.

Quand le cottage apparut enfin devant eux, elle constata avec satisfaction qu'il s'agissait d'une réplique en miniature de la ferme qu'ils venaient de quitter. Ses murs étaient roses et couverts de lierre. A la lumière des phares, elle put voir qu'il s'agissait d'une charmante petite maison, construite sans plan défini et dotée d'un toit de tuiles et d'une cheminée d'où sortait de la fumée. Derrière le bâtiment, on apercevait la pâle lueur de la mer entre des bancs de galets. Laissant les phares allumés, Greg sauta hors de la voiture. Il ne fit aucun geste pour l'aider, la laissant aux prises avec la poignée de la portière, dont le fonctionnement lui était inconnu. Quand elle réussit enfin à ouvrir et à descendre, il lui lança un trousseau de clés. Elle ne put les saisir, et elles tombèrent à ses pieds, dans le noir.

— Empotée ! Allez ouvrir la porte d'entrée, je vais transporter vos bagages à l'intérieur.

Le bois de la porte avait légèrement gonflé à cause de l'humidité, et elle dut donner une forte poussée pour l'ouvrir. Le temps qu'elle y réussisse, Greg était déjà derrière elle et piétinait, les bras chargés de boîtes. En tâtonnant, elle finit par trouver un interrupteur. La lumière révéla un petit vestibule peint en blanc, avec un escalier et trois portes.

— C'est à droite, dit Greg. Je vais tout déposer là, et vous rangerez vous-même.

Elle ouvrit la porte qu'il indiquait. Le salon, au plafond soutenu par de massives poutres de bois, comme celui de la ferme, était meublé d'un canapé et de deux fauteuils. Dans la grande cheminée, un poêle à bois jetait une douce lueur en réchauffant la pièce. Les trois autres murs avaient chacun une petite fenêtre à carreaux, au-delà de laquelle la nuit noire et venteuse était tenue en respect. Kate traversa la pièce et tira les rideaux.

— Si vous avez besoin de quelque chose, vous nous le direz demain.

— C'est ça. Merci, dit-elle en lui adressant un sourire qu'il ne lui rendit pas.

Après lui avoir souhaité une bonne nuit d'un ton sec, il referma la porte derrière lui. Résistant à l'envie puérile de courir à la fenêtre pour le regarder partir, Kate vit les phares illuminer les rideaux un court instant, puis elle fut seule.

Elle sortit dans le vestibule et poussa le verrou de la porte d'entrée. Une impression de solitude l'assaillit subitement. Elle soupira en regardant autour d'elle. Elle avait espéré que Bill passerait avec elle la première soirée, ou que ses nouveaux propriétaires la retiendraient à dîner.

Elle avait été très occupée durant ces derniers jours. Empaqueter, faire entreposer ses affaires, emprunter des livres à la bibliothèque municipale de Londres, régler sa nouvelle vie, se séparer de Jon : tout cela ne lui avait laissé que peu de temps pour réfléchir. Ici, elle aurait trop de temps pour s'y attarder, si elle n'y prenait garde. Elle redressa les épaules. Elle aurait aussi beaucoup de temps pour travailler, mais avant tout, elle voulait explorer son nouveau domaine.

Le cottage était minuscule. Au rez-de-chaussée, il n'y avait que le salon et une petite cuisine, avec une minuscule salle de bains attenante. A l'étage se trouvaient deux chambres. Une seule était pourvue d'un lit, et l'on voyait que quelqu'un avait tenté de l'aménager confortablement. Elle était meublée d'une commode et d'un petit fauteuil victorien recouvert d'un velours élimé, où l'on avait jeté quelques coussins ramollis. On avait étendu un tapis neuf sur le parquet. Une armoire touchait presque les poutres du plafond. Kate redescendit. Son enthousiasme initial et son sens de l'aventure commençaient à l'abandonner. Le silence était oppressant. Elle se rendit à la cuisine et remplit la bouilloire. Tandis que l'eau chauffait, elle monta péniblement ses deux valises dans sa chambre. Elle rangerait plus tard. Elle ne se sentait pas d'attaque pour tout défaire ce soir même.

Après avoir trié quelques-uns de ses livres et de ses dossiers qu'elle empila sur la table du salon et rangé dans les armoires de la cuisine la nourriture et la bouteille de scotch achetées avant son départ, elle se sentit trop fatiguée pour en faire davantage. Elle se prépara du thé, choisit quelques cassettes et s'assit, épuisée, sur le canapé près du feu. Les mains autour de sa tasse, elle écouta la musique de Vaughan Williams, étrangement consciente de la gigantesque respiration de la mer, au-delà de la plage de galets, bien qu'elle ne pût l'entendre.

Elle aurait dû être contente d'elle-même. Enfin, elle était à la campagne, prête à commencer son travail. Elle avait la paix et la tranquillité souhaitées — l'attitude de Greg lui avait montré que son intimité serait respectée —, mais elle éprouvait une tristesse persistante, un sentiment de déception par rapport à ses attentes, sentiment auquel Jon (qu'il aille au diable) était étroitement lié. Trois semaines auparavant, elle vivait encore avec lui à Londres, poursuivant ses recherches pour son livre. Aujourd'hui, elle se retrouvait sur une côte déserte du nord-est de l'Essex, dans un petit cottage, ayant des étrangers comme voisins, sans argent, sans homme dans sa vie, avec Lord Byron pour seule compagnie.

Elle regarda ses boîtes de livres et se leva à nouveau, nerveusement. Tirant ses lunettes de sa poche, elle s'accroupit et commença à enlever, sans grande énergie, le ruban adhésif qui fermait l'une d'elles. Il fallait rester positive. Oublier Jon. Oublier Londres. Tout oublier, sauf le livre.

Un claquement de porte, à l'étage, la fit sursauter. Elle leva les yeux vers le plafond, sentant son cœur battre violemment. Pendant un instant, elle resta immobile, puis se redressa lentement.

La maison était vide, ce devait donc être le vent qui avait poussé cette porte, mais au pied de l'escalier elle s'arrêta, le regard plongé dans l'obscurité, tandis qu'elle se remémorait le légionnaire mentionné par Greg.

Se reprenant, elle gravit les marches. Sur le palier, les deux portes étaient ouvertes, exactement comme elle les avait laissées. Allumant la lumière, elle regarda dans la chambre à coucher où, un peu plus tôt, elle avait placé ses valises côte à côte, près du placard. Elle inspecta la pièce, constata que rien n'avait bougé et éteignit. Elle fit la même chose de l'autre côté du palier, scrutant la chambre vide, mal à l'aise devant les deux fenêtres sans rideaux. Les vitres reflétaient la lumière froide de l'ampoule nue, au centre de la pièce, et Kate redevint subitement très consciente de l'épaisseur des ténèbres, dehors.

Les sourcils froncés, elle redescendit. Rien de ce qu'elle avait vu ne pouvait expliquer ce bruit. Elle regarda dans la salle de bains et dans la cuisine, puis regagna le salon.

La pièce était nettement plus froide. Kate alla vers le poêle à bois et le regarda en hésitant. Voyant que la lueur rassurante, à l'intérieur, avait disparu, elle s'accroupit et posa la main sur la poignée. Le métal était brûlant. Elle jura à mi-voix et chercha des yeux quelque chose pour se protéger. Ne trouvant rien, elle tira la manche de son chandail et s'en enveloppa les doigts pour ouvrir les portes du poêle. A l'intérieur, il ne restait qu'un lit de braises rougeoyantes.

Elle regarda autour d'elle, mais sa visite du cottage lui avait déjà révélé l'absence de charbon ou de porte-bûches. Son séjour à Londres l'avait gâtée. Elle n'avait jamais songé à la question du chauffage. De nos jours, il suffisait d'appuyer sur un interrupteur. L'eau chaude et le chauffage dépendaient probablement de ce seul petit poêle. Pourquoi Greg n'en avait-il pas fait mention ? La première chose qu'il aurait dû lui dire était comment chauffer la maison ! Elle secoua la tête avec irritation. L'omission avait probablement été délibérée. Il fallait donner une bonne leçon à la petite fille de la ville. Eh bien ! si la petite fille ne voulait pas mourir de froid, il lui fallait trouver du combustible quelque part. Une fouille rapide lui permit de découvrir une boîte d'allumettes dans un tiroir de la cuisine, Dieu merci. Etant non-fumeuse, elle n'avait pas songé à en apporter. Mais il n'y avait pas d'allume-feu. Maudissant sa propre stupidité, elle se rendit compte qu'elle allait devoir explorer les environs dans l'obscurité.

S'interdisant de penser au bruit inexpliqué, elle enfila sa veste et ses gants, gagna le vestibule avec réticence, tira le verrou de la porte d'entrée et scruta les ténèbres.

Le vent fit voler sa chevelure et lui brûla les joues. L'air était frais et vif, chargé de l'odeur de la mer et de celle des pins de l'autre côté de la pelouse. Kate resta immobile un instant, consciente d'être bien visible dans l'embrasure de la porte. Au-delà du rectangle de lumière qui se découpait devant elle, l'obscurité était intense.

A contrecœur, elle entreprit de longer le mur du cottage, tendant avec précaution la main sur le côté pour sentir l'enduit grossier de plâtre. A mesure que ses yeux s'habituaient à l'obscurité, elle vit les étoiles apparaître, ainsi que des nuages, pâles contre la noirceur du ciel. Lentement, elle perçut la mer qui s'échouait contre les galets, et le vent qui soupirait dans les arbres. Elle atteignit le coin du cottage et aperçut la silhouette d'une petite remise, qui devait sûrement servir à entreposer du bois. Se déplaçant un peu plus vite maintenant que sa confiance avait augmenté, elle sentit l'herbe mouiller ses pieds.

Ses doigts touchèrent enfin les planches mal équarries de la remise. Elle tâtonna tout le long de la paroi puis s'arrêta, hésitante, devant l'entrée. L'intérieur était d'un noir intense et impénétrable après l'obscurité lumineuse de la nuit, mais il en émanait une odeur de bois. Epaisse, résineuse et chaude, l'odeur montait doucement vers elle. En se penchant, Kate avança les mains dans l'embrasure, mais ne rencontra que le vide. Subitement, ses doigts se refermèrent sur quelque chose de glacial. Une poignée. L'objet lui glissa des mains et tomba par terre avec un bruit métallique. Elle se pencha pour le ramasser. Une pelle. Elle l'appuya contre le mur et fit lentement un pas vers l'avant, en se penchant davantage, jusqu'à se retrouver à l'intérieur de la remise. A tâtons, ses doigts rencontrèrent enfin les rangées de bûches. Prudemment, elle en tira une. Toute la pile bougea et Kate fit un bond en arrière. «Dessus, espèce d'idiote!» Elle se rendit compte qu'elle avait pensé tout haut mais le son de sa voix la rassura un peu. Se redressant légèrement, elle leva les bras, cherchant le sommet de la pile. Elle en descendit quatre bûches, une par une. C'était tout ce qu'elle pourrait porter. En les pressant contre sa poitrine, elle sortit de la remise à reculons et, guidée par la lumière qui sortait du vestibule, elle regagna la maisonnette. Elle entra presque en courant et jeta les bûches par terre avant de faire claquer la porte et de pousser le verrou.

Ce ne fut que lorsqu'elle baissa les yeux vers les bûches, couvertes de sciure et de toiles d'araignée, qu'elle réalisa à quel point elle avait été effrayée. «Espèce d'idiote!» répéta-t-elle. Piteusement, elle secoua la tête et enleva son anorak. De quoi avait-elle eu peur? Du silence? Des bois? De l'obscurité?

Quand elle était petite, elle avait peur du noir, seule dans sa petite chambre, à côté de celle d'Anne, à la ferme de ses parents, dans le Herefordshire. Nuit après nuit, elle restait éveillée, immobile, osant à peine respirer, jetant des regards apeurés dans la pièce, pour chercher à y voir… à y voir quoi? Il n'y avait jamais rien eu. Jamais rien de terrifiant, seulement cette horrible solitude, la crainte que tout le monde ait quitté la maison en l'abandonnant. Ou que tout le monde soit mort. Sa mère avait-elle fini par deviner, ou Kate avait-elle tout avoué spontanément? Elle ne s'en souvenait plus, mais elle se rappelait que sa mère lui avait donné une veilleuse. C'était un petit hibou de porcelaine blanche, avec de longues pattes orange et de grands yeux énigmatiques. «Tu vas lui faire une peur bleue, avec ce machin», avait dit son père, un médecin de campagne trop occupé pour choyer sa famille, quand sa mère avait descendu l'oiseau du grenier. Mais Kate l'avait adoré. Quand la petite bougie, à l'intérieur, était allumée, l'oiseau brillait et ses yeux s'animaient. C'était un oiseau bienveillant, qui veillait sur elle et lui tenait compagnie en éloignant les fantômes. Quand elle grandit, l'oiseau ne joua plus qu'un rôle décoratif et on ne l'alluma plus, mais la peur, hautement rationalisée et maîtrisée, resta. Parfois, même durant ses années d'études à l'université, il lui arrivait de rester étendue dans sa chambre, les couvertures remontées jusqu'au menton, les doigts enfoncés dans l'oreiller qu'elle pressait contre elle, à regarder le rectangle noir de la fenêtre. La peur était partie, maintenant. Seul un soupçon en subsistait, qui l'incitait à laisser les rideaux ouverts, la nuit. Quand ils étaient fermés, l'obscurité la rendait claustrophobe. Jon s'était moqué d'elle, mais avait accepté d'ouvrir les rideaux. Il avait fini par apprécier cette habitude, car ainsi il pouvait voir l'aurore gagner lentement les toits de Londres, tandis que les premiers merles se mettaient à siffler, perchés sur les antennes de télévision.

Eh bien, Kate était grande, aujourd'hui, et indépendante, et courageuse. Elle se ressaisit et ramassa les bûches, qu'elle empila à côté du poêle. Les braises rougeoyaient à peine. Si elle mettait une bûche maintenant, cela ne ferait que tout éteindre pour de bon. Il n'y avait pas de petit bois. Ce qu'il fallait, c'était du papier journal et des petites branches. Kate chercha autour d'elle.

Dans un coin de la cuisine, on avait étendu quelques pages de journal sur les claies où l'on entreposait les légumes. Il y en avait assez pour faire quatre boules de bonne taille. Elle les fourra autour d'une bûche et les alluma. Elle referma les portes et ouvrit la clé de tirage. Les flammes brillantes qui montèrent tout d'un coup lui firent plaisir, mais elle retint son souffle. Le papier se consumerait-il trop rapidement pour enflammer le bois ?

Elle jeta un coup d'œil par-dessus son épaule au reste de la pièce et frissonna. L'endroit avait perdu son charme. L'ordinateur portable et l'imprimante, sur la table, ne l'attiraient pas, pas plus que les fichiers, les cahiers de notes, les boîtes de carton pleines de livres. Elle consulta sa montre. Vingt heures. Elle avait faim, elle était fatiguée, et elle avait froid. Elle avalerait un œuf dur et une tasse de cacao, prendrait un bain chaud, si elle arrivait à persuader le poêle de fonctionner, et elle irait se coucher. Tout le reste attendrait jusqu'à demain matin, jusqu'à la lumière du jour.

7

Il faisait à peine jour et terriblement froid. Bien emmitouflée dans son chandail en laine des Shetland et son épais blouson, deux paires de chaussettes dans ses bottes et les mains protégées par les gants de son frère aîné, Alison Lindsey regardait le cottage, cachée parmi les arbres. Il faisait noir à l'intérieur. En bas, les rideaux étaient fermés, mais à l'étage, on semblait avoir ouvert ceux des deux fenêtres du devant. La jeune fille fronça les sourcils puis, rassemblant tout son courage, traversa la pelouse en courant. Elle fonça vers la remise et s'y engouffra, tâtonnant dans l'obscurité. Au bout d'un instant, elle jeta une exclamation irritée. On avait pris ses outils. Dans un mouvement d'humeur, elle donna un coup de pied aux bûches et bondit en arrière avec un mélange de peur et de satisfaction méchante lorsqu'une des piles s'écroula. Elle évita les bûches qui tombaient et resta bras ballants jusqu'à ce que la chute s'arrête et que le bruit cesse. La poussière retomba, mais pas un son ne vint de l'intérieur du cottage. «Mme l'Intellectuelle dort», murmura-t-elle en souriant d'un air supérieur. Alison se tourna vers l'entrée et aperçut sa pelle. On l'avait placée debout dans un coin.

Elle la ramassa et scruta l'aube silencieuse. Le soleil n'était pas encore levé. Le matin était humide et glacial, et de longues ombres noires s'étendaient sur la mer, jusqu'à la nappe opaque de brouillard.

Courant sans faire de bruit, elle traversa la bande de galets et sauta dans la dépression du côté de la mer, au pied de la dune. De sa dune.

Elle vit avec satisfaction que la marée n'avait pas été très haute, durant la nuit. Sur le rivage, le varech encore mouillé par l'écume s'était échoué à quelques mètres de son excavation, assez loin de l'endroit précis où elle creusait. Alison se mit au travail, découpant le sable mou en sections qu'elle enlevait du flanc de la dune. Quelque part sur le rivage, un goéland cria.

Au bout de quelques instants, ses mains étaient glacées et son mal de tête lancinant. Poussant un soupir exaspéré, elle s'arrêta pour se reposer, appuyée sur sa pelle. Le sable s'écoulait partout où elle l'avait remué. Pendant qu'elle regardait, une autre section tomba toute seule, entraînant avec elle un objet volumineux, recourbé et brillant. Rejetant la pelle, elle se pencha vers l'objet et le libéra doucement de sa gangue de sable. C'était un autre morceau de poterie, beaucoup plus gros, cette fois-ci. Assez gros pour marquer la courbe du bol ou du vase dont il avait autrefois fait partie. A travers ses gants, tandis qu'elle enlevait les fragments de sable humide, elle pouvait sentir la décoration gravée. Elle contempla le tesson pendant un bon moment, puis le plaça soigneusement de côté et se remit à attaquer le sable avec une vigueur renouvelée. Après une minute ou deux, quelque chose d'autre commença à apparaître. C'était un objet mince et tordu, d'une étrange couleur verte, comme un vieux morceau de métal corrodé. Oubliant les pulsations douloureuses derrière ses tempes, elle tira fiévreusement sur l'objet. Il était long de plusieurs centimètres et se terminait par une poignée inégale. Alison l'examina en le faisant tourner entre ses mains, avant de grimper hors de son abri naturel et de courir parmi les galets, vers la mer. Les pierres étaient humides et sentaient le sel et les algues. Entre elles gisaient des coquillages et des crabes morts échoués durant la nuit. Non loin, des goélands s'en délectaient. Alison s'accroupit, les pieds presque dans les vagues, et nettoya rapidement l'objet dans l'eau, avant de l'inspecter de nouveau. On aurait dit qu'à une lointaine époque, il avait été gravé. Mais le temps, la mer et le sable l'avaient recouvert pour toujours de leurs incrustations.

Pleine d'enthousiasme, elle se tourna vers la dune, mais s'arrêta net. Une rafale de vent s'était levée, entraînant le sable en un tourbillon qui dansa un moment sur la plage, avant de disparaître. Derrière elle, les premiers rayons du soleil étaient apparus à l'horizon. Pendant un instant, Alison hésita, tendue. L'étrange sentiment que quelqu'un l'épiait, non loin, l'effraya. Finalement, haussant les épaules, elle se blottit dans son blouson et enfonça sa découverte dans une poche en regardant autour d'elle. S'il y avait vraiment quelqu'un, ce serait un ami. Joe Farnborough, de la ferme, ou Bill Norcross, s'il avait décidé de faire un tour de bon matin, ou même Mme l'Intellectuelle, ou quelqu'un d'autre, se promenant avec son chien le long de la ligne de la marée.

Sa pelle gisait encore sur le sable, là où elle était tombée. Alison fit un pas hésitant dans sa direction. Elle sentit ses cheveux se dresser sur sa nuque. C'était une sensation étrange. Elle ne se souvenait pas de l'avoir jamais éprouvée auparavant, mais d'instinct, elle trouva les mots pour l'exprimer : quelqu'un la surveillait ! Des vers lui vinrent subitement à l'esprit. Sa mère les lui avait lus, une fois, quand elle était toute petite et impressionnable. Son sang s'était glacé dans ses veines tandis qu'elle écoutait, les yeux écarquillés, et les mots étaient restés dans sa mémoire. C'était le seul poème qu'elle avait jamais appris.

Quand, dans le ciel, la lumière du jour s'éteint,
Quand, devant les tentes, les feux de camp pétillent,
Avant que les premières étoiles ne brillent,
La Peur de la jungle, furtive, nous étreint…

Une peur primitive. La peur d'un danger qu'on ne voit pas.

Alison se passa nerveusement la langue sur les lèvres. «Stupide lavette», se dit-elle à voix haute. «Espèce de tarte. Allez, avance. Qu'est-ce qui te prend ?»

Le soleil apparaissait. Une tache rouge commença à se répandre sur la mer et, imperceptiblement, il fit moins sombre. Elle serra les poings et fit un pas vers la pelle. Elle avait la bouche sèche et tremblait. De froid, bien sûr. Elle tremblait de froid. Serrant les dents, elle sauta de nouveau dans le creux et empoigna la pelle, la tenant devant elle à deux mains. Le vent s'était remis à souffler. Il souleva le bord de son blouson, le faisant onduler autour de sa taille et projetant ses cheveux devant ses yeux. Le sable se mit à tournoyer de nouveau, se soulevant près de ses pieds. Elle se frotta les yeux du revers du poignet. Le sable s'élevait, se condensait. Il semblait presque adopter une forme humaine.

Lentement, Alison recula du pied de la dune et grimpa hors de la dépression. Elle marcha en direction du cottage puis, quelques secondes plus tard, se mit à courir. Traversant la pelouse à toute vitesse, elle fonça vers la maisonnette, jeta sa pelle dans la remise et disparut à toutes jambes au bout du chemin, au milieu des arbres.

Au pied de la dune, le tesson de poterie gisait, oublié, déjà recouvert par le sable qu'apportait le vent.

8

Pendant un moment, Kate resta étendue, désorientée, les yeux fixés sur les poutres massives du plafond, à se demander où elle était. Elle avait fait un rêve épouvantable. Se recroquevillant sous les couvertures, elle essaya de le reconstituer. Mais déjà elle avait du mal à se rappeler les détails. En fin de compte, avec un certain soulagement, elle abandonna et se dressa dans son lit pour regarder la pièce autour d'elle. L'air était glacial. Une lumière grise et diffuse pénétrait par les fenêtres aux rideaux ouverts. S'enveloppant dans la couverture, elle alla regarder dehors. La mer était couverte de brume. Juste au-dessus flottait un soleil rouge foncé, qui ne répandait qu'une faible lueur. Kate frissonna et tourna le dos à la fenêtre. Rassemblant ses vêtements, elle descendit au salon et s'approcha du poêle. Le feu était éteint et le métal était froid. Les flammes dégagées par le papier journal avaient à peine noirci la seule bûche qu'elle avait mise.

Evidemment, il n'y aurait pas d'eau chaude non plus. En frissonnant, elle abandonna l'idée de se laver et enfila un jean, une paire de chaussettes en laine épaisse et un lourd chandail. Elle était de nouveau prête à aller fouiller dans la remise.

Elle allait passer la porte lorsqu'un mouvement, au coin du cottage, attira son attention. Elle s'immobilisa, étonnée de constater que son cœur battait de nouveau plus fort. La peur qui avait marqué son rêve l'accompagnait encore. Le silence et le vide des bois la rendaient nerveuse. S'obligeant à sortir, elle jeta un coup d'œil craintif et vit, soulagée, qu'il ne s'agissait que d'un lapin. De trois lapins. Quand elle apparut, ils se figèrent un moment, les oreilles dressées, les yeux exorbités de terreur, avant de bondir vers la ligne des arbres. Elle sourit, amusée d'avoir eu peur pour si peu.

Devant l'entrée de la remise, elle s'arrêta. La pelle gisait de travers sur le seuil. Elle se pencha pour la ramasser. Un peu de sable humide adhérait au métal. Quelqu'un avait utilisé l'outil récemment, certainement depuis qu'elle était venue dans la remise, la nuit dernière. Elle parcourut les bois du regard, mais tout était silencieux et immobile. Même les lapins étaient partis.

Elle haussa les épaules et entreprit de rassembler une autre brassée de bûches. Ayant, cette fois, repéré la pile de petit bois dans un coin, elle se munit également de brindilles et d'éclats de bois.

Un bon café chaud et le feu qui ronflait dans le poêle firent beaucoup pour restaurer son optimisme, autant que la découverte d'un chauffe-eau électrique, dans une des armoires de la cuisine. Ce serait un moyen bien plus fiable que le poêle pour obtenir de l'eau chaude. Elle mangea un bol de céréales et entreprit de déballer ses affaires.

A plusieurs reprises, en regardant dehors, elle vit que le ciel se dégageait. Le brouillard s'estompait et le soleil gagnait de la vigueur. Quand elle eut vidé ses sacs et ses boîtes, la mer était devenue d'un bleu aussi brillant que celui du ciel.

Lorsqu'elle quitta la fenêtre sans rideaux, son attention fut attirée par un groupe de toiles qu'elle n'avait pas remarquées, derrière la porte, dans un coin sombre. Mue par la curiosité, elle en tourna une vers elle. C'était une marine — un tableau où la mer était étrangement cauchemardesque. En faisant la grimace, elle en tira une autre. Le même thème y était traité, tout comme dans la suivante. Suivirent deux représentations du cottage : une à l'automne, dans laquelle la maisonnette était peinte d'une façon insipide et sentimentale, entourée d'un rideau d'arbres flamboyants, et l'autre où l'on voyait le cottage englouti sous une mer de cauchemar. Elle regarda cette dernière plus longuement, avant de la reposer contre le mur en frissonnant. Toutes ces toiles avaient été peintes par la même main, avec talent et force, mais Kate ne les aimait pas. Elles étaient cruelles, d'une conception perverse.

Elle referma la porte et dévala les escaliers, jusqu'au salon rempli de soleil. Ses documents et ses notes l'attendaient sur la table.

Le livre était là, dans sa tête, prêt à voir le jour, et il allait être encore meilleur que *Jane*. Kate sourit et alluma son ordinateur.

Quand on frappa à la porte, deux heures plus tard, elle fut surprise. Elle avait complètement oublié Bill.

— Salut! lança-t-il avec un grand sourire. Comment ça va ? Prête pour le déjeuner ?

Elle le regarda sans le voir, comme à des kilomètres de distance, hésitant à sortir de son monde et brûlant de continuer à écrire.

— Un penny pour tes pensées, dit Bill doucement. Tu n'as rien entendu de ce que j'ai dit, n'est-ce pas ?

— Oh, Bill, je suis désolée. Bien sûr que j'ai entendu. Oui, c'est une excellente idée, allons déjeuner.

Leur parcours dans les bois fut tout à fait agréable. Marchant à côté de Bill, les mains dans les poches, elle fit passer à l'arrière-plan ses interrogations sur le passé du père du poète, Jack-le-Fou, afin de raconter ses aventures de la nuit précédente.

— Voilà qui est typique de Greg, j'en ai peur : ne pas te parler du poêle et te laisser sans la moindre bûche, dit Bill en hochant la tête. Il a tendance à t'en vouloir parce qu'il a dû te céder le cottage.

Il donna un coup de pied sur une branche pourrie qui barrait le chemin.

— Je ne m'étais pas rendu compte qu'il vivait là, dit Kate.

— Greg est un peintre de talent. Il a abandonné les Beaux-Arts il y a six ans environ, à mi-chemin de l'obtention de son diplôme. Il est revenu ici et s'est plus ou moins attribué le cottage. C'était avant que Roger ne quitte son travail. J'ignore si tu t'en es aperçue, mais Roger est atteint d'un cancer. Enfin… les Lindsey ont gâté Greg de façon honteuse, il n'y a pas d'autre mot, et je pense que Roger lui versait même une espèce d'allocation. Quand il a dû cesser de travailler, on a fortement laissé entendre à Greg qu'il pourrait trouver un emploi pour aider sa famille. Apparemment, il a fait la sourde oreille. Greg a des idées élevées sur l'art et s'imagine que c'est le reste du monde qui doit assurer sa subsistance pour qu'il puisse peindre. Pauvre Diana, j'ignore comment elle a pu supporter ça jusqu'à maintenant. L'idée de louer le cottage n'a pas plu du tout à notre Léonard de Vinci, comme tu peux l'imaginer. Il semble qu'il ait fallu le faire sortir de force. Alors, ne va pas croire qu'il t'en veut person-

nellement. Mais ne t'attends pas qu'il vienne te porter des fleurs, non plus.

— Tu aurais pu m'en parler avant, Bill, dit Kate
en fronçant les sourcils.

— Pourquoi? Ça t'aurait fait changer d'avis?

— Non, mais ça explique beaucoup de choses. J'ai
trouvé des tableaux dans une des chambres. Il a dû
les oublier.

— Ça m'étonnerait. S'il les y a laissés, c'est qu'il
avait une raison. Il voulait probablement que tu
les voies.

— Je ne les ai pas aimés. Il y en avait un qui montrait le cottage englouti sous la mer. C'était… mor-
bide, menaçant.

— N'en tiens pas compte. Nous demanderons à
Diana qu'elle les reprenne.

— Je ne veux pas avoir l'air d'une pleurnicheuse.

— Mais non. Tu es autant artiste que lui, ne l'oublie pas. Et même, tu es meilleure, parce que disci-
plinée. Tu as autant le droit que lui d'être susceptible
et difficile. Es-tu susceptible et difficile? demanda-
t-il en souriant.

— Pas le moins du monde. «Affamée» décrirait
sans doute mieux mon état actuel.

— Parfait. Dans ce cas, récupérons ta voiture et
allons manger.

La maison des Lindsey était déserte. Après un
rapide coup d'œil par les fenêtres pour se convaincre
qu'il n'y avait personne, ils se dirigèrent vers la
grange. La Peugeot de Kate s'y trouvait, à côté d'une
vieille Volvo.

— Elle appartient à Diana, dit Bill. Ils ne peuvent
pas être allés loin s'ils se sont entassés dans cette
satanée Land Rover.

Lorsqu'ils eurent atteint la route asphaltée, Kate
se dit qu'elle ferait bien de ménager ses amortis-
seurs et de consacrer son prochain chèque de droits
d'auteur à l'achat d'un véhicule d'occasion à quatre
roues motrices.

Au Black Swan, un joli petit pub situé à un kilomètre ou deux, ils commandèrent du curry et s'assirent près de l'immense cheminée, où achevait de se consumer une grosse bûche. A part la souriante jeune fille aux joues roses, derrière le bar, ils étaient seuls.

— Alors, vas-tu te plaire à Redall?

Assis sur un banc, Bill étira ses jambes vers le feu en poussant un soupir de satisfaction. Il leva son verre de bière et en prit une longue gorgée, en connaisseur.

— C'est un endroit parfait pour travailler, répondit Kate.

— La solitude ne te dérange pas?

— Je dois dire que c'est très tranquille. La nuit passée, je n'entendais que le bruit de la mer. Mais je vais m'y habituer. Ce sera magnifique pour écrire.

Prenant son propre verre rempli d'un scotch à l'eau, elle regarda Bill. Dans son épais tricot brun torsadé et sa chemise au col ouvert, il lui rappelait vaguement un chien de berger ébouriffé.

— As-tu parlé à Jon avant qu'il ne parte, Bill?

— Une fois seulement. Il a téléphoné pour me demander si je savais où tu allais.

— Le lui as-tu dit?

Elle dirigea son regard ailleurs, ne voulant pas qu'il sache à quel point elle attendait une réponse affirmative.

— Non. Nous avons échangé quelques mots sur divers thèmes reliés au machisme — le sien —, la chevalerie déplacée — la mienne — et la jalousie professionnelle — notre lot à tous. J'ai fini par lui dire de foutre le camp aux Etats-Unis et de te laisser vivre ta vie. Je n'aurais pas dû?

— Non, fit-elle d'une voix peu catégorique.

Elle revit leur dernière rencontre. Jon était sur le point de partir pour l'aéroport. Le taxi attendait à la porte. Elle n'avait pas voulu faire d'adieux, ni le revoir avant qu'il parte, de peur que sa résolution ne chancelle, mais elle était revenue trop tôt, croyant qu'il serait déjà parti. Pendant un instant, elle fut tentée de rebrousser chemin en courant, mais il l'avait aperçue. Ils s'étaient regardés un moment, puis elle avait souri et l'avait embrassé sur la joue.

— Prends soin de toi. Amuse-toi bien. J'espère que ce sera un grand succès.

Elle avait d'abord cru qu'il lui tournerait le dos sans rien dire, mais il avait souri maladroitement.

— Toi aussi, prends soin de toi, mon amour. Ne travaille pas trop sur ce vieux George, et n'oublie pas de t'occuper de toi-même.

Tous deux souffraient, se sentaient misérables. Mais leur entêtement avait prévalu. Ce fut tout. Il prit ses valises et grimpa dans le taxi sans regarder en arrière. Elle n'avait pu voir qu'il y avait des larmes dans ses yeux.

— J'avais une grand-mère irlandaise, Kate, dit Bill après un moment de silence plein de sympathie. Elle avait toujours un aphorisme utile. Un de ses favoris était : « Si ça doit arriver, ça arrivera. » Je crois que c'est particulièrement indiqué dans ce cas-ci.

— Tu as raison. Ne pas se voir pendant quelque temps nous fera du bien.

Elle leva les yeux alors que la serveuse approchait avec leurs couverts enveloppés dans des serviettes rose bonbon, et un immense bol de chutney à la mangue.

— Mais s'il téléphone encore, tu pourrais peut-être lui dire où je suis cette fois-ci.

Elle soutint le regard de Bill et tous deux eurent un sourire de connivence.

— Y a-t-il une femme dans ta vie, Bill ?

Kate n'avait pas voulu être si directe. Elle chercha quel autre sujet aborder, mais son ami ne sembla pas déconcerté.

— Rien que cette vieille tante Beeb, pour l'instant, la déesse pour laquelle je travaille. Il y a eu quelqu'un d'autre, mais elle a foutu le camp, elle aussi. Tu ne me fais pas d'avances, j'espère ? Aussi flatté que je puisse être, je crois que ça ne nous réussirait pas.

— Non, je ne te fais pas d'avances. Mais j'ai besoin d'un ami. De quelqu'un qui viendra se promener dans les bois avec moi, de temps à autre, et me traînera dans un pub pour un curry.

— Accordé. Mais malheureusement pas avant un bon bout de temps. J'ai un échéancier chargé jusqu'à Noël.

Le découragement qui envahit alors Kate l'étonna. Elle savait que Bill devait rentrer à Londres, mais elle avait néanmoins compté sur lui durant la semaine suivante.

— Veux-tu un autre scotch ?

En regardant attentivement son visage, il avait saisi la solitude qui avait transparu dans ses yeux, l'espace d'un instant.

Elle fit signe que oui et leva son verre.

— Buvons à Lord Byron, alors. Lorsque nous nous reverrons, avec un peu de chance, j'aurai achevé quelques chapitres.

Après avoir laissé Bill à la gare de Colchester, Kate décida de visiter la ville. Pevsner, dans l'édition du livre qu'elle avait consulté à la bibliothèque de Londres, la décrivait avec lyrisme. Malheureusement, les centres commerciaux des années soixante semblaient maintenant disputer l'espace au verre et au béton des années quatre-vingt, là où la plupart des beautés décrites auraient dû se trouver. Avec tristesse, elle se rabattit sur le musée aménagé dans le château.

L'édifice massif était déjà caché dans l'ombre de cette fin d'après-midi lorsqu'elle traversa le pont et passa la grande porte pour acheter son billet. Les lieux étaient étrangement déserts. Une voix désincarnée et dramatique provenant d'une bande vidéo lui parvint du fond d'une salle. Les effets sonores et

58

le ton du commentateur semblaient curieusement déplacés parmi les vitrines, sous les poutres du haut plafond. Kate parcourut lentement le rez-de-chaussée, se promenant entre les objets de l'âge du bronze et de l'âge du fer, se rapprochant peu à peu de la source sonore.

Elle regarda le film, qui traitait de la présence romaine à Colchester, puis elle monta lentement l'escalier. A l'étage, on exposait des objets de l'époque romaine. Il y avait des modèles grandeur nature, des agrandissements de photos panoramiques aux couleurs vives sur les murs, ainsi qu'une autre représentation vidéo, cette fois sur le siège et la mise à sac de la ville par Boudicca.

Pauvre Boudicca! Kate erra parmi les vitrines, étudiant les objets, reconstituant les éléments de la vie de l'héroïne celte: son mari Prasutagus, ses enfants, le contexte politique de la Bretagne au premier siècle, la mort de son mari, le viol de ses filles et son humiliante flagellation par un Romain. Pour ce pays sous domination étrangère, ç'avait été l'insulte finale après des années de colère et de troubles. La révolte subséquente avait presque mis fin à l'occupation romaine en Bretagne. Quelle aventure que la vie de cette femme! Quelle biographie ce serait, quel livre, quand celui sur George Byron serait terminé! L'incendie de Colchester, les ravages des armées de Boudicca à travers l'Essex et le Herefordshire, au cours de leur progression vers Londres, et les heures finales, lorsqu'elle se rendait compte que tout était perdu et qu'elle se suicidait. Colchester était au centre de tout cela: une ville où les flammes avaient été si terribles que près de deux mille ans plus tard, on y voyait encore clairement la mort, sous la forme d'une épaisse couche de cendres noires enfouies profondément dans le sol.

Kate regarda la vidéo deux fois, seule dans la petite pièce obscure avec les ombres des guerriers, leurs cris et leurs hurlements. Elle finit par se lever et sortir, songeant intensément, tout d'un coup, aux voûtes souterraines du château. Il s'agissait apparemment des seules traces du temple de Claude que Boudicca avait réduit en cendres, après y avoir enfermé la majorité des habitants de la ville.

Les idées se bousculaient dans sa tête. Elle jura à mi-voix. Un tel état d'esprit maintenant, alors qu'elle commençait à peine *Le Prince des Ténèbres*, signifiait des mois, voire des années, de frustration, à se demander si quelqu'un d'autre n'avait pas eu la même idée avant, si son éditrice allait apprécier son travail, si l'histoire n'allait pas prendre racine dans ses rêves, et se mettre à empiéter sur le travail en cours.

Exaspérée, elle secoua la tête et poursuivit sa visite. Comment une femme, n'importe quelle femme, même blessée et humiliée, pouvait-elle ordonner le massacre d'autres femmes, d'enfants, de bébés ? Quelle espèce d'être humain était cette reine d'un lointain passé, qui offrait des sacrifices humains à ses dieux avant de partir en guerre ?

Kate s'arrêta brusquement. Devant elle se trouvait la statue d'un citoyen romain dont le nom avait attiré son attention. L'étiquette mentionnait : « MARCUS SEVERUS SECUNDUS. Un des seuls survivants connus du massacre de Boudicca, il joua un rôle capital dans la reconstruction de Colchester après son saccage, en 60 de notre ère. Il est mort comblé d'honneurs et a été enterré auprès de sa femme Augusta, en l'an 72. Leurs tombes ont été fouillées en 1986. Voir le présentoir numéro 14. »

Ainsi donc, c'était lui l'ancien maître de Redall. Elle étudia longuement le visage de pierre de Marcus, son nez de patricien, légèrement ébréché, sa pose guerrière, les plis soigneusement sculptés de sa toge, et se demanda quelle sorte d'homme il avait été. Un de ceux qui avaient survécu au massacre, et qui avaient voulu tout recommencer. Un nouveau frisson d'enthousiasme la parcourut. Avait-il vu Boudicca? Aurait-il pu décrire la reine des Icènes, ses longs cheveux rouges, ses torques massifs, sa cuirasse et son char de guerre?

Kate sursauta lorsqu'une voix lointaine annonça que le musée fermait bientôt, répandant son écho dans les différentes salles. Elle lança à Marcus un regard empreint de regret, mais sans trop s'inquiéter. Elle savait qu'elle reviendrait bientôt le voir.

9

Fils cadet du roi décédé, il avait surpassé de loin ses frères et savait qu'il avait été le favori. Sa soif d'apprendre, sa faculté de mémoriser, son esprit l'avaient désigné dès l'enfance pour l'étude et les secrets initiatiques. Sa qualité de prêtre lui donnait de l'ascendant. Son sang royal lui réservait une grande destinée. Voilà pourquoi on lui avait donné des terres et des pouvoirs, voilà pourquoi on lui faisait confiance, à Camulodunum, en tant que conseiller des colons romains, malgré la révolte de ses frères, à l'est. Il portait les vêtements des Romains et parlait leur langage; il avait assimilé leur savoir et leurs coutumes. Il était même tombé amoureux d'une des leurs. Mais il les haïssait et attendait le jour propice.

Il avait vu avec colère les maîtres détestés édifier leur temple au cœur de Camulodunum : un temple dédié à Claude, à un homme qui s'était proclamé dieu. Mais il avait gardé ses pensées pour lui. Le temps viendrait où les Romains seraient chassés de la terre de ses ancêtres. Ce jour-là, il tuerait le mari de Claudia et emmènerait celle-ci dans sa demeure. Mais en attendant, toujours diplomate, il resterait souriant.

Ses tâches de druide étaient légères. Les dieux comprendraient. Il les servirait comme il se devait quand les jacinthes des bois seraient fanées et que le sang coulerait plus lentement dans ses veines.

Les vieux prêtres le désapprouvaient. Ils avaient froncé les sourcils devant ses agissements, puis devant les signes des dieux — les dieux qui méprisaient ces Romains, capables de vénérer un mortel et de le déifier.

Il ignorait que chez les dieux aussi, la colère montait.

Il faisait presque noir lorsque Kate gara son auto dans la grange, à côté de la Volvo de Diana. La maison était totalement plongée dans l'obscurité. Kate avait espéré être invitée à s'asseoir près du feu pour prendre une tasse de thé, avant de traverser les bois jusqu'à son cottage. Tant pis.

Sur le chemin du retour, elle avait trouvé une ferme où l'on vendait du pain, du lait, un fromage local, du miel de l'Essex et, à son grand plaisir, des allume-feu et des allumettes.

Le sac de plastique passé sur son épaule, elle venait à peine de se mettre en route lorsqu'elle s'aperçut que sa lampe de poche était restée dans la voiture. Elle revint sur ses pas, prit la lampe dans la boîte à gants de sa Peugeot, et l'alluma : ça marchait. Rassurée, elle repartit d'un pas déterminé vers les bois.

Le chemin allait tout droit pendant quelques centaines de mètres avant de tourner vers l'est, en se rétrécissant. Kate alluma la lampe pour voir où poser les pieds dans la boue. Le soir était très calme. Au loin, dans les marais, elle entendit le gazouillis d'un courlis. Dans l'obscurité qui tombait, l'écho reprit son cri, auquel répondit le ululement d'un hibou. Elle serra plus étroitement son sac, les yeux rivés sur la piste.

Puissent les dieux te maudire, Marcus Severus Secundus, et punir ton corps putréfié et ton âme corrompue pour ce que tu as fait aujourd'hui…

Les bois étaient toujours silencieux, les arbres, immobiles. Les mots, aussi clairement énoncés que s'ils avaient été prononcés par un speaker de la BBC, avaient résonné à l'intérieur de sa tête. Kate s'arrêta net, couverte de sueur. Le sang battait dans ses oreilles. Elle jeta autour d'elle un regard effrayé, s'efforçant de pénétrer les ténèbres entre les grands arbres.

Quelle idiotie ! L'obscurité et le silence, après le drame sur vidéo du musée, avaient entraîné son imagination, voilà tout. Elle se remit à marcher, un peu plus vite, cette fois, serrant la lampe de poche si fort que ses doigts s'engourdirent.

Lorsque le cottage apparut enfin, elle était essoufflée. Elle chercha la clé dans sa poche, entra, et alluma la lumière. Laissant son sac d'épicerie sur la table de la cuisine, elle alla prendre une des boîtes vides dans la chambre inoccupée. Avant toute chose (et avant de perdre complètement les pédales) il fallait rapporter une provision de bois.

Surmontant sa répugnance, elle ressortit et, en s'éclairant de sa lampe, elle remplit sa boîte de bûches et de petit bois. La remise était en ordre et les bûches reposaient sous leurs filets de toiles d'araignée, à l'exception de quelques-unes, au bout, qui traînaient par terre. La pelle était toujours appuyée dans un coin, là où elle l'avait laissée. Kate jeta encore un coup d'œil autour d'elle, éteignit sa lampe, et la remit dans sa poche. Elle avait besoin de ses deux mains pour la boîte. Elle la souleva en grognant et entreprit de traverser le jardin désolé, consciente de la présence menaçante des arbres. Impossible de courir avec cette boîte. Aussi vite qu'il lui était permis, Kate rentra dans la maisonnette et laissa tomber son fardeau dans le vestibule. Puis elle poussa le verrou.

En sûreté ! Elle ferma les yeux et se mit à rire, gênée par sa propre stupidité. Soulevant de nouveau la boîte, elle la transporta à travers le salon et la plaça soigneusement à côté du poêle. Après avoir fermé les rideaux, comme pour se défendre de l'obscurité extérieure, elle revint à la cuisine et remplit la bouilloire. Le téléphone sonna. C'était Roger Lindsey.

— Kate, ma chère. Tout va bien ? Nous avons été absents à peu près toute la journée, et je voulais savoir si vous aviez tout ce qu'il vous fallait.

— Merci, tout va très bien, dit-elle, étonnée de constater à quel point le son de la voix de Roger lui faisait plaisir. Je rentre tout juste. En garant ma voiture chez vous, j'ai vu que vous n'y étiez pas.

— Nous avons déjeuné chez des amis, à Woodbridge. Des gens sympathiques. Ils ont lu votre livre.

— Des gens sympathiques, en effet, fit Kate avec un sourire ironique. Roger, dites-moi, comment faut-il faire pour que le poêle à bois reste allumé toute la nuit ?

— Greg ne vous l'a pas montré ? Je suis désolé, ma chère. C'est très facile quand on a compris comment s'y prendre. Voulez-vous que je vienne vous montrer ?

Elle ne voulait pas lui faire faire tout ce chemin alors qu'il était malade, qu'il avait passé toute la journée à l'extérieur et qu'il devait être fatigué. Mais subitement, la perspective d'avoir un visiteur sembla irrésistible.

— Si ce n'est pas trop abuser. J'ai du bon whisky.

Elle l'entendit rire :

— C'est bon, j'arrive.

A peine quinze minutes plus tard, elle vit les phares de la Land Rover apparaître entre les arbres. Roger en descendit.

— Greg est parti pour un jour ou deux. Je vais lui passer un savon quand il reviendra. Il était censé vous montrer comment tout fonctionne.

— Il aura oublié. J'avais tant de choses à transporter.

Kate ferma la porte derrière lui et le précéda au

salon. Elle avait placé la bouteille de whisky et deux verres sur la table. Elle lui en versa une rasade et le regarda s'agenouiller devant le poêle.

— Il faut commencer par une bonne flambée, dit-il, alors que, comme par magie, les flammes apparaissaient sous ses doigts amaigris. Ensuite, on met une bûche ou deux, comme ça. Puis il faut pousser les portes et le laisser tranquille pour un petit bout de temps, en laissant le tirage ouvert, comme ça. Quand le feu a pris, on ferme bien les portes. Tout le secret consiste à faire brûler le bois lentement et régulièrement, puis à couper l'air au maximum. Le plus important, c'est de bien entasser les bûches. C'est un art qu'on acquiert avec le temps, mais vous y réussirez vite.

Il prit le verre qu'elle lui tendait et s'assit dans un des fauteuils en regardant autour de lui.

— Vous avez rendu cet endroit bien confortable.

Voir devant elle ce grand homme mince, habillé d'un pantalon de velours côtelé élimé et d'une vieille veste de tweed, était si rassurant que Kate sentit sa nervosité la quitter instantanément.

— J'ai appris que votre fils vivait ici. Je suis désolée que ma venue l'ait incommodé, dit-elle en s'asseyant devant lui.

— Il sait que nous avons besoin d'argent. Pardon si c'est un peu direct, mais c'est la vie. Et c'est très bien pour nous d'avoir une voisine agréable. Comme vous vous en êtes rendu compte, nous sommes passablement isolés, ici. A ce propos, d'ailleurs, Diana me fait demander si vous voudriez venir dîner avec nous mercredi. Bien sûr, si vous préférez travailler, nous comprendrons, mais…

— J'en serais ravie, dit-elle, surprise par la rapidité de sa réponse.

— Parfait. Vous aurez la chance (enfin, j'espère) de rencontrer nos deux autres enfants, Allie et Patrick. S'il n'y a rien d'autre, je vais rentrer. Di va bientôt avoir fini de préparer le repas.

« Restez. S'il vous plaît, restez et parlez-moi », eut envie de demander Kate. Cette présence dans la pièce était réconfortante, solide, rassurante. Mais elle ne dit rien. En souriant, elle le reconduisit à la porte.

Elle regarda la Land Rover reculer et faire demi-tour pour remonter le chemin ; la lumière des phares oscillait contre le tronc des arbres chaque fois que la voiture glissait hors des ornières. Un moment plus tard, elle avait disparu.

Kate referma la porte, poussa de nouveau le verrou et retourna au salon. Comme s'il avait reconnu la main de son maître, le poêle produisait maintenant une belle lueur rouge et commençait à réchauffer la pièce. Kate regarda autour d'elle, satisfaite. Demain, elle passerait la journée avec Lord Byron.

10

Dans la nuit, la marée montante porta imperceptiblement les vagues un peu plus avant sur la plage, contourna le promontoire et gagna lentement le fond de l'estuaire, et déposa des algues et des herbes, enveloppant les pattes des oies et des canards endormis.

Le sable de la dune s'était asséché, près de s'écrouler. Sous lui, à moins d'un centimètre de la surface, maintenant, il y avait la glaise, une glaise imperméable à l'eau comme à l'air, à l'intérieur de laquelle étaient préservés les restes de quatre corps.

11

Kate était assise devant son ordinateur depuis deux heures. Ses bras et ses épaules étaient ankylosés, et son intense concentration avait fini par lui donner mal à la tête. Elle se redressa, laissa tomber ses lunettes sur ses notes et regarda par la fenêtre. Le brouillard s'était dissipé, révélant une aurore d'une beauté à couper le souffle. De sa table elle apercevait la petite portion de la mer visible entre les bancs de galets scintiller. Elle enfila son blouson et ses bottes et enroula une écharpe autour de son cou. Passé la porte, un vent glacial l'accueillit. Elle respira profondément, avec délice, en contemplant le paysage. Dans un tel décor, même Byron se serait senti chez lui.

Roule, ô Océan profond, roule tes flots bleu sombre !
Dix mille flottes en vain te sillonnent…

La marée avait laissé la plage encore humide. Kate se dirigea vers le nord en murmurant les vers du *Chevalier Harold*, la tête baissée pour éviter la morsure du vent et l'éclat de la lumière. Le froid picotait ses joues et des mèches de cheveux se libéraient de son écharpe pour venir lui fouetter le visage. Le poème ne convenait pas tout à fait, bien sûr. Elle n'était pas devant un océan, et d'ailleurs, les eaux n'étaient ni sombres ni tellement profondes, mais l'atmosphère correspondait parfaitement. Kate était transportée. Elle avait envie de sauter, de courir, de danser, mais le sable et les galets ne permettaient qu'un galop malhabile. S'arrêtant enfin, épuisée, elle entreprit de revenir sur ses pas. Maintenant que la lumière et le vent étaient dans son dos, elle pouvait apprécier les différences de couleur de l'eau : au-dessus des bancs de sable, elle était vert pâle, presque jaune. Plus loin, des taches d'un turquoise profond se mélangeaient au gris, au noir, et à un intense bleu saphir. Au loin, Kate pouvait voir des alouettes de mer et des chevaliers à pieds rouges au bord de l'eau. A part ces oiseaux, elle semblait le seul être vivant au monde.

Arrivée à la dernière dune avant le cottage, Kate s'arrêta. Une partie du monticule semblait s'être écroulée et dans la dépression, du côté de la mer, des signes récents d'excavation étaient visibles. Mue par la curiosité, elle s'approcha. Ses bottes glissaient dans un mélange spongieux de cailloux, de vase et de sable. Au sommet de la dune, invisible du cottage, il manquait une tranche transversale, nettement découpée. Sur environ trois mètres de long et soixante centimètres de profondeur, les herbes entremêlées étaient sectionnées. Au bas, on avait fait des tas de sable un peu partout. Kate sauta dans la dépression et regarda attentivement le côté exposé de la dune. La cicatrice laissée dans le sable avait l'air trop régulière et trop bien faite pour résulter d'un quelconque jeu d'enfant. Un peu plus loin, la coupure avait été allongée et agrandie au hasard par un écoulement boueux, où des morceaux d'algues et des coquilles de buccins trahissaient l'effet récent d'une marée haute, poussée par des vents d'est.

Intriguée, Kate passa légèrement la main sur le sable. Qui avait creusé ici, et pourquoi ? Est-ce que cela faisait partie des mesures de protection contre la mer ? Elle se tourna vers la plage. La mer à marée descendante paraissait calme et bienveillante, maintenant, mais Kate ne s'y trompait pas : elle savait quelle force elle pouvait rassembler, quand le vent et la lune conjuguaient leurs effets.

Elle allait grimper hors de la dépression et poursuivre sa promenade lorsque son regard fut attiré par quelque chose de brillant qui dépassait du sable.

Elle le prit et, fronçant les sourcils, l'examina attentivement. L'objet était mince, fin, rouge et orné d'un motif en relief. Il ressemblait beaucoup aux poteries qu'elle avait vues au musée, la veille. Mais c'était impossible. Elle se tourna et scruta de nouveau la surface du sable. Etait-ce une espèce d'excavation abandonnée ? Elle regarda presque avec culpabilité le tesson de poterie dans sa main. Elle n'aurait peut-être pas dû y toucher. D'un autre côté, elle l'avait trouvé dans le sable qu'on avait rejeté. On ne l'avait sans doute pas vu. A la marée haute suivante, il aurait été enterré et perdu. Kate enleva son écharpe et en enveloppa soigneusement le fragment avant de le placer avec révérence dans sa poche. Se tournant de nouveau, elle examina encore le côté exposé de la dune. Le sable était très instable : un simple effleurement, et il se mit à s'écouler. A quelques mètres à sa gauche, elle vit un objet noir. Une tige métallique, étroite et tordue, sortait du sable. Elle devait absolument se renseigner auprès des Lindsey. Eux sauraient qui avait creusé ici, et pourquoi on avait arrêté. Kate regarda le bout de métal avec convoitise. S'il présentait un intérêt archéologique, elle détruirait peut-être des données de grande valeur en le prenant. Par contre, une autre marée le ferait disparaître. Pendant qu'elle restait là, cherchant à déterminer quelle conduite adopter, une fissure apparut au sommet de la dune. Une poignée de sable humide se détacha et s'écoula à ses pieds. Une minute plus tard, un autre glissement de la dune emporta l'objet de métal. Kate se pencha pour le ramasser. Le métal, tordu et corrodé, était lourd et froid dans sa main. Impossible de dire de quoi il s'agissait. Pas de l'or, certainement. Du bronze, peut-être, ou même de l'argent. Elle l'examina, pleine d'enthousiasme et d'admiration. Selon toute probabilité, elle était la première personne à y toucher depuis plus d'un millier d'années. C'était un torque.

La voix dans sa tête était si forte qu'elle la crut réelle. Elle laissa tomber le torque et porta les mains à ses oreilles, en regardant autour d'elle.

Il n'y avait personne. Non loin, un huîtrier pie marchait à pas mesurés le long de la ligne de la marée, plongeant son bec dans le sable, ici et là.

Kate sentit les battements de son cœur dans ses oreilles, comme au milieu des bois plongés dans l'obscurité, la nuit précédente. Elle se pencha, ramassa l'objet et grimpa hors de la dépression. Aussi loin qu'elle pût voir, il n'y avait pas âme qui vive.

«Reprends-toi, Kennedy. Tu imagines des choses. Ça ne te réussit pas, trop d'air frais.»

La panique l'avait quittée presque aussi vite qu'elle était venue. En plein jour, sous un soleil éclatant, alors que des oiseaux patrouillaient paisiblement la grève, son accès de terreur semblait absurde. C'était son imagination, voilà tout. Une visite au musée, son intérêt pour Boudicca et les événements qui s'étaient produits mille neuf cents ans auparavant, sa situation isolée... Elle avait des hallucinations. Un bon café bien fort réglerait tout ça.

Légèrement plus vite qu'elle ne l'aurait fait normalement, Kate retourna au cottage. Une seule fois, elle regarda en arrière. Là, contre l'éclat de la mer, un tourbillon de sable se dressait dans la dépression qu'elle venait de quitter. On aurait presque dit une silhouette. Bien vite, il disparut.

Une fois rentrée, elle posa ses trouvailles sur la table du salon et mit la bouilloire sur le feu pour se faire du café. Tandis que l'eau chauffait, elle composa un numéro de téléphone, mais personne ne répondit chez les Lindsey.

Machinalement, elle alluma son ordinateur. En attendant que le programme de traitement de texte s'ouvre, elle prit le torque et l'examina de nouveau. Il lui sembla suffisamment grand sur le cou d'un homme adulte, et très lourd malgré la corrosion, ou peut-être à cause d'elle. Kate le contempla longuement, puis le posa doucement sur le rebord de la fenêtre avant de s'installer devant son clavier.

Quand elle leva les yeux de nouveau, il était presque une heure.

Cette fois, Diana répondit au téléphone. La question de Kate, à propos de l'excavation, fut accueillie par un silence embarrassé.

— Vous y êtes allée ce matin, dites-vous? demanda-t-elle enfin, avec précaution.

— Je me promenais sur la plage.

— Je crois que l'endroit dont vous parlez est celui où ma fille a effectué des fouilles. Son école les fait travailler sur l'archéologie. Mais ce n'est pas un site désigné, d'aucune façon.

— Je vois, dit Kate, songeuse, en constatant que son interlocutrice était sur la défensive. J'ai pensé que quelqu'un de compétent devrait peut-être y jeter un coup d'œil. Ce pourrait être un site important.

— Vous verrez qu'Alison s'en est bien occupée. C'est son projet, à elle seule, Kate. S'il vous plaît, laissez-le-lui, dit Diana avec une fermeté inaccoutumée.

«Et n'y fourre pas ton nez!» maugréa Kate en posant le combiné. Elle revint lentement au salon et regarda le torque. Si Alison allait informer le musée, alors tout était pour le mieux. Elle en profiterait pour montrer aux experts ses deux trophées. Elle prit le bout de métal et l'examina encore une fois. Malgré la torsion et la forte corrosion, on voyait encore clairement les fils de métal entrecroisés. Prudemment, elle en gratta un bout avec l'ongle. Un pâle reflet parut. Kate hésita, puis gratta de nouveau, plus fort, cette fois. La légère égratignure révéla un éclat distinctement argenté. C'était de l'argent. Elle avait entre les mains un torque d'argent.

JE TE MAUDIS, MARCUS SEVERUS, POUR CE QUE TU AS FAIT AUJOURD'HUI.

La voix fut si soudaine et si forte que Kate laissa tomber le torque sur la table. Le son était venu de l'intérieur de son crâne, de son cerveau. De son âme. Retenant son souffle, elle reprit le bout de métal. Il était très froid sous ses doigts. Aussi froid que lorsqu'elle l'avait ramassé sur le sable humide.

— C'est stupide !

Elle prononça ces mots tout haut, et sa propre voix lui sembla faible et immatérielle dans la pièce vide. Elle prit le torque et le morceau de poterie, se dirigea vers la petite table, dans le coin où il y avait la lampe, et les enferma à clé dans le tiroir.

Les hallucinations auditives sont engendrées par divers états psychiques et physiques. Elle avait lu quelque chose à ce sujet dans un des livres d'Anne. Mais auquel de ces états ressortissaient les siennes, s'il était bien question de cela ? Saisissant la bouteille de scotch, elle traversa le salon et se rendit à la cuisine, en fermant bien la porte derrière elle. La première chose à faire était de ramener son taux de sucre à la normale. Un bon repas chaud ferait peut-être disparaître son trouble.

Elle était assise à la petite table de la cuisine, un livre ouvert devant elle, et mangeait des haricots à la sauce tomate, lorsque des coups retentirent à la porte d'entrée. Kate repoussa son assiette à contre-cœur et alla ouvrir.

Une jeune fille se tenait sur le seuil, habillée de jeans et d'un anorak bleu clair. Sa queue-de-cheval blonde virevoltait au vent. Ses yeux verts étaient furieux et son visage, dépourvu d'aménité.

— Je suis venue vous dire de ne pas toucher à mes fouilles. M'man dit que vous y avez fouiné. Ben, n'y allez plus. Ce n'est pas parce que vous avez loué la maison que ça vous donne le droit de vous mêler des affaires des autres.

Ses jeunes traits étaient pâles et fatigués. Son mal

de tête avait empiré depuis ce matin, à un point tel qu'elle n'avait pu aller à l'école, qu'elle n'avait pu se lever, jusqu'à ce que Diana lui dise ce qui se passait à la dune.

— Tu dois être Alison, dit Kate en levant un sourcil désapprobateur. Je suis désolée. Je ne voulais pas nuire à ton travail. Bien sûr, je n'irai plus si tu crois que je ne devrais pas le faire.

— S'il vous plaît, n'y allez plus, grogna Alison.

— Apparemment, tu as déjà signalé ta découverte au musée.

— Je vais le faire bientôt.

Le menton de la jeune fille était volontaire. Elle ressemblait beaucoup à son frère aîné. Dans la famille, les gens avaient belle apparence, mais on ne pouvait pas les féliciter pour leurs bonnes manières.

— Je prends tout d'abord des notes, des photos, ce genre de trucs.

— Bien, dit Kate en souriant. C'est exactement ce qu'il faut faire.

Elle recula d'un pas, s'apprêtant à fermer la porte, mais Alison restait là, les mains dans les poches. Elle voulait de toute évidence dire autre chose, et finit par se lancer.

— Etes-vous vraiment écrivain ?

— Oui, répondit Kate, toujours en souriant. Je le suis.

— Et vous écrivez sur Byron, p'pa me l'a dit.

— C'est exact.

— Alors, pourquoi êtes-vous venue ici ?

— Je voulais un endroit tranquille, où je pourrais me concentrer sur mon travail.

— Et vous connaissez l'histoire et des choses comme ça ?

— Un peu, dit Kate en hochant la tête. J'ai étudié l'histoire à l'université.

— Alors vous connaissez des choses sur les Romains.

— Un peu, comme je l'ai dit. Il paraît qu'ils sont venus ici.

— Et il y avait des gens, ici, bien avant eux. Les Trinobantes vivaient en Essex avant que les Romains n'arrivent. C'est une tombe romaine, dit-elle en faisant un signe de tête en direction de la plage.

— Une tombe? (Kate fronça les sourcils.) Qu'est-ce qui te fait croire ça?

Marcus. La pensée lui était venue inopinément, pour disparaître tout aussi vite. On avait découvert la tombe de Marcus Severus à un endroit nommé Stanway. D'après la carte placée à côté de sa statue, c'était à une trentaine de kilomètres, du côté opposé de Colchester.

— Je le sais, c'est tout.

Kate regarda la jeune fille, troublée.

— Alison, lorsque tu auras du temps, me montrerais-tu tes fouilles? Me les montrer vraiment, m'expliquer ce que tu as fait. Le travail a l'air très bien mené. Tu pourrais me dire ce que tu as trouvé.

— Vous voulez vraiment savoir?

— Vraiment. Pas pour te nuire. Mais ça m'intéresse.

— OK. Voulez-vous venir maintenant?

Kate songea avec regret à son plat de haricots et à son livre, mais elle fit signe que oui.

— Donne-moi un instant. Je vais prendre ma veste et mes bottes.

La mer s'était retirée assez loin quand elles arrivèrent au bord de la dépression. Le vent entraînait le sable dans de petites rondes murmurantes, parmi les herbes séchées. Le soleil avait disparu, caché par de gros nuages menaçants.

— J'ai découvert des morceaux de poterie et quelques objets de métal, dit lentement Alison. Ils sont à la maison. Je vous les montrerai, si vous voulez, quand vous viendrez dîner.

— J'aimerais bien. Comment as-tu su où creuser?

— C'est la mer qui a commencé. La moitié de la dune s'est effondrée.

— Qu'est-ce qui t'a fait penser qu'il s'agissait d'une tombe romaine?

— C'est là-dedans qu'on trouve des choses. Dans les tombes. Il y avait une villa, sur la terre de notre voisin. Sous son champ, très près de chez nous. Et il y avait une route romaine vers le village, et une autre vers l'autre côté de la baie de Redall.

— Vraiment? dit Kate, fascinée. Pouvons-nous descendre? Nous serions abritées du vent et tu pourrais me montrer exactement comment tu creuses le sol.

Alison sembla hésiter, mais après quelques secondes, elle s'approcha du côté où elle avait travaillé.

— J'ai fait très attention de ne rien déranger. L'ennui, c'est que le sable n'arrête pas de tomber. On ne peut pas l'en empêcher. Ici, le vent et la mer attaquent sans cesse le rivage. Il y a même eu des maisons qui ont fini par tomber, à la pointe de Redall. (Elle leva doucement la main vers le sable, mais la retira sans y toucher.) J'ai laissé mes outils dans la remise.

— Oh, je me demandais à qui appartenait cette pelle!

Kate écarta les cheveux de ses yeux et fouilla dans sa poche pour trouver ses lunettes.

— Regarde. Vois-tu? Ici, et ici. Il y a un changement de texture. Le sable est plus solide. Il doit y avoir un affleurement quelconque d'argile et de tourbe. Tu aurais peut-être plus de chance en creusant là. Ça ne s'écroulera pas aussi facilement.

— Non.

Alison fit un pas en avant et examina l'endroit que lui désignait Kate. Puis elle frissonna. Son mal de tête était revenu, encore plus fort.

— Il fait trop froid pour travailler, aujourd'hui. Je crois que je vais rentrer, maintenant.

Tandis qu'elles grimpaient hors de la dépression, Kate vit la jeune fille regarder par-dessus son épaule, l'air mécontent, comme si la vue de quelque chose l'avait dérangée.

Alison disparut au bout du chemin et Kate retourna au cottage. C'est alors seulement qu'elle se rendit compte qu'elle n'avait pas dit un mot de ses propres découvertes. Elle revint dans la cuisine et considéra son assiette avec regret. En grattant avec sa fourchette, elle jeta les restes refroidis à la poubelle et se fit chauffer de l'eau. Elle avait déjà perdu assez de temps. Au diable Alison Lindsey et sa tombe romaine ! Cet après-midi, elle devait retourner au logement sombre et froid d'Aberdeen, où le jeune George Gordon apprenait la Bible, et bien davantage, sur les genoux de sa nurse.

Les yeux rivés sur l'écran de son ordinateur, Kate ne vit pas que l'obscurité gagnait la pièce. Ses doigts étaient douloureux, ses bras rigides et lourds. Quelque part entre ses omoplates, un point avait commencé à lui faire mal. Elle enleva ses lunettes, étira ses bras devant elle et agita ses doigts en grimaçant. Le feu s'était de nouveau éteint et la pièce était glaciale. Kate se leva péniblement et se mit en devoir d'allumer le poêle. Pendant un moment, elle resta accroupie à regarder le feu, derrière les petites portes noircies.

Convaincue que celui-ci avait pris, elle revint s'asseoir à la table et entreprit de lire ce qu'elle avait écrit dans l'après-midi.

Puissent les dieux te maudire, Marcus Severus Secundus, et punir ton corps putréfié et ton âme corrompue pour ce que tu as fait aujourd'hui…

Kate regarda les mots sans comprendre. Elle ne se rappelait pas les avoir écrits. Elle ne les avait pas écrits. Ils étaient apparus dans le texte de façon soudaine, arbitraire, au beau milieu d'une description d'Aberdeen au dix-huitième siècle.

Repoussant sa chaise, elle se leva brusquement,

consciente du tremblement de ses mains. «Ce n'est qu'une phrase qui me trotte dans la tête. J'ai dû la lire quelque part. Elle s'est logée dans ma tête et je l'ai tapée. Idiote. Idiote.»

Contre sa volonté, ses yeux allèrent vers la petite table du coin. Pendant plusieurs minutes, elle résista à l'envie de s'en approcher, mais, finissant par céder, elle se leva pour allumer la lampe.

Elle ouvrit le tiroir et prit le torque, qu'elle apporta devant le feu. Assise par terre, elle fit longuement tourner l'objet dans ses mains. Sans être historienne ni archéologue, elle en savait assez pour être certaine qu'il s'agissait d'une parure celte, presque certainement en argent, et qu'elle avait donc appartenu à un homme riche. Un homme, pas une femme, à en juger par son poids et sa taille. Peu importait ce qu'en pensait Alison, ce torque n'était pas romain. Il n'appartenait donc pas à Marcus Severus. «N'avait pas appartenu», se reprit-elle immédiatement. Alors, qui en avait été le propriétaire? Que faisait-il, enterré dans le sable, au bord de la baie de Redall? Les tribus britanniques qui avaient lutté contre Rome étaient celtes. Le monde celte, qu'on ne reliait plus aujourd'hui qu'au pays de Galles, à l'Ecosse, à l'Irlande et à la Bretagne, avait autrefois couvert toute l'Angleterre — toute l'Europe, même. C'étaient les invasions saxonnes qui en avaient effacé toute trace de l'imagination populaire.

Cette partie de l'Essex avait été, comme l'avait dit Alison, le pays des Trinobantes, qui avaient rejoint Boudicca et les Icènes pour se révolter contre Rome, contre l'oppresseur étranger. Ce torque avait-il appartenu à un seigneur celte de haute naissance? Un prince? Cette dune, sur la plage subissant les assauts de la mer hivernale, était-elle son tumulus?

Mais quel était le lien entre Marcus Severus Secundus et lui?

Le bruit de la grêle frappant la fenêtre lui fit lever

la tête. Dehors, le ciel était devenu très sombre. La lumière de la lampe se reflétait dans la vitre et, tout d'un coup, la pièce sembla très froide. Kate regarda le feu. Les portes étaient restées ouvertes, et les flammes avaient consumé les bûches plus rapidement. Il ne restait plus que des cendres. Kate se leva et mit le torque dans le tiroir, qu'elle ferma à clé. Pour la troisième fois ce jour-là, elle refit du feu.

Kate se réveilla en sursaut aux petites heures du matin. Sa chambre était glacée. Le vent s'était levé et on entendait le bruit des vagues déferlant sur la plage. De l'autre côté du cottage, à l'ouest, les branches des arbres s'agitaient et craquaient.

Elle avait laissé la lumière du palier allumée (un reliquat de sa vieille peur du noir) et pouvait voir, au-delà des contours de la porte, le réconfortant rectangle de lumière. Elle resta une bonne minute à le fixer, puis tendit le bras vers la lampe de chevet. Bien appuyée contre ses oreillers, pelotonnée sous les couvertures avec son livre et ses lunettes, Kate se sentit en sécurité. Le bruit de la tempête lui faisait davantage plaisir que peur.

Une rafale de vent plus forte que les autres se précipita contre la fenêtre, faisant trembler la vitre, et Kate prit subitement conscience d'une odeur de terre humide. Douce-amère, écœurante et envahissante, elle remplissait la chambre à coucher.

Elle chercha sa robe de chambre à tâtons, mit ses pantoufles et traversa la pièce. Ouvrant la porte, elle examina le palier. L'atmosphère y était glaciale et traversée par un très fort courant d'air. En fronçant les sourcils, elle se dirigea vers l'escalier et regarda en bas.

La porte d'entrée était grande ouverte.

Pendant un instant, Kate se sentit paralysée. C'était le vent. Ce ne pouvait être que le vent. Mais l'entrée était du côté abrité de la maison. Elle dévala les marches et ferma précipitamment la porte. L'avait-elle verrouillée, la nuit passée? Elle poussa fermement le verrou et fit également tourner la clé dans la serrure.

Les portes de la cuisine et du salon étaient ouvertes et les pièces, au-delà, étaient plongées dans l'obscurité. Elle scruta les ténèbres avec une soudaine appréhension. Et si ce n'était pas le vent? Et si c'était un voleur?

«Allons, Kennedy. Qui voudrait dévaliser cet endroit?» Elle se dirigea vers la cuisine et alluma la lumière. La pièce était vide, exactement comme elle l'avait laissée quelques heures plus tôt, la vaisselle empilée dans l'évier, la bouilloire encore tiède. Elle la mit à chauffer et revint dans le vestibule. Tout de suite, l'odeur de terre se fit plus forte. Kate s'arrêta un moment et huma l'air. La porte d'entrée fermée, l'odeur aurait dû diminuer, mais elle semblait maintenant venir du salon.

Ce fut au moment précis où elle allait poser la main sur l'interrupteur qu'elle se rendit compte de la présence de quelqu'un dans la pièce. Kate retint son souffle, la gorge serrée. Elle tendit l'oreille, certaine que l'autre faisait la même chose, douloureusement consciente que sa silhouette se découpait sur la lumière brillante de l'entrée.

C'était une femme.

Elle ne savait pas exactement d'où lui venait cette certitude, car elle ne voyait rien, mais sur le coup, sa terreur s'en trouva diminuée.

— Alison? demanda-t-elle, d'une voix ridiculement forte et aiguë. Alison, c'est toi? Que fais-tu ici?

Kate trouva l'interrupteur, alluma, et regarda autour d'elle. Son cœur battait la chamade. Personne. Les fenêtres étaient fermées, les rideaux tirés, comme elle les avait laissés la nuit dernière, et le poêle, bien rempli, rougeoyait doucement dans la cheminée. Cette fois, le feu durerait facilement jusqu'au matin. Mais si le feu était allumé et que les vitres du poêle brillaient, pourquoi la pièce était-elle si incroyablement froide, et d'où venait cette étrange odeur ? En se mordant les lèvres, Kate regarda à nouveau autour d'elle, avant d'avancer prudemment dans la pièce et d'inspecter derrière le canapé et les chaises, dans les coins, et même derrière les rideaux. Tout était normal.

Ce ne fut qu'au bout d'un moment que lui vint l'idée de vérifier le tiroir où elle avait rangé le torque.

La lampe n'était plus au centre de la table. Etait-ce elle qui l'avait poussée si près du bord qu'une partie de la base surplombait le vide, au point qu'une toute petite poussée la précipiterait par terre ? Elle posa la main sur la poignée du tiroir et la retira précipitamment. La poignée était couverte de terre mouillée, détrempée par la pluie. Lentement, avec deux doigts, elle ouvrit le tiroir. Le torque et le tesson de poterie étaient encore là. On ne semblait pas y avoir touché.

Ainsi donc, c'était Alison ! Soupçonnant le vol de Kate, elle était revenue réclamer son trésor. Elle possédait probablement une clé du cottage. En entendant Kate marcher en haut, elle avait pris peur et s'était enfuie. Avec colère, Kate essuya la poignée du tiroir et le referma. Elle jeta un dernier regard à la pièce et sortit.

Elle était sur le point d'éteindre lorsqu'une autre odeur s'imposa à elle : une odeur riche, féminine, musquée. La fragrance que porterait une femme raffinée. Kate eut un sourire ironique. Même les petites filles effrontées montraient, de temps en temps, des signes de leur maturité future.

12

La décision était prise : le sacrifice aurait lieu à Bel-
tane. Enfin, les dieux seraient apaisés. Le choix de la
victime leur reviendrait. Celui qui tirerait le pain brûlé
du panier serait celui qui connaîtrait la triple mort.
   Nion avait ri en apprenant la nouvelle. Il était jeune,
fort, invincible. Il était amoureux. Le sang rouge vif
de la passion courait dans ses veines. Sa peau s'en-
flammait chaque fois que son aimée le touchait. Ses
yeux avaient faim de son corps dès l'instant où elle le
quittait. On savait qu'un des druides les plus âgés
prendrait le morceau brûlé. Un des anciens, un des
pères, un homme prêt à se rendre de son plein gré
auprès des dieux.

Il régnait une chaleur étouffante dans la chambre
de l'hôtel Hyatt, à New York. Jon Bevan se réveilla
en sursaut, le corps baigné de sueur. En grognant, il
scruta le cadran lumineux de sa montre. Il lui semblait qu'on lui avait frotté les yeux avec du sable
chaud. Quatre heures du matin. Il traversa la chambre en titubant jusqu'à la salle de bains et chercha
l'interrupteur à tâtons. La lumière blanche était
aveuglante. Il plongea ses mains sous l'eau froide
pour s'en baigner le visage et les épaules. En fait,
l'eau était plutôt tiède, mais c'était tout de même
mieux que rien.
   Qu'est-ce qui l'avait réveillé ? Il revint au lit et
alluma la lampe de chevet. Les rideaux étaient fermés. C'était drôle, comme il s'était habitué au
besoin idiot de Kate de garder les rideaux ouverts la
nuit. Maintenant, lui aussi se sentait claustrophobe
quand ils étaient tirés. Il en souleva un coin et

regarda dehors. Sa fenêtre donnait sur un puits monstrueux, aux parois trouées de fenêtres. Il avait eu beau se tordre le cou, le jour, il n'avait pu apercevoir le ciel. Il souleva légèrement le cadre de la fenêtre. L'air froid envahit la pièce, apportant avec lui les odeurs et les sons de la ville. Le bruit d'un klaxon, le hurlement lointain des sirènes de police. Un mélange confus de musiques. Un cri venant d'en face. Puis, sur le fond d'air froid, l'odeur riche, épicée et nauséabonde d'un millier de cuisines où l'on préparait des steaks, des frites, des hamburgers, des fèves au lard et des oignons. A quatre heures du matin, Dieu du ciel ! Jon referma la fenêtre et s'assit sur le lit en gémissant. La soirée au Café des Artistes avait duré jusqu'à vingt-deux heures. Ensuite, Derek et lui s'étaient rendus au 44, où ils avaient rencontré d'autres auteurs. Après cela, il ne se souvenait plus de grand-chose : ils étaient allés au Peace, puis ailleurs, où il avait bu, parlé philosophie d'une façon de plus en plus larmoyante, rédigé des lignes d'une prose stupéfiante sur des serviettes de papier vite égarées. Il fit la grimace, embarrassé à ce souvenir. Demain se déroulerait sensiblement de la même manière. Une allocution devant un groupe d'étudiants, une séance de signatures chez Rizzoli, le déjeuner chez... qui déjà ? Il haussa les épaules. Quelle importance ? Un des larbins de Derek l'accompagnerait partout — un larbin plein d'énergie, mais dépourvu d'humour, expert dans l'art de ne pas perdre un auteur épuisé dans New York.

Avec une exclamation de dégoût, Jon s'étendit de tout son long et croisa les mains sous sa nuque. Impossible de dormir, maintenant. Il chercha la télécommande du téléviseur et pressa les boutons au hasard, mais quelques instants plus tard, il l'éteignit.

Le vrai problème, c'était que Kate lui manquait terriblement, et qu'il se sentait coupable de l'avoir traitée comme il l'avait fait. Il avait été étroit d'esprit, jaloux, immature, injuste. Il dressait sans pitié la liste de ses défauts. Maintenant, au moins, il avait un nouveau contrat quasiment dans la poche, et il pourrait commencer à lui rendre un peu de l'argent qu'il lui devait. Il regarda sa montre à nouveau, calculant l'heure qu'il devait être en Angleterre. Neuf heures ? Dix heures ? Le matin, en tout cas. Il prit le téléphone et composa le numéro de Bill. Il le persuaderait de lui dire où elle se cachait. Il avait envie de lui parler. Elle lui manquait trop.

13

La marée avait changé de direction, mais le vent lançait toujours la mer à l'assaut des côtes. Elle remplit la baie de Redall, inondant presque les îles basses qui abritaient tant d'oiseaux. Un peu plus loin, près de Wrabness, elle emporta une grande section de la falaise, abattant sur le sable deux chênes qui s'étaient agrippés désespérément au bord de ce qui avait été, autrefois, une forêt. Remontant la plage, elle inonda le pied de la dune, attaqua le sol, et commença à miner le versant où se trouvait l'excavation.

Deux des corps étaient couchés l'un sur l'autre. Celui de l'homme avait le visage tourné vers le bas, pressé contre l'argile suintante, la tête inclinée vers l'épaule. Le garrot était enfoui profondément dans l'étrange tissu desséché et noir qui avait jadis été sa peau. Il était nu, mais un morceau d'écorce brune entourait son bras. C'était l'écorce d'un frêne, son arbre totémique, l'arbre qui lui avait donné son nom : Nion.

La femme était étendue sur lui de travers, recroquevillée, contractée par la souffrance dans laquelle elle était morte. Le tissu de son vêtement était étrangement intact. A un ou deux endroits, la couleur en était encore visible, quoique foncée par la lente dégradation du temps. Caché entre elle et l'autre corps, il y avait un glaive, court, mais tranchant. Une des mains de la femme en agrippait encore la garde. La pointe était enfoncée entre les neuvième et dixième vertèbres thoraciques.

14

Kate empilait la vaisselle dans l'évier, le lendemain matin, lorsqu'elle aperçut par la fenêtre Alison qui sortait de la forêt. La jeune fille portait un sac à dos vert fluorescent sur une épaule et un grand lecteur de cassettes rouge à la main. Fatiguée et toujours en colère, après sa mauvaise nuit, Kate attendit qu'Alison s'approche du cottage, mais la jeune fille se dirigea vers la remise.

Kate s'essuya les mains et sortit. La tempête de la nuit s'était calmée, seul un vent léger soufflait du sud.

Elle s'arrêta derrière Alison, qui fouillait dans la remise.

— Bonjour.

La jeune fille sursauta. Elle fit demi-tour, la pelle à la main, l'air mécontent.

— Salut.

— Je croyais que tu viendrais me saluer, dit Kate.

— Je voulais aller à la plage, répondit Alison en haussant les épaules.

— D'accord. Mais avant, n'as-tu pas d'explications à me donner à propos d'hier soir ?

Après avoir verrouillé soigneusement la porte et laissé les lumières allumées dans toute la maison, Kate n'avait réussi à s'assoupir qu'une heure environ avant l'aube, et son sommeil avait été agité.

— Hier soir ?

Alison fouilla à nouveau dans la remise et en sortit une truelle et un balai.

— C'est toi qui es entrée dans le cottage.

— Moi ? Je ne suis pas venue ici hier soir. Pourquoi donc j'aurais fait ça ?

Kate fronça les sourcils. Les yeux arrondis de la petite semblaient véritablement étonnés.

— Quelqu'un est venu ici. Vers trois heures du matin, quelqu'un est entré avec une clé.

— Bizarre, fit Alison en hochant la tête. Est-ce qu'on a pris quelque chose ?

— Non.

— Pourquoi croyez-vous que c'est moi ? Je ne suis pas une voleuse.

Kate tenta de rire pour alléger l'atmosphère, mais le son qu'elle produisit était empreint de tension et trahissait sa soudaine inquiétude.

— Tu me le dirais, n'est-ce pas ? Parce que si ce n'est pas toi, je dois savoir de qui il s'agit.

— C'était peut-être Greg. Il a probablement encore une clé.

— Non, c'était une femme. Comme elle avait de la terre sur les mains, j'ai cru que tu creusais peut-être encore.

— A trois heures du matin ? Si c'était un voleur, vous feriez mieux d'avertir la police. Il n'y a jamais eu de voleurs ici auparavant.

Le ton de la jeune fille laissait sous-entendre que Kate devait avoir apporté ce genre d'ennuis avec elle.

— Vous feriez mieux de téléphoner à p'pa.

— Oui, sans doute, dit Kate en se renfrognant. Mais je lui en parlerai plutôt en personne, en passant prendre ma voiture. Je dois me rendre à Colchester, ce matin.

Elle ignorait quand lui était venu le besoin de retourner au musée. L'idée s'était imposée à elle de manière si impérieuse qu'il lui semblait avoir pris cette décision depuis un bon moment.

— Vous ne le trouverez pas à la maison. Mes parents passent la journée à Ipswich.

Kate se sentit abandonnée. Depuis son réveil, elle avait évoqué les traits aimables et rassurants de Roger Lindsey. Lui saurait quoi faire.

— Tu vas pouvoir te débrouiller toute seule? dit-elle en se retournant vers Alison, qui jonglait avec ses outils et sa radiocassette.

— Bien sûr. Je viens toujours ici toute seule.

Sa voix était ferme, son air crâne, malgré son regard, où passa un éclair d'incertitude.

Le musée était désert lorsque Kate traversa les salles consacrées à l'âge du bronze et l'âge du fer en direction de l'escalier. A sa gauche, elle entendit le son d'une lointaine vidéo. Quelqu'un avait commencé à regarder le documentaire, puis était parti, laissant la bande sonore résonner jusqu'au fond des salles vides.

Marcus Severus Secundus fixait de ses yeux morts les présentoirs vitrés devant lui. On avait traité son visage de façon stéréotypée, en lui attribuant une beauté classique et des cheveux soigneusement bouclés. Marcus avait-il posé ou était-ce une figure type, destinée à monter la garde sur sa tombe? Kate contempla longtemps les yeux vides. Puis, consciente qu'elle enfreignait les règlements du musée, elle leva la main et passa ses doigts sur le visage, s'attardant sur le nez mutilé, suivant la ligne des joues, de la mâchoire, de l'épaule.

Le contenu de la tombe du légionnaire était exposé à côté. Kate s'approcha et regarda, stupéfaite. Elle ne s'attendait pas à voir des ossements.

« Au site B 4 du troisième tumulus de Stanway, les archéologues ont découvert les restes de Marcus Severus Secundus et de sa femme, Augusta Honorata. Survivant du sac de Colchester par Boudicca en 60, Marcus Severus fut l'un des artisans les plus importants du relèvement de la ville. Dans sa tombe ont été retrouvés des symboles de sa fonction, des bijoux et de petits objets funéraires. »

Kate se pencha au-dessus de la vitre. Les os étaient entassés, exposés dans une réplique en plâtre de la tombe. Aucun des deux squelettes n'était complet. Marcus Severus et sa femme étaient-ils morts ensemble ? Kate se pencha davantage pour mieux voir les bijoux. Deux anneaux d'or, un collier de turquoises et d'ambre, deux broches, une d'argent et une en émail, ainsi que plusieurs épingles à cheveux. Les bijoux d'Augusta, sûrement. La lourde chevalière devait appartenir à Marcus. Elle était installée sous une loupe permettant d'en étudier le chaton, sur lequel était gravé un cheval cabré. La grande broche d'argent au dessin compliqué et la longue épingle ornée devaient également lui appartenir. Sur la fiche explicative, dans un coin du présentoir, Kate lut : « Nº4 : Broche curviligne en argent. Origine celte. Date probablement du premier siècle. Découverte inhabituelle dans une sépulture romaine. » Que faisait une broche celte dans la tombe de Marcus Severus, soldat de la légion romaine ? L'avait-il achetée, ou était-ce un butin de guerre ? Lui en avait-on fait cadeau ?

Au bout d'un long moment, Kate quitta le musée et se dirigea vers le centre de la ville. Elle y fit des provisions et se procura quelques films pour son appareil photo, de même qu'une grande lampe de poche et deux piles de rechange. Après s'être offert une salade et un plat de *fettuccine* arrosés d'un verre de vin dans un bar de High Street, elle fit un dernier achat : un produit nettoyant pour l'argenterie.

Le torque était enfermé dans sa voiture. Elle n'avait pas voulu le laisser au cottage, donnant ainsi à Alison l'occasion de s'en emparer. Subitement, Kate éprouva le besoin de retourner le voir pour s'assurer qu'il était bien en sécurité.

Un froid soleil d'hiver déversait ses rayons sur la

ville tandis qu'elle retournait à sa voiture. Elle passa devant le théâtre et franchit l'arche romaine de Balkerne Gate. De là, on avait une vue magnifique du mur romain. Chargée de paquets, elle traversa la passerelle enjambant l'autoroute et se dirigea vers le parking.

Le chemin vers la ferme de Redall était particulièrement glissant. Le matin, pourtant, elle s'était bien sortie d'affaire. Le passage d'autres véhicules avait probablement détérioré l'état de la route. La voiture des Lindsey n'était pas là quand elle gara sa Peugeot dans la grange. Kate transféra le torque de la boîte à gants dans son sac, sortit tous ses paquets et troqua ses souliers contre de grosses bottes.

A cause de la boue, il lui fallut longtemps pour franchir les huit cents mètres qui la séparaient du cottage. Plusieurs fois, elle dut s'arrêter pour changer de mains ses volumineux paquets et se reposer. Dans la lumière oblique, les bois étaient d'une grande beauté. Dépouillés de leurs feuilles, les arbres avaient l'air de gracieux danseurs dressés dans le vent. Des fleurs se dissimulaient à leurs pieds : de l'ortie blanche, des héliotropes d'hiver, des véroniques, et d'occasionnelles touffes de perceneige, enserrant étroitement leurs boutons. L'odeur des pins, de la végétation mouillée et de la résine était enivrante. Cela n'avait rien à voir, constatat-elle soudain, avec l'odeur de terre qui avait envahi son cottage la nuit précédente.

A son grand soulagement, la porte était encore verrouillée. Kate entra, laissa tomber ses achats sur la table de la cuisine et effectua une inspection attentive de la maison. Rien n'avait été touché. Le cheveu qu'elle avait collé sur le tiroir était encore en place. Personne n'était entré. Durant la journée, elle avait fini par se convaincre qu'Alison était l'intruse de la nuit dernière. De qui d'autre aurait-il pu s'agir ? En présentant mentalement des excuses à sa jeune voisine, Kate remit le torque en sécurité dans le tiroir. Alors seulement elle put vider ses sacs et mettre de l'eau à chauffer.

15

Alison resta un long moment au bord de son excavation, à examiner les dommages causés par le vent et la marée. La dune s'était presque écroulée. La moitié de la paroi qu'elle avait laissée la veille était tombée. Il n'en restait plus qu'un tas de terre et de sable mouillés, au fond de la dépression, où gisaient également des algues entremêlées, des coquillages et un poisson en putréfaction. Du bout de sa pelle, elle souleva celui-ci avec un frisson de dégoût et le lança plus loin sur la plage. Quelques instants plus tard, un goéland décrivait des cercles au-dessus de l'animal décomposé en criant, les pattes tendues pour atterrir.

Alison promena son regard sur tout ce gâchis. Elle avait déjà repéré d'autres morceaux de cette étrange poterie rouge, dispersés sur le sol, mais il y avait également autre chose. De petits objets ronds et noirs. «Des pièces de monnaie!» Son cri eut pour écho celui du goéland, qui dansa dans l'air un moment avant de retourner se gaver de la chair du poisson.

Elle ramassa treize pièces, qu'elle emballa soigneusement dans des morceaux de tissu qu'elle avait apportés, pleine d'optimisme, en prévision d'un tel usage. Elle les enfouit dans la poche de son sac à dos et retourna à ses fouilles.

C'était le silence qu'elle détestait. Un silence qui paraissait étouffer le bruit paisible et constant du vent et des vagues. Une sorte de menace qui pénétrait dans sa tête douloureuse et frappait à coups redoublés comme une créature malfaisante. C'était probablement la cause des migraines qui l'avaient forcée à manquer l'école. Mais aujourd'hui, elle avait trouvé une façon de contrer le silence et d'éloigner les maux de tête. Une demi-heure plus tard, dans le vacarme assourdissant des Sex Pistols, elle passait le sable au crible avec sa fourche et sa truelle, mettant systématiquement de côté tout ce qui pouvait présenter un intérêt quelconque. Comme elle s'arrêtait pour faire une pause, un objet attira son attention.

Une dague encore à moitié enterrée... La poignée et la garde étaient abîmées, mais pas au point d'empêcher qu'on reconnaisse immédiatement l'objet. Alison contempla longuement l'arme puis tomba à genoux et se mit à creuser autour avec révérence. La dague mesurait une quarantaine de centimètres de long et la lame environ cinq centimètres à son point le plus large. Transportée, la jeune fille admira longuement l'objet entre ses mains, tandis que sur la plage résonnait la voix de Johnny Rotten, vite dispersée par le vent. Elle se releva enfin, tenant l'objet maladroitement pointé vers le ciel, et tendit la main vers son sac à dos.

La rafale de vent glacé la prit complètement au dépourvu. Elle lui arracha le sac des mains et l'envoya rouler plus loin sur la plage. Aveuglée par le sable tourbillonnant, Alison essaya désespérément de le rattraper. Son balai tomba de côté devant elle et alla se coincer contre des galets. La paroi de la dune s'effondra et commença à ensevelir la radiocassette, dont la musique continua de se mêler au rugissement du vent jusqu'à ce que le poids de la terre finisse par la réduire au silence.

Le vent tomba aussi soudainement qu'il s'était levé. Ecartant ses cheveux de ses yeux, Alison grimpa hors du trou. Son sac à dos faisait une tache fluorescente parmi les algues entremêlées, plus loin, le long de la ligne de la marée. Elle courut le prendre, puis se retourna.

Au-dessus de la dune, le sable tournoyait encore follement, entraîné dans une spirale d'environ un mètre vingt de hauteur. Pendant quelques secondes, elle la vit s'élever hors de la dépression et s'éloigner vers la baie. Subitement, aussi vite qu'elle était apparue, elle s'évanouit.

Alison avala sa salive avec nervosité. Cet endroit commençait vraiment à la rendre folle. Elle se força à retourner au bord du trou pour inspecter l'endroit où, cinq minutes auparavant, elle travaillait encore en toute tranquillité. Tous ses efforts avaient été anéantis. Le sable recouvrait tout de nouveau. Son balai et sa pelle étaient à peine visibles, et sa truelle avait disparu. La radiocassette, maintenant silencieuse, était à moitié ensevelie. Plus loin, son goûter (deux barres de chocolat et une canette de Coca) était tombé dans une flaque d'eau de mer.

— Merde !

Elle sauta au fond, récupéra ses affaires et les entassa sur le bord de l'excavation. Elle remit sa radiocassette en marche et déballa une des barres de chocolat, heureusement préservée.

Un peu à sa gauche, presque invisible dans la glaise, une main aux doigts recourbés et flétris commençait à se décomposer au contact de l'air froid et humide.

Une ombre ténue se mit à planer derrière Alison. Lorsqu'elle leva enfin la tête et l'aperçut, l'ombre avait pris une forme humaine.

16

Qu'elle était belle, la mère de son fils ! Appuyée sur un coude, couchée de l'autre côté de la table basse, elle choisissait avec nonchalance une figue dans le plat posé devant elle. Elle avait ramené ses lourdes tresses sur sa tête en les retenant à l'aide de quatre épingles d'ivoire. Sa peau était douce et avait la couleur de la crème. Les plis de sa longue tunique dissimulaient des seins lourds et tentants. La tension monta en lui. Des seins qui avaient été caressés par les mains d'un autre, les lèvres d'un autre. Etrange. La glace qui s'était formée en lui dissimulait sans peine le brasier dévorant de sa fureur et de sa jalousie. Il l'emprisonnait, le contenait, mais sans l'éteindre.

S'il était retourné à Rome, dans la demeure de son père, les choses auraient-elles été différentes ? Avait-il été stupide d'accepter ces terres, en Bretagne, dans la nouvelle province de Claude, Colonia Claudia Victricensis, autrefois Camulodunum ? Il mâchonna une figue séchée. Ce choix lui avait apporté richesse, respect et honneur : digne conclusion d'une carrière militaire exemplaire. Pourtant, sa jeune épouse consternée avait insisté pour retourner à Rome. Sa sœur et elle détestaient la Bretagne. L'une des raisons pour lesquelles elle voulait tant rentrer était un homme. Elle croyait que son mari l'ignorait mais c'était précisément pour cette raison qu'il avait accepté ce poste lointain. Il sourit amèrement.

Lorsque sa femme avait changé d'avis à propos de la Bretagne, quelques mois auparavant, ses soupçons avaient tout de suite surgi.

Sentant le regard de son mari, Claudia leva la tête. Son sourire était vide, froid. Un masque. Il le lui rendit, pourtant, et vit le doute apparaître dans les beaux yeux gris de la jeune femme, mais l'espace d'une seconde seulement. Elle se croyait en sécurité. Elle se croyait la plus forte. Qu'elle le croie. Il attendrait son heure. Le moment devait être propice. Seul son amant connaîtrait la vraie raison de sa mort, car Marcus ne pouvait laisser le scandale éclater au grand jour. La douleur et la colère personnelles devaient être contenues, subordonnées au bien public. Sa vengeance

devrait rester discrète. Il fallait éviter toute explosion
de haine entre les tribus autochtones et Rome.

Mais en secret... Il respira profondément, maîtrisant
sa colère avec une volonté de fer. En secret, il aurait
sa vengeance.

Après quoi, le châtiment de sa femme durerait toute
sa vie, puis toute l'éternité.

Pendant un moment, Kate fut tentée d'aller examiner à nouveau l'excavation mais elle changea
d'avis. Elle avait déjà pris une matinée de congé.
Cet après-midi (ou ce qu'il en restait) devait plutôt
être consacré au travail sérieux. D'ailleurs, il ne faisait aucun doute qu'Alison accueillerait sans aménité
quiconque viendrait mettre le nez dans *ses* fouilles.
Plus tard, peut-être, Kate irait se promener sur la
plage pour prendre un peu d'air frais, mais pas
maintenant.

Elle travaillait depuis une bonne demi-heure
lorsque le téléphone sonna.

— Jon ?

La joie qu'elle éprouva à l'entendre après si longtemps n'était que pur réflexe, se dit-elle sévèrement.

— Comment as-tu eu mon numéro ?

— Par Bill, dit-il faiblement. J'espère que ça ne
t'ennuie pas ?

— Non, absolument pas. Comment se passe la
tournée ?

— Bien. C'est presque terminé, Dieu merci !

Il semblait fatigué et déprimé.

— Comment vas-tu ?

— Pas mal. J'ai beaucoup travaillé.

— Le cottage te plaît ?

Le demandait-il par politesse ou s'en souciait-il
vraiment ?

— Oui, beaucoup, même.

— Bill dit que c'est très isolé.

— En effet. Un excellent endroit pour travailler.

Tout d'un coup, sa gorge se contracta. Il lui manquait tellement qu'elle en avait mal.

— Parfait. Je vais bientôt t'envoyer l'argent que je te dois, Kate. Je suis désolé d'avoir tant tardé. Ecoute, je pars demain pour Boston. J'essaierai de t'appeler de là-bas.

Il avait tant à dire. Il aurait voulu lui expliquer tellement de choses, mais il n'y arrivait pas. Pour une raison inconnue, il ne trouvait pas les mots. Il l'aimait, mais maintenant tout était gâché.

— Fais bien attention à toi.

Ce fut tout. Il avait raccroché. Kate se sentit soudain incroyablement seule.

Trop émue pour reprendre son travail, elle se leva, lança ses lunettes sur la table et saisit sa veste.

La plage déserte recevait les derniers rayons d'un soleil meurtri qui disparaissait dans la brume, derrière l'estuaire. A quelque distance, des chevaliers à pieds rouges fouillaient le sable de leurs longs becs. Il n'y avait pas trace d'Alison.

Kate resta longtemps à regarder l'excavation. Tout révélait l'intrusion de la mer dans ce que la jeune fille croyait être une tombe romaine. Il ne restait plus aucun signe de son méticuleux travail de déblaiement et de nettoyage. A la place des lignes verticales laissées par le bord tranchant de sa pelle, on voyait maintenant des strates horizontales. Les couches de sable se mêlaient à des couches d'argile, longues et pâles, ainsi qu'à des taches plus grandes et entièrement noires : les restes de la tourbière qui avait couvert la vallée, quand la mer était encore trois kilomètres plus loin. En voyant tout ce gâchis, Kate frissonna. Des morceaux de poterie gisaient abandonnés dans la tranchée. Pour une raison quelconque, Alison n'avait pas cru bon de les ramasser. Elle s'était également désintéressée de l'objet de métal qui reposait sur une motte de terre et de racines.

En glissant, Kate descendit tant bien que mal et prit l'objet en fronçant les sourcils. Une dague.

Elle la fit tourner dans ses mains, examinant attentivement la lame corrodée et marquée de petits trous. Elle était glaciale sous ses doigts.

Marcus.

On aurait dit un murmure à son oreille. Un soupir dans le vent. C'était son imagination. Derrière elle, au-dessus des bois, les étoiles apparaissaient à mesure que l'obscurité gagnait le ciel.

Kate grimpa hors de la dépression et regagna rapidement le cottage, la dague toujours à la main, pointée vers le sol, comme si elle pouvait encore constituer un danger.

Une fois à l'intérieur, Kate poussa le verrou, fit tourner la clé dans la serrure, et posa sa découverte sur la table de la cuisine, avant de se diriger vers le téléphone.

Pas de réponse à la ferme de Redall.

Kate laissa la sonnerie retentir plusieurs minutes avant de raccrocher. Si Alison n'était pas à la ferme, où se trouvait-elle ? Songeuse, Kate se rendit au salon et alluma la lampe sur la table. Elle avait entrepris de tirer les rideaux quand elle jeta un coup d'œil au poêle. Incroyable : il était éteint ! Et plus une seule bûche en réserve.

« Zut ! » L'idée de ressortir, ne fût-ce que pour aller dans la remise, ne lui souriait guère. Elle ne voulait pas être obligée d'ouvrir la porte de nouveau. Subitement, elle se mit à trembler et constata, à sa grande surprise, qu'elle était au bord des larmes.

Quelle idiote elle était d'avoir ainsi peur de son ombre ! Dépendre à ce point de Jon ! « Allons, Kennedy, qu'as-tu fait de ton courage ? Que penserait ta sœur Anne si elle te voyait maintenant ? » Elle saisit résolument sa veste.

Dans ce début de crépuscule, elle pouvait à peine distinguer les troncs luisants d'humidité des arbres les plus proches. Elle gagna la remise d'un pas décidé, la boîte vide entre les bras.

Les outils d'Alison gisaient pêle-mêle dans l'entrée. Kate dirigea le rayon de sa nouvelle lampe de poche dans l'obscurité de la remise et aperçut la truelle, par terre. Qu'est-ce qui avait forcé la jeune fille à partir si vite ? Pourquoi avait-elle abandonné ce qui était vraisemblablement sa découverte la plus importante ? Pourquoi avait-elle jeté les outils qu'elle rangeait d'habitude si soigneusement ?

Tout cela était probablement sans importance. Elle s'était sans doute lassée. En souriant à demi, Kate se rappela la radiocassette. Rapidement, elle mit de côté les outils et remplit sa boîte. A contrecœur, elle éteignit sa lampe et la remit dans sa poche. Le jardin lui parut instantanément très sombre, mais la lumière sortant par la fenêtre de la cuisine lui permettait d'y voir assez bien.

Des phares.

Kate surveilla les rayons lumineux qui descendaient le chemin en bondissant, jusqu'à ce que la Land Rover sorte du bois et s'immobilise sur la pelouse, devant la maisonnette. Invisible dans l'obscurité, Kate attendit que la portière s'ouvre et que le chauffeur descende. Il se dirigea vers la porte et l'ouvrit.

— Il y a quelqu'un ?

A la grande déception de Kate, il ne s'agissait pas de Roger. La voix, plus basse, appartenait à Greg.

— Bonsoir.

Kate eut la satisfaction de le voir sursauter violemment lorsqu'elle apparut au coin du cottage, sa boîte dans les bras.

— Bon Dieu, vous m'avez fait peur !

Il la regarda venir sans faire un geste, jusqu'à ce que les quelques notions de galanterie patiemment inculquées par son père finissent par l'emporter sur sa muflerie intentionnelle.

— Allez, donnez-moi ça.

Elle lui tendit la boîte avec gratitude et le précéda dans le cottage.

— Je suis allée à Colchester et le feu s'est malheureusement éteint.

Elle referma soigneusement la porte et alla tirer les rideaux dans la cuisine, coupant ainsi le flot de lumière qui se déversait sur l'herbe, à l'extérieur. Le jardin retomba dans l'obscurité.

— Je suis venu chercher Alison. Est-elle ici?

Kate se tourna brusquement vers lui.

— Vous voulez dire qu'elle n'est pas rentrée? Je suis allée là-bas, mais elle n'y était pas.

Ils se dévisagèrent en silence. L'hostilité qui régnait entre eux se trouva tout d'un coup reléguée au second plan. Greg posa la boîte par terre.

— Vous en êtes sûre?

— Tout à fait.

Derrière Kate, dans la cuisine, le téléphone sonna. C'était Roger:

— Dites à mon fils qu'elle est chez une amie. Cette tête de linotte n'a pas jugé bon de nous avertir. Apparemment, elle a coupé à travers les bois jusqu'à chez les Farnborough. Elle va passer la nuit là-bas.

— Je me doutais bien que ce n'était rien! s'exclama Greg, exaspéré. Désirez-vous que j'allume le feu?

Son ton était brusque, comme s'il faisait son offre malgré lui.

— C'est gentil, dit Kate en prenant soin de ne pas avoir l'air trop reconnaissante. L'allume-feu est par là. Je vais nous préparer un whisky.

— Voilà, fit Greg quelques instants plus tard. Seigneur! qu'est-ce que c'est?

Il avait aperçu la dague, près de la cafetière. Mû par la curiosité, il la prit et l'examina.

— Où avez-vous trouvé cela?

— Dans les fouilles d'Alison.

— Je croyais qu'elle vous avait dit de ne rien toucher, lança Greg, irrité.

— C'est exact. Mais cet objet traînait par terre,

au bord du trou, comme si elle l'avait laissé tomber. À la prochaine marée, il aurait disparu. Tout est sens dessus dessous, là-bas. Ce doit être à cause de la tempête de la nuit passée. L'excavation est jonchée de varech et la moitié de la dune s'est effondrée. Ce doit être ainsi que cet objet est venu au jour, dit-elle en faisant un signe de tête en direction de la dague.

Greg examina l'arme de plus près.

— Croyez-vous que ce soit romain ? demanda-t-il en levant les yeux vers elle.

Kate ne vit pas la lueur malicieuse dans son regard. Elle haussa les épaules.

— Je n'en sais rien. Je ne crois pas. Ce pourrait être plus ancien, mais je ne suis pas archéologue. Je crois vraiment qu'Alison devrait faire venir des experts. Elle pourrait être en train de causer des torts irréparables en creusant au petit bonheur, comme elle le fait.

Kate n'avait toujours fait aucune mention du torque.

— D'après ce que vous dites, la mer pourrait faire bien pire. Au moins, Alison préserve quelque chose, dit-il en posant la dague. Vous feriez mieux de l'apporter avec vous quand vous viendrez souper, demain.

— Je n'y manquerai pas.

Son regard croisa le sien. Pendant un instant, ils se toisèrent en silence.

— Alors, comment trouvez-vous le cottage ? demanda-t-il enfin.

— Il me plaît beaucoup. Cependant, je suis désolée de vous en avoir délogé.

— Dois-je entendre que vous aimeriez me voir emménager avec vous ?

— Non, répliqua-t-elle sans broncher. Je paie pour qu'on respecte ma tranquillité.

— Et je vois bien que je la trouble, dit-il en posant son verre.

— Pas pour les trente prochaines minutes. Je m'accorde une pause de temps en temps. Un autre whisky ?

Ce garçon l'intriguait. Beau, mal léché, apparemment talentueux : une véritable énigme.

— Pourquoi pas ? On ne pourra certes pas m'arrêter pour conduite en état d'ébriété. Avec cette bagnole, personne ne verrait la différence.

Ensemble, ils passèrent au salon. Elle lui versa son whisky et leva les yeux vers lui.

— Quelqu'un est entré ici, la nuit passée.

— Entré ?

Son expression était affable, poliment intéressée. S'il était surpris, il n'en montrait aucun signe.

— Je crois que cette personne cherchait quelque chose de précis.

— L'avez-vous dit à la police ?

— L'intrus avait une clé.

Elle s'assit et maintint son verre sur son genou.

— Oh, je vois. Vous pensez que c'est moi le coupable.

— Non, car il s'agissait d'une femme.

Cette fois, l'affirmation eut l'air de le surprendre.

— Vous l'avez vue ?

— Pas vraiment, fit-elle en haussant les épaules. Pourtant je sais que c'était une femme et j'ai senti son parfum. Au début, j'ai cru qu'il s'agissait d'Alison, toutefois je n'en suis plus sûre. Peut-être était-ce une amie à elle... Ou à vous ?

Il ne daigna pas riposter.

— A-t-on pris quelque chose ?

— Non. Du moins, rien qui m'appartienne.

Elle trempa ses lèvres dans son verre en évitant son regard.

— Avez-vous laissé ces peintures là-haut intentionnellement ? demanda-t-elle au bout d'un moment.

Dans le poêle, le feu grondait. Greg ferma le tirage d'un coup de pied sur la clé.

— Oui. Plus de place à la ferme. Pourquoi? Elles ne vous plaisent pas?

Il se laissa tomber dans le fauteuil en face d'elle. Le défi se lisait dans ses yeux.

— Pas vraiment.

— Trop fort pour vous, hein? Voulez-vous dire qu'il en manque une? demanda-t-il, subitement alarmé.

— Non, je crois qu'elles y sont toutes. Et en ce qui concerne votre première affirmation : oui. Elles me semblent troublantes.

— Elles représentent l'esprit de cet endroit. Du cottage, de la baie, de la terre, de la mer. Un jour, la mer engloutira tout cela, vous savez.

— C'est vraisemblable. Et plus vite qu'on ne le pense, si j'en crois ce qui se passe à l'excavation.

— C'est étrange, reprit-il en fronçant les sourcils. Aucun d'entre nous n'aurait pensé qu'il y avait quelque chose à cet endroit. Et puis, voilà quelque temps, Allie a découvert des traces au pied de la dune. Mais ce n'était pas un phénomène naturel. Ensuite, il y a quelques semaines à peine, une grande portion de la dune est tombée et le sable s'est mis à cracher toutes sortes de choses.

Sa voix était calme, mais le choix des termes était délibéré. Il n'avait pas cessé de la fixer des yeux.

— Cet endroit exhale un air maléfique. Mes peintures en sont imprégnées. Je m'étonne qu'Allie ne le sente pas. Mais cette petite est étonnamment insensible. Sans doute parce qu'elle s'anesthésie en permanence avec ce bruit qu'elle appelle de la musique.

— J'ai vu la radiocassette ce matin, dit Kate en souriant.

Il avait raison. Kate avait bien senti le maléfice. Elle eut un frisson involontaire et s'aperçut, furieuse, que Greg l'avait remarqué. Il sourit d'un air entendu et posa son verre pour aller insérer une autre bûche dans le poêle.

— Voulez-vous que je téléphone à la police au sujet de votre visiteur ?

— Non. Rien n'a été volé. Je suis sûre qu'il ne s'agissait que d'une blague d'étudiant. Je verrouillerai la porte à l'avenir.

— Cela ne vous inquiète pas de rester seule ici ? La femme que vous avez vue était peut-être un fantôme. Je vous ai dit que l'endroit était hanté. Les gens des environs ne s'y aventurent jamais.

C'était donc cela, alors ? Une mise en scène pour l'effrayer ? Elle s'esclaffa.

— Comme j'écris sur des sujets historiques, je serais plutôt ravie de vivre parmi des fantômes.

— J'espère que vous ne tentez pas le sort par cette remarque. Au bout d'un certain temps, j'ai fini par trouver cet endroit véritablement oppressant. Ma peinture changeait, exprimait de plus en plus la colère, alors que je suis par nature plutôt joyeux.

Kate le regarda attentivement.

— A la ferme, je peins différemment. Plus superficiellement, poursuivit-il, songeur. Si jamais je crée un chef-d'œuvre, ce sera dans ce cottage.

L'espace d'un moment, il sembla se parler à lui-même. Il avait oublié qu'elle était là, qu'il essayait de lui faire peur. Il se reprit et la toisa.

— Il semble bien que l'art doive céder le pas au commerce.

Kate accusa le coup sans broncher.

— Vous ne vendez pas vos tableaux, alors ?

— Non !

La réponse, pleine de mépris, fut suivie d'un long silence. Kate laissa tomber le sujet. En étudiant son visage, tandis qu'il regardait les flammes d'un air morose, elle remarqua soudain les cernes autour de ses yeux et comprit que Greg Lindsey était un homme profondément insatisfait.

Un brusque fracas au-dessus de leurs têtes les fit tous deux sursauter.

— Merde! Qu'est-ce que c'était? dit Greg en posant son verre.

Kate retint son souffle. Elle avait déjà entendu un tel bruit et n'avait pu en trouver la cause.

— Un courant d'air doit avoir fait claquer une porte, finit-elle par dire. Je ferais mieux d'aller voir.

Elle resta pourtant clouée sur place. La pièce lui semblait subitement confortable et rassurante. Elle ne voulait pas monter l'escalier.

Le bruit avait tiré Greg de sa torpeur. Il regarda Kate, remarqua la pâleur de son visage et l'angoisse dans ses yeux, et s'étonna de sa propre réaction. En effet, au lieu de s'en réjouir, il sentait chanceler l'hostilité qu'il entretenait avec soin. Pendant quelques secondes, il fut gagné par un sentiment protecteur.

— J'y vais.

Il grimpa les marches quatre à quatre et pénétra d'abord dans la pièce inutilisée. Elle était vide, à l'exception des valises, des boîtes, et de ses propres tableaux, derrière la porte, là où il les avait laissés. Il nota rapidement qu'ils faisaient encore face au mur, puis sortit et alluma dans la chambre à coucher. Après l'aspect studieux du salon, avec son ordinateur et ses livres, la chambre — sa chambre — le surprit par sa féminité inaccoutumée. Il promena son regard autour de lui. Tout était à sa place. Les deux portes étaient ouvertes quand il était monté. Rien ne semblait être tombé. Il regarda le tableau accroché au mur. C'était de lui. Contrairement à la plupart de ses toiles, celle-ci était jolie et représentait des jacinthes des bois comme il en poussait près de Redall. Son visage s'assombrit. Sa mère devait l'avoir apportée ici, car elle était auparavant accrochée dans la chambre d'amis, à la ferme. S'étant assuré qu'il n'y avait aucune explication manifeste au bruit, il examina la pièce une seconde fois, plus lentement, remarquant le peignoir de bain en tissu-éponge jeté sur le lit, les pantoufles, tout près. L'espace d'un moment, il s'amusa à imaginer la jeune femme dans le peignoir. Sur la commode traînaient des bracelets d'argent (elle les avait au bras le jour de son arrivée, il s'en souvint) et un verre contenant des fleurs hivernales qu'elle devait avoir cueillies dans le bois. Il passa ensuite en revue la petite collection de cosmétiques. Les deux fois où il l'avait rencontrée, elle ne portait pas de maquillage, mais de toute évidence, lorsque l'occasion l'exigeait, elle ne dédaignait pas de souligner la beauté de ses traits. Il se pencha vers le rebord de la fenêtre, où elle avait placé plusieurs livres de poche : poésie et histoire des sociétés.

— Avez-vous trouvé quelque chose ?

La voix de Kate le fit sursauter d'un air coupable.

— Non. Les deux portes étaient ouvertes. Rien ne semble être tombé. Les fenêtres sont closes.

— Cela aurait-il pu venir de l'extérieur ?

— Vous songez à la cheminée ? Je crois que si elle avait défoncé le toit, nous l'aurions remarqué.

— Mais qu'était-ce donc, alors ? demanda-t-elle avec irritation.

Du palier, elle l'avait surpris en train d'examiner ses affaires. Cet intérêt suspect avait provoqué chez elle un sentiment de vulnérabilité et l'avait mise en colère.

— Peut-être le fantôme de Marcus. J'ai souvent entendu des bruits bizarres, ici.

Comme elle ne réagissait pas, il se dirigea vers l'escalier en consultant sa montre.

— Ecoutez, Kate, je dois rentrer. Il n'y a rien d'inquiétant ici. Je vais jeter un coup d'œil au toit en partant et vous rapporter encore quelques bûches. C'était peut-être un arbre, une branche qui s'est rompue, ou un truc de ce genre. L'acoustique joue parfois des tours étranges.

Il la précéda dans l'escalier.

— Si vous éprouvez quelque inquiétude, téléphonez-nous, et p'pa viendra vérifier, ou bien moi.

— Ce ne sera pas nécessaire. Tout ira bien.

Marcus.

Elle frémit lorsque le nom vint flotter dans sa tête de façon totalement inattendue, alors qu'elle regardait Greg enfiler ses bottes. Quelque chose en elle souhaitait son départ. Il s'était montré parfaitement poli, mais elle n'avait que trop bien senti son aversion. Pourtant, elle avait peur de se retrouver seule.

Tout cela n'avait pas de sens. Elle avait loué le cottage pour six mois et n'avait pas l'intention de subir la présence de colocataires. Il lui faudrait se faire à la solitude et s'habituer aux bruits insolites qui résonnaient dans la campagne. Comme pour mettre sa résolution à l'épreuve, le glapissement aigu d'une renarde s'éleva lorsqu'elle ouvrit la porte. Greg se tourna vers elle :

— Vous savez ce que c'était, je suppose ?

— Naturellement, répondit-elle en s'efforçant de sourire. J'ai passé la majeure partie de ma vie à la campagne, Greg. Avoir une adresse à Londres, ou plutôt en avoir *eu* une ne fait pas obligatoirement de moi une citadine.

Ce ne fut qu'après la disparition des feux du véhicule parmi les arbres qu'elle se rendit compte qu'il n'avait ni jeté un coup d'œil au toit, ni apporté d'autres bûches, comme promis.

Il y avait encore quelques bûches, mais pas assez pour la nuit. Il fallait à nouveau sortir dans l'obscurité.

La lampe de poche était encore là où elle l'avait laissée, sur la table de la cuisine. A côté de la dague. Elle tourna les yeux vers sa veste, pendue derrière la porte, et décida que lorsque le feu s'éteindrait, elle irait prendre un bain (chaud, grâce à l'électricité) et se coucherait. Rien ni personne ne lui ferait repasser cette porte avant le jour.

Avec soulagement, elle poussa le verrou et revint dans le salon. Elle s'assura que la clé de tirage du poêle était bien fermée, pour faire durer ce satané feu le plus longtemps possible, mit une cassette d'Elgar — *The Enigma Variations* — et se versa un autre whisky.

Kate travaillait à son livre depuis quelques heures lorsqu'elle se souvint du produit pour l'argenterie qu'elle avait rangé sous l'évier. Elle éteignit l'ordinateur avec un soupir de satisfaction et alla ouvrir le tiroir. Le torque, qu'elle examina à la lumière de la cuisine, était d'un vert tirant sur le noir. Elle secoua le bidon de nettoyant, versa un peu du produit sur le métal et commença à frotter doucement avec le coin d'un chiffon. Dix minutes plus tard, elle abandonnait. Elle avait eu beau frotter, rien n'y faisait. Déçue, elle posa le chiffon et le torque sur la table. La sonnerie du téléphone retentit.

— Salut, Kate, dit la voix de Jon, si claire qu'elle semblait provenir de l'autre pièce. Je suis à Boston. Comment va Lord George ?

— Il va bien.

Kate constata qu'elle souriait.

— Et ta tournée ?

— Ça va. Un peu fatigante. C'est presque fini, maintenant, Dieu merci. Je prends cinq minutes de repos à l'hôtel. Du thé et des muffins anglais avant de me préparer pour ce soir. Qu'est-ce que tu fais, maintenant ?

— Je nettoie un torque de l'époque celtique avec un produit moderne, sans obtenir le moindre résultat.

Le téléphone coincé entre son oreille et son épaule, Kate se retourna et examina son travail.

— Ce doit être rigolo. Mais puis-je te demander où tu as trouvé ce torque ?

— Il traînait sur la plage.

— Je vois, dit-il d'un ton toutefois incrédule. Serait-il accompagné d'un ancien Celte, par hasard ?

— Pour l'instant, non, répondit-elle en souriant à nouveau. Tu aimerais cet endroit, Jon.

C'était une perche qu'elle lui tendait, une offre de paix.

— Les réceptions sont agréables, alors?

L'ironie de sa voix lui rappela qu'ils n'étaient plus censés être amis? ni amoureux.

Mais alors, pourquoi lui téléphonait-il?

Pas question de le lui demander.

— Il n'y a personne, ici, pour donner des réceptions. Il n'y a que des oiseaux et je crois que des phoques circulent dans la baie.

— Et un ancien Celte passe de temps en temps.

— C'est ça, oui, dit-elle en contrefaisant ce qu'elle espérait être une insouciance tout américaine.

« En réalité, le fantôme est romain.

Il y eut un silence.

— Tu as presque l'air sérieuse, dit prudemment Jon.

— Vraiment?

Elle se rappela qu'il était prompt à sentir les nuances. Sa sensibilité faisait partie des choses qu'elle aimait (*avait aimées*, rectifia-t-elle immédiatement). Cela rendait son comportement des dernières semaines encore moins défendable.

— Oh, ne sois pas ridicule : je plaisante, dit-elle en riant gaiement.

— Je vois. Tout va bien? insista-t-il, toujours circonspect.

— Oui, très bien.

— Alors, amuse-toi bien, petite. Je te téléphonerai dans un jour ou deux.

Pour la seconde fois, il ne lui laissa pas le temps de dire au revoir. Le silence se fit à l'autre bout de la ligne et Kate reposa lentement le combiné sur l'appareil, d'un air songeur, et reprit son chiffon.

La rafale d'air froid chargée d'une lourde odeur de terre mouillée qui s'abattit sur ses épaules la prit

106

totalement au dépourvu. Elle pivota sur ses talons. Le vent avait dû ouvrir la porte, malgré le soin qu'elle avait mis à la verrouiller. Elle jeta un coup d'œil. La porte n'avait pas bougé et le vestibule était sombre et vide.

« Allons, Kennedy. Une fenêtre s'est ouverte ou le vent s'est engouffré dans la cheminée. » En parcourant des yeux le salon faiblement éclairé, Kate s'aperçut qu'elle parlait tout haut. Une lueur ténue provenait encore du poêle, quoique la réserve de bois fût épuisée. La température de la pièce baissait, mais l'odeur terreuse venait d'ailleurs. Elle descendait d'en haut.

La fenêtre de sa chambre devait être ouverte. Kate fronça les sourcils. Elle l'avait ouverte, plus tôt, pour contempler le brouillard qui recouvrait lentement les eaux grises et silencieuses, à mesure que la nuit s'avançait à l'est. De toute évidence, elle l'avait mal refermée. Posant la main sur la rampe de l'escalier, elle entreprit de grimper les marches.

Les deux portes étaient ouvertes et les pièces baignaient dans l'obscurité. Sur le palier, elle alluma. La fenêtre de sa chambre était fermée, comme elle en avait été convaincue dès le début, et les rideaux étaient soigneusement tirés. Elle huma l'air. La pluie avait dû constituer une poche d'humidité, quelque part dans la maison. Elle quitta la pièce et scruta les ténèbres, en face. L'odeur provenant de l'autre chambre était plus prononcée et l'air y était distinctement froid. Un froid intense. Une des fenêtres de la pièce faisait face au nord, se souvint Kate en entrant. Elle était pourtant bien fermée. De plus, à en juger par les toiles d'araignée entourant l'espagnolette, on ne l'avait pas ouverte depuis longtemps.

Elle examina attentivement les murs, cherchant la décoloration qui révélerait une zone d'humidité sur le papier peint. De minuscules fleurs jaune vif recouvraient les murs inégaux et montaient jusqu'entre les poutres de chêne, sans la moindre trace d'humidité.

Kate éteignit la lumière et descendit l'escalier en continuant de humer l'air. L'odeur restait forte. Une odeur douceâtre et froide, comme celle d'une plate-bande fraîchement remuée après la pluie. Haussant les épaules, elle revint au salon, remit de la musique, et se laissa tomber dans le fauteuil le plus proche du feu.

Lorsqu'elle s'éveilla, il n'y avait plus de feu et la pièce était glaciale. Le sang battait douloureusement à ses tempes et, l'espace d'un instant, elle se crut trop engourdie pour bouger. Un lit bien chaud et un tas d'oreillers duveteux sous sa tête, voilà tout ce qu'il lui fallait. Dans l'embrasure, elle se retourna et examina soigneusement la pièce avant de la plonger dans l'obscurité. La vue de sa brosse à dents, dans la salle de bains, lui rappela qu'elle n'avait pas dîné. Deux whiskies ne constituaient pas exactement une façon nutritive de terminer la soirée. Voilà qui expliquait peut-être son lancinant mal de tête. En sourcillant, elle se dit qu'elle commençait à boire trop. Elle pensa manger quelque chose, mais réalisa qu'elle n'avait pas faim. Elle s'aperçut également qu'elle n'avait pas allumé le chauffe-eau, si bien qu'il n'y aurait pas assez d'eau chaude pour un bain. Après un soupir, elle se pencha au-dessus de l'évier et s'aspergea le visage d'eau tiède. De toute façon, elle n'aspirait plus qu'au sommeil. Repas et bain pouvaient attendre jusqu'au matin. C'était un des avantages qu'il y avait à vivre seule, reconnut-elle soudain. On pouvait agir à sa guise : cuisiner ou non, faire le lavage ou non, dormir quand on le voulait, et justement, elle ne désirait rien d'autre.

Arrivée au pied de l'escalier, elle entrevit un mouvement, en haut, sur le palier. Elle resta pétrifiée.

«Il y a quelqu'un?» Sa voix parut fragile et pleine d'appréhension dans le silence.

Pas un bruit ne se fit entendre.

«Qui est là?» lança-t-elle de nouveau. Son envie de dormir s'était entièrement dissipée.

Seul le bruit de la pluie qu'une rafale de vent venue de la mer précipita contre les vitres lui répondit.

«Bon Dieu, voilà que j'ai des visions, maintenant», murmura-t-elle. C'était de la fatigue oculaire. Trop de travail à l'ordinateur, voilà le problème. Malgré cette explication logique, il lui fallut un immense effort pour monter l'escalier et allumer en arrivant sur le palier. Les pièces étaient vides, les fenêtres, soigneusement fermées pour faire échec à la tempête. Elle renifla l'air. L'odeur de terre mouillée semblait avoir disparu, bien que la pluie glissât le long des carreaux lorsqu'elle ouvrit les rideaux pour scruter les ténèbres.

Elle se déshabilla le plus rapidement possible et se faufila sous les couvertures, laissant la lumière du palier allumée pour ne pas se retrouver dans l'obscurité. Elle resta longtemps étendue, un oreiller serré contre sa poitrine, fixant le pan de mur rose foncé et le segment de poutre de chêne pâle qu'elle pouvait apercevoir du lit. Les yeux grands ouverts, elle écouta la pluie.

17

— Es-tu éveillée, Sue? demanda Alison en fouillant du regard l'obscurité qui régnait dans la chambre de son amie.

— Oui.

Les deux jeunes filles avaient passé les deux dernières heures à pouffer de rire en murmurant. Deux fois déjà, la mère de Sue Farnborough, Cissy, était venue leur enjoindre de dormir d'un ton las. Elle-même était maintenant couchée et la maison était plongée dans le noir.

— Crois-tu que je devrais leur raconter, à la maison ?

— A propos de ce qui est arrivé à la tombe ? Non. Ils vont vouloir s'en mêler. Tous les parents font ça. As-tu l'intention d'y retourner ?

Alison hésita un instant.

— Naturellement. Je vais finir l'excavation.

— Toute seule ?

— Tu pourrais venir avec moi.

Elle suppliait presque.

— Pas question. Je n'ai rien à faire là, répliqua fermement Sue.

— Oh, allez ! Tu aimerais ça. C'est amusant.

— On ne le dirait vraiment pas, fit Sue en grimaçant dans le noir. Tu as eu une peur bleue. Rappelle-toi. Tu as préféré courir à travers bois, plutôt que de rester chez toi à attendre que ta mère revienne de Colchester. Une vraie poule mouillée !

— C'est pas vrai.

— Si, c'est vrai. Vas-tu à l'école, demain ?

— Non. Je ne me sens pas bien.

— Tu vas encore sécher les cours ! Eh bien, moi j'y vais, alors boucle-la, Allie ! Je veux dormir.

Dans le noir, Sue chercha les écouteurs de son walkman et alluma le petit appareil caché sous son oreiller. Avec les hurlements des Sisters of Mercy pour berceuse, en quelques minutes, elle s'endormit.

De l'autre côté de la pièce, Alison resta éveillée, les yeux tournés vers la fenêtre, à écouter la pluie. Sous l'édredon, elle s'était remise à frissonner.

18

La table de la cuisine était maculée de terre sableuse. Kate regardait sans comprendre. Le torque reposait là où elle l'avait laissé, à côté du chiffon et du bidon de nettoyant. Elle effleura la terre humide et froide. Son odeur était celle d'un jardin fraîchement retourné.

Ou d'une tombe qu'on venait de creuser.

Kate avait mal dormi. Le froid qui régnait dans sa chambre et le bruit de la pluie s'écrasant contre la vitre l'avaient tirée à plusieurs reprises d'un sommeil troublé, chargé de rêves. Sa tête lui semblait si lourde qu'elle n'arrivait plus à penser de façon cohérente. Après un bon café, elle serait peut-être en mesure d'expliquer le désordre sur la table. Il *devait* y avoir une explication. De la terre ne se matérialise pas comme ça, sur une table de cuisine. Elle devait être tombée des poutres, peut-être sous l'effet de suintements ou de la pluie. Ou alors, un courant d'air inhabituel l'avait fait passer sous la porte ou par la cheminée.

Son petit déjeuner terminé, Kate prit le torque et l'examina de près. Aucune trace ne subsistait de ses tentatives pour le nettoyer. Le métal présentait la même teinte vert foncé qu'avant et restait tout aussi corrodé. Elle l'enveloppa soigneusement dans le chiffon et l'emporta dans la pièce qui lui servait de débarras. Une seule de ses valises possédait une serrure. Elle y enferma le torque, poussa la valise dans un coin et ferma la porte derrière elle. De retour dans la cuisine, elle rangea le bidon de nettoyant et essuya la table. Elle mit ensuite ses bottes et sa veste, prit sa boîte et sortit. C'était un beau matin ensoleillé. De fins nuages, loin en altitude, traversaient un ciel d'un bleu éclatant. Derrière le cottage, la mer brillait.

Le vent avait poussé la pluie à l'intérieur de la remise et bon nombre de bûches étaient humides. En fouillant au fond, Kate en trouva quelques-unes encore sèches et les rapporta à l'intérieur. Elle fit trois fois l'aller-retour, pour se constituer une bonne provision de bois. Maintenant, il lui restait encore une chose à faire avant de se mettre au travail, une chose qui lui trottait dans la tête depuis le moment où elle avait nettoyé la table.

Kate ressortit, verrouilla la porte derrière elle et mit la clé dans la poche de sa veste. Après avoir enfilé ses gants, elle traversa la pelouse, en direction de la plage. Un groupe de sternes s'envola en tournoyant lorsqu'elle se mit à courir vers les dunes. A marée basse, la plage était encore humide et jonchée de varech. Une ligne de coquillages blanc et rose indiquait le point le plus haut atteint par la mer. L'air était si froid que des larmes vinrent aux yeux de Kate lorsqu'elle tourna à droite et entreprit de longer les dunes vers l'excavation d'Alison.

Elle observa longuement le fond de la dépression avant d'y descendre. Un autre grand segment de la dune s'était détaché, laissant à nu les différentes strates du sol : de pâles couches d'argile, différentes nuances de sable et de gravillons, de même qu'une épaisse couche de tourbe noire et friable, parfaitement visible maintenant.

Sa gorge se contracta subitement tandis qu'elle se laissait glisser jusqu'en bas. Du goémon gisait au fond de la tranchée. Lorsqu'elle s'approcha, un objet rouge vif à moitié enterré attira son attention. C'était la radiocassette d'Alison, dissimulée en partie par des algues. Kate la saisit par la poignée et tira. Le bouton «On» était encore enfoncé. Alison était donc venue tôt ce matin. Kate posa l'appareil au bord de la dépression et regarda autour d'elle. Pourquoi donc avait-elle abandonné son précieux appareil? Il n'y avait aucune trace de ses outils, mais la dernière chute de sable les avait peut-être ensevelis. Elle s'approcha du flanc de la dune et enleva un de ses gants. La tourbe était douce au toucher. On voyait qu'elle était stratifiée, comprimée. «Alison?» Le vent s'empara de son appel qui ne franchit que quelques mètres avant de se dissiper. Grimpant hors de la dépression, elle parcourut la plage du regard, ses mains en visière pour se protéger de l'éclat du soleil. Personne.

Kate se retourna. La jeune fille ne pouvait être ensevelie là-dessous. L'espace d'un instant, son imagination lui fit faire les suppositions les plus extravagantes. Elle pouvait voir où le sable était meuble, où il s'était effondré. Mais au fond de la cuvette, un monticule allongé était comprimé sous l'argile. Un monticule qui avait la forme d'une tombe.

Désemparée, Kate le regarda fixement sans esquisser un geste. Alison ne serait pas revenue ici dans l'obscurité. Quand Diana avait téléphoné, la nuit dernière, sa fille était en sécurité chez une amie. «Peu importe qui se trouve là-dessous (*ce qui* se trouve là-dessous plutôt), il ne s'agit sûrement pas d'une jeune Anglaise du vingtième siècle.» Kate s'approcha lentement du monticule. Vu sous un angle différent, il ne s'agissait plus que d'un tas de sable, éclairé par la lumière rasante du soleil levant. De près, on pouvait voir les déjections que les vers y avaient laissées, et des particules de tourbe qui s'étaient détachées de la paroi.

— Que faites-vous ici?

La voix d'Alison, tranchante et hostile, interrompit le fil de ses pensées d'une manière si brusque qu'elle sursauta.

— Ô Dieu, merci! s'exclama Kate spontanément. J'ai cru qu'il t'était arrivé malheur...

— Vous pensiez que j'étais enterrée là?

Le ton était dédaigneux mais la voix ne semblait

pas vraiment assurée. Le visage d'Alison était blafard et ses yeux étaient cernés.

Kate sourit.

— Un instant seulement. Quand j'ai vu ta radio-cassette.

La jeune fille regarda l'appareil sans bouger.

— Je l'ai oubliée, dit-elle après un moment. Pourquoi êtes-vous venue ici ?

Sa voix était nettement moins agressive, maintenant, mais elle ne semblait pas vouloir sauter au fond du trou ou reprendre son appareil.

— Je voulais vérifier quelque chose, dit Kate en remontant. Les différentes strates qui sont exposées. Les vois-tu ? En s'effondrant, la nuit dernière, le sable a révélé une tourbière qui devait se trouver là il y a des milliers d'années.

Pendant un moment, le regard d'Alison erra sur les lignes noirâtres dans le sable.

— Avez-vous vu quelque chose bouger ? demanda-t-elle. Quand vous êtes arrivée, y avait-il quelque chose... Quelqu'un ?

Kate la dévisagea.

— Quelque chose ?

Alison haussa les épaules.

— Je n'en sais rien. Hier, quand je suis venue, il y avait quelque chose... Je ne crois pas que c'était important. Peut-être un ornithologue, un naturaliste, quelqu'un comme ça...

Sa voix s'éteignit.

— As-tu senti une odeur étrange ? Comme celle de la terre humide ?

Alison la regarda bêtement.

— Tout cet endroit est humide.

— C'est vrai, dit Kate en souriant.

Pendant un instant, elles fixèrent l'excavation en silence.

— Vas-tu y travailler, aujourd'hui ? finit par demander Kate.

— Peut-être. Mais j'ai du retard à rattraper à l'école.

Alison se balançait maintenant d'un pied sur l'autre avec indécision. Elle n'avait pas voulu venir ici aujourd'hui, mais quelque chose l'y avait contrainte. Elle n'avait pu s'en empêcher.

— C'est dommage. Pourquoi n'es-tu pas allée à l'école ? demanda Kate. As-tu été malade ?

Alison secoua la tête, sans ajouter d'explication. Kate préféra ne pas insister.

— Je crois qu'il va pleuvoir. Mieux vaut reprendre les fouilles un autre jour.

Elle n'avait pas envie de laisser Alison seule sur cette plage. L'image d'une enfant fouillant cette tombe, au milieu de nulle part, l'épouvantait. Oui, c'était bien une tombe, Alison avait raison.

— Tu as dit que tu allais prendre des photos. Aimerais-tu que je le fasse pour toi plus tard, quand la lumière sera meilleure ?

Alison lui lança un regard timide, à travers ses mèches folles agitées par le vent.

— Vous le feriez ?

— Bien sûr. Vers midi la lumière devrait être propice. Je viendrai à ce moment-là. J'apporterai le film ce soir et la première personne allant en ville le fera développer.

— Super.

Etait-ce de nouveau son imagination, ou l'enthousiasme de la jeune fille venait-il de baisser sensiblement ?

— Allie, quelque chose t'a-t-il effrayée hier ? demanda Kate doucement.

— Non, bien sûr que non !

Le défi dans les yeux d'Alison et une rougeur subite sur ses joues démentaient ses paroles.

— Pourquoi, cet endroit vous fait peur, à vous ? Un ton supérieur, plein de dédain.

— Oui, un peu.

— Pourquoi ?

A nouveau cet air agressif, railleur. Mais sous les apparences, Kate sentit comme un appel.

— Je n'en sais rien, dit-elle en haussant les épaules. Peut-être me suis-je trop habituée à vivre en ville, comme le dit ton frère. On finit par oublier les bruits de la campagne et je n'ai jamais habité si près de la mer.

A son grand soulagement, le visage d'Alison s'éclaira.

— Vous vous y ferez, répondit-elle, en souriant pour la première fois. Allez-vous vraiment prendre les photos pour moi ?

— Mais certainement, avec plaisir... Veux-tu venir prendre un café au cottage, avant de rentrer chez toi ?

L'acceptation immédiate d'Alison et la vitesse à laquelle elle saisit le poste de radio et se détourna de l'excavation en disaient long sur son véritable état d'esprit. Kate lui emboîta le pas en regardant par-dessus son épaule, en direction de la dépression. Une volée de goélands faisaient du surplace au-dessus de l'endroit qu'elles venaient de quitter. Soudain, dans une grande clameur, les oiseaux prirent tous ensemble la direction de la mer.

— Pourquoi avoir fermé à clé ? Nous ne le faisons jamais.

Loin des dunes, Alison retrouvait son attitude hautaine.

— Par habitude, je suppose, répondit Kate tranquillement. Après tout, quelqu'un s'est introduit chez moi. Avec ou sans lait ? enchaîna-t-elle en se dirigeant vers la cuisine.

— Avec, s'il vous plaît.

Alison ne l'avait pas suivie et ne semblait pas avoir entendu sa remarque. Elle était directement allée au salon.

— Vous avez laissé le poêle s'éteindre, lança-t-elle.

Kate ferma les yeux et inspira profondément.

— Je sais, mais il est tout prêt à allumer. Veux-tu le faire pour moi?

Elle tendit la main vers le pot de café, mais s'arrêta net. Il y avait une traînée de terre noire et tourbeuse sur la table.

— Oh, merde!

— Qu'y a-t-il?

Alison apparut dans l'embrasure de la porte.

— Rien. J'ai simplement fait tomber quelque chose.

— Où sont les allumettes?

Alison se pencha et se mit à fouiller dans le placard, sous l'évier. Elle avait enlevé sa veste et remis ses cheveux en ordre.

— Là, sur le vaisselier... Allie, laisse tomber le poêle pour l'instant, d'accord? Après le café, je vais partir avec toi. Je dois aller à Colchester ce matin.

A nouveau, cette pensée lui était venue sans avoir été sollicitée. C'était peut-être, cette fois-ci, parce qu'elle craignait de rester seule.

— Et les photos? Vous avez promis.

Au diable ces photos!

— Je m'en occuperai plus tard, ne t'inquiète pas. D'ailleurs, plus j'attendrai, meilleure sera la lumière. J'obtiendrai davantage de netteté. Je pourrai quand même te donner le film ce soir.

Elle prit deux tasses et les rinça sous le robinet.

— Qu'est-ce que c'est que ce gâchis? demanda Alison, qui s'était approchée.

D'un air critique, elle fit courir un doigt sur la table, laissant une trace propre sur le bois verni.

— Peut-être est-ce tombé là quand j'ai apporté les bûches.

Cette réponse parut satisfaire Alison, qui retourna au salon.

Lorsque Kate la rejoignit, elle se tenait devant la table et examinait ses livres et ses notes.

— Mon frère Patrick est un crack de l'informatique. Il a l'air plutôt nul, comme ça, mais pour les ordinateurs, c'est un as.

— Sera-t-il là, ce soir ?

— Oui.

— Et Greg ?

— Personne ne sait jamais ce que Greg va faire, dit Alison en haussant les épaules.

— Je vois, dit Kate sèchement. Eh bien, j'ai vraiment hâte d'aller dîner chez tes parents. Ils sont très gentils.

— Ils le sont, je suppose, dit la jeune fille en finissant son café et posant sa tasse. Je m'en vais. Voulez-vous venir avec moi ?

Ses yeux étaient de nouveau pleins d'hostilité. Kate en eut soudain assez.

— Je serai prête dans une demi-heure environ. Si tu veux m'attendre, parfait. Sinon, je te suivrai plus tard.

Alison hésita, peu désireuse, de toute évidence, de rentrer toute seule. Elle finit par se laisser tomber dans un des fauteuils en soupirant de manière ostensible.

— Ça va, je vais attendre.

— Merci, fit Kate en souriant.

Elle alla déposer les tasses à la cuisine et laissa la jeune fille pour monter à l'étage.

La porte de la pièce inutilisée était ouverte et le contenu des boîtes et des valises dispersé dans tous les coins.

— Alison, c'est toi qui as fait cela ? s'écria Kate, abasourdie.

— Fait quoi ? demanda l'adolescente, interloquée.

— Mais tout cela, bon Dieu !

La valise contenant le torque était encore fermée à clé, elle pouvait le voir du seuil de la pièce.

Alison grimpa les marches quatre à quatre et contempla la chambre.

— Quel fouillis !

— Mes boîtes, mes valises… J'avais laissé tout cela en ordre.

— Oh ! dit Alison en évitant son regard. En tout cas, ce n'est pas moi. Je ne suis même pas montée.

Kate s'aperçut que son cœur battait de façon douloureuse dans sa poitrine. Il devait y avoir une explication. Les coupables étaient sûrement Alison ou un de ses frères. Alors qu'elles étaient sur la plage, Greg ou le génie de l'informatique s'était introduit dans la maison et s'était livré à ce saccage. Elle remit de l'ordre dans la pièce puis ouvrit brusquement la porte de la chambre à coucher. Rien ne semblait y avoir été touché.

En voyant Kate pâlir, Alison avait froncé les sourcils. Elle aussi soupçonnait Greg. La dernière fois qu'elle l'avait vu, il songeait encore à reprendre possession du cottage en effrayant sa locataire. L'idée de lui faire croire à l'existence de fantômes lui avait bien plu. Si c'était lui, son plan marchait. Elle ferma les yeux l'espace d'une seconde. Etait-ce également lui, sur la plage, l'autre jour ? Etait-il à l'origine de ce qui était arrivé la veille ?

Subitement furieuse, Alison dévala l'escalier et ouvrit la porte d'entrée.

— Allez, venez. Je dois rentrer. Il n'y a rien qui cloche. Partons.

Si c'était Greg, elle aurait sa vengeance, même si elle devait attendre toute une vie. Le salaud ! Quel incroyable salaud ! Il l'avait vraiment terrifiée. Sans compter qu'il lui devait un nouveau poste de radio.

19

— *Tu n'aurais pas dû venir, dit Nion en saisissant ses mains. Tu prends trop de risques. Si l'on t'avait vue…*

— *Qui donc aurait pu me voir ? Il n'est pas là de la journée. Les esclaves ont trop à faire pour remarquer mon absence. L'enfant et sa nourrice croient que je suis partie voir ma sœur.*

Elle fit une pirouette en riant.

— *Jamais je n'ai été si heureuse. Je ne peux le croire. Moi, une riche citoyenne romaine, et toi…*

Elle s'arrêta un moment devant lui pour contempler son visage et posa les mains sur les plis de son manteau.

— *Et toi, un prince des Trinobantes.*

Nion renversa la tête en arrière et rit. Dans ses traits réguliers, les fines rides s'accentuèrent aux commissures des lèvres et au coin de ses yeux.

Autour d'eux, les dunes s'étendaient sur des lieues. Le vent entraînait le sable au fond des creux et par-dessus les crêtes. En se retirant, la mer avait laissé des galets luisants. Tout près, la mule de Claudia attendait patiemment sa maîtresse à côté du char de Nion. Les deux chevaux qui y étaient attelés broutaient les fleurs et l'herbe d'un air indifférent. Les deux amants étaient seuls, tout à fait seuls. Il la pressa contre lui, enfouissant son visage dans sa chevelure.

— *Viens avec moi. Un de mes frères combat dans l'Ouest. Nous pourrions aller le rejoindre. Ton mari ne nous trouverait jamais.*

Elle se raidit et leva son visage lentement vers le sien. Il lut dans son regard la lutte que se livraient ses émotions. Le désir, l'espoir et l'enthousiasme brillaient au fond de ses yeux gris-vert, mais il y voyait aussi le doute. Le doute et la peur.

— Je ne peux laisser mon fils.

— Alors, nous l'emmènerons avec nous.

— Non. Il ne laisserait jamais partir son fils. Moi, continua-t-elle en hésitant, j'ignore s'il chercherait à me rattraper, mais il remuerait ciel et terre pour son fils.

Ses yeux s'emplirent de larmes.

— Et je ne peux te demander de quitter tout cela... ta patrie.

Sa terre, ses bois, ses pâturages, ses champs, ses rivières, les marais salants qui lui avaient valu sa fortune, et où travaillaient les hommes de son peuple.

Elle frissonna en lui tendant ses lèvres. Ses dieux étaient puissants, cruels, exigeants. Elle se demandait parfois s'ils approuvaient l'union de leur serviteur avec une fille de Rome, ou s'ils attendaient le moment propice pour la punir de sa prétention.

Derrière eux, le soleil brillait au-dessus de la mer, lui conférant la couleur du jade. Tandis que les mains de son amant descendaient pour détacher sa ceinture, elle oublia sa peur et se perdit dans le plaisir qu'il lui offrait.

— On va vous vendre un abonnement, à ce rythme-là !

Le préposé à la billetterie du musée avait un large sourire, que Kate lui rendit.

— Bonne idée. Ou alors, donnez-moi un emploi !

Elle se demandait encore ce qu'elle faisait là. Etait-elle fascinée par le sujet de son prochain livre, ou par cette étrange excavation, près du cottage ? Quoi qu'il en fût, elle ne pouvait contester sa répugnance à rester seule au cottage. Mais peut-être était-elle poussée par les trois raisons en même temps ? Elle se sentait coupable d'être ici. Elle aurait dû travailler sur George Byron et son exaspérante mère.

Kate refit le parcours menant à l'étage et s'arrêta de nouveau devant la statue de Marcus Severus, examinant longuement son visage, comme si elle pouvait trouver la réponse à son énigme dans ses yeux froids et morts. Car il était relié à cette tombe, sur la plage, elle en était certaine. Absorbée par ses pensées, elle se tourna vers le présentoir contenant les restes du légionnaire. Il n'y avait là rien qui puisse l'aider. On n'entendait que le discret bourdonnement des néons, au-dessus, et les cris étouffés, irréels, de la vidéo sur le massacre de Boudicca.

Quand elle gara sa voiture dans la grange, plus tard, elle regarda la maison des Lindsey avec une certaine envie. Ils étaient là, cette fois : de la fumée montait de la cheminée et il y avait de la lumière dans la cuisine. Ils l'attendaient pour dîner. Et si elle allait frapper tout de suite ? Elle pourrait donner un coup de main, ou s'asseoir à l'écart et siroter du thé ou, mieux encore, un bon whisky. Mais c'était hors de question, cela ne se faisait pas, évidemment. Il était à peine trois heures. Encore cinq heures avant de pouvoir se présenter chez eux.

Sac sur l'épaule, elle se dirigea vers le chemin traversant le bois. Le brillant soleil de la matinée avait fui et le ciel s'assombrissait de plus en plus. Le vent se leva et une fine averse de neige fondante se mit à tomber. Kate frissonna. Au moins, le poêle était prêt à être allumé à la maison. Elle tirerait les rideaux, se ferait du thé, prendrait un bain chaud et travaillerait quelques heures avant de refaire le chemin en sens inverse dans l'obscurité.

Elle ouvrit la porte, laissa tomber son sac par terre et regarda autour d'elle avec appréhension, s'attendant inconsciemment à voir des signes d'effraction. Mais il n'y avait rien. Le cottage était tel qu'elle l'avait laissé. Soulagée, elle défit ses paquets, alluma le poêle et monta lentement à l'étage.

Dans sa chambre, elle ouvrit l'armoire et inspecta les vêtements qu'elle avait apportés de Londres.

Depuis son arrivée dans l'Essex, elle n'avait porté que des pantalons et des chandails épais, mais elle voulait mettre quelque chose d'un peu plus chic, ce soir. Elle tira de l'armoire une jupe de laine et une chemise à manches longues, qu'elle jeta sur le lit.

C'est à ce moment qu'elle se souvint de sa promesse à Alison : elle devait photographier la tombe. Elle regarda dehors. Il ferait bientôt noir et le ciel était déjà couvert de nuages. Mieux valait attendre le lendemain. Elle voulait pourtant honorer son engagement, pour gagner la confiance de la jeune fille. Kate hésita encore un moment, puis, à contre-cœur, s'en fut chercher son appareil photo. Elle y mit une pellicule, enfila son anorak et sortit dans le froid.

La plage était lugubre. Remontant son col, Kate baissa la tête et marcha contre le vent aussi vite que possible, résistant à l'envie de regarder derrière elle le crépuscule qui tombait. Le vent avait formé de légères rides sur le sable. Les angles étaient arrondis et la surface du sol s'était asséchée, ce qui rendait les différentes couches plus difficiles à voir. Elle regarda par le viseur de l'appareil en essayant de retenir une mèche de cheveux que le vent faisait virevolter. Il semblait douteux que quoi que ce fût puisse paraître, même à l'aide du flash, mais elle aurait du moins essayé. Elle utilisa toute la pellicule, photographiant le site sous divers angles, en essayant, plutôt vainement, d'obtenir quelques plans rapprochés de la surface du sable. Elle n'aperçut pas les moignons desséchés qui avaient autrefois été les doigts d'un homme, ni la protubérance noircie de son fémur, réduit en fragments qui tombaient déjà en poussière.

De retour dans la chaleur du cottage, elle verrouilla la porte avec un soupir de soulagement et mit la pellicule dans son sac. Elle était transie et frissonnait. Après avoir mis la *Cinquième Sympho-*

nie de Vaughan Williams à plein volume, elle gagna sa chambre.

En enfilant son peignoir, elle tendit l'oreille alors que la musique se faisait plus douce. Un étrange bourdonnement venait de la pièce d'en face. Kate hésita un moment. Pourquoi cette satanée maison la rendait-elle si nerveuse ? Ce ne devait être qu'une mouche, tirée de sa torpeur par le soleil matinal. D'un geste résolu, elle ouvrit grande la porte et alluma. La pièce était déserte. Un rapide coup d'œil lui montra que ses affaires étaient restées telles quelles. Les tableaux de Greg faisaient toujours face au mur, derrière la porte, et effectivement, deux mouches étaient collées aux carreaux. Lorsque la lumière se fit, elles se lancèrent furieusement contre la vitre. Soulagée, Kate referma la porte. Demain elle s'occuperait de ces bestioles.

La salle de bains était très froide. En tremblant, elle alluma le chauffe-eau, mit le bouchon au fond de la baignoire et ouvrit le robinet d'eau chaude. Tandis que la vapeur se répandait, elle ferma les rideaux, versa de l'huile de bain sous le jet d'eau et releva ses cheveux avec des épingles. Avec un soupir de satisfaction, elle s'immergea dans l'eau chaude et ferma les yeux.

Elle n'avait pas remarqué la mouche bleue, dans le coin de la fenêtre. Réveillée par la lumière et la chaleur, celle-ci sortit de derrière le rideau et s'envola vers la lampe au-dessus de la cuvette. Irritée, Kate ouvrit les yeux et l'aperçut. Le bourdonnement désagréable troublait son moment de détente. Après s'être précipitée plusieurs fois contre le miroir, la mouche descendit tourner lentement au-dessus de la baignoire. Kate pencha la tête pour l'éviter. « Va au diable ! » s'exclama-t-elle en essayant de l'asperger de mousse. On ne lui gâcherait pas son bain.

Quand l'eau se mit à refroidir, Kate sortit du bain et s'enveloppa d'une serviette. Elle essuya la condensation sur le miroir et étudia son visage. Du coin de l'œil, elle aperçut la mouche, posée sur le cadre. D'un geste de la main, elle chassa l'insecte, qui s'envola vers la lumière. A cet instant précis, le téléphone sonna. Kate courut à la cuisine pour répondre.

— Kate, j'étais inquiet. Tout va bien?

— Jon? Mon Dieu, comme j'aimerais que tu sois ici! s'exclama-t-elle, tandis que son cœur bondissait dans sa poitrine.

— C'est bien ce que je pensais. Quelque chose ne va pas, n'est-ce pas? Je l'ai deviné à ta voix hier.

Elle faillit se mordre la langue. Pourquoi avait-elle dit cela? Tout était fini entre eux. D'ailleurs, pourquoi lui causer des inquiétudes, alors qu'il était si loin?

— Non, tout va bien, répondit-elle précipitamment. Je voulais simplement dire que tu aimerais cet endroit. Le ciel immense, la mer, le silence. Tout cela te plairait.

— J'irai peut-être te voir quand je serai de retour.

Il y avait un écho sur la ligne, cette fois-ci — une pause entre chaque phrase. Ils s'en trouvaient tous deux incommodés et ne parlèrent pas longtemps. Après avoir raccroché, Kate resta songeuse. Si tout était fini entre eux, pourquoi appelait-il constamment?

A quinze minutes de l'heure fixée, elle éteignit son ordinateur, se leva et s'étira. Malgré sa concentration, elle avait eu conscience du vent qui gagnait en force, à l'extérieur. Les carreaux vibraient de temps en temps, et elle avait entendu les gouttes de pluie s'écraser contre la vitre.

Avec soin, elle mit des bûches dans le poêle et referma bien les portes. Si elle réduisait le tirage au minimum, il régnerait une chaleur confortable dans la maison quand elle reviendrait. A regret, elle enfila ses bottes et sa veste. Après un dernier coup d'œil au salon, où elle avait laissé la lampe de la petite table allumée, elle sortit dans la nuit et ferma à clé derrière elle. Elle avait espéré que le téléphone sonnerait et que Roger proposerait de venir la chercher. Il ne lui aurait fallu que dix minutes en Land Rover. Poussant un soupir, elle dirigea le faisceau de sa lampe de poche vers le chemin boueux.

Il lui fallut une trentaine de minutes pour parcourir les huit cents mètres qui la séparaient de la ferme. Le sol était glissant et le vent avait éparpillé des branches par terre, ce qui rendait le chemin encore plus traître, dans la lumière instable de la lampe. A plusieurs reprises, elle s'arrêta et regarda autour d'elle. L'étroit faisceau de lumière ne révélait que des troncs noirs et mouillés, des ombres profondes et des buissons enchevêtrés.

Diana l'accueillit avec une exclamation de surprise :

— Kate, ma pauvre petite, vous n'avez pas marché ? Greg a dit qu'il allait vous chercher il y a une demi-heure.

« Greg, pensa-t-elle. J'aurais dû m'en douter. »

— Si j'avais su, je l'aurais attendu.

Elle se débarrassa de sa veste et de ses bottes et se laissa mener jusqu'à la cheminée qui dispensait une chaleur de rêve. Quelques minutes plus tard, elle était blottie dans le canapé, un whisky à la main et un chat sur les genoux.

La pièce fleurait bon le bois de chauffage et les plats mijotés. L'eau à la bouche, Kate huma l'arôme de l'ail, de l'origan et de la tomate : un plat italien, donc. Posant sa tête contre les coussins, elle sourit à Roger, qui avait pris place devant elle.

— C'est le paradis. Cela ne vaut pas la peine de cuisiner quand on est seul et ces derniers jours, j'ai vécu de haricots et de soupes en boîte.

— Comment va votre livre ?

Dans la cuisine, Diana avait soulevé le couvercle d'une casserole et en remuait doucement le contenu. Kate prit une gorgée de whisky et en ressentit immédiatement les bienfaits.

— Passablement bien. Du point de vue travail,

ma venue ici a été une bonne décision. J'ai tout le temps nécessaire pour me concentrer.

— Il n'y a pas grand-chose d'autre à faire par ici, n'est-ce pas? dit-il en tournant la tête vers la porte qui s'ouvrait sur Greg. Je croyais que tu allais chercher notre invitée, lui lança-t-il durement.

Greg fit une grimace.

— Désolé, mais je n'ai pas vu le temps passer. J'allais justement me mettre en route.

Kate le considéra en prenant soin de dissimuler sa pensée. De toute évidence, il avait fait exprès de retarder son départ. Mieux valait se taire, toutefois, pour ne pas gâcher la soirée.

— C'est sans importance, intervint-elle calmement. Il n'y a pas eu de mal et l'air frais m'a été bénéfique.

— Eh bien, soyez assurée qu'il va vous raccompagner après le dîner, dit Roger.

Il avait employé un ton sans réplique. Nul doute que lui aussi voyait un geste délibéré dans l'oubli de son fils. Kate se cala dans les coussins et caressa doucement Smith-le-veinard jusqu'à ce qu'il ronronne de plaisir. Elle n'aurait pas à affronter une seconde fois, toute seule, le bois sombre et humide.

Greg s'assit dans un coin et sirota une bière d'un air morose, ne relevant la tête que lorsque Alison et Patrick firent leur apparition.

— Avez-vous pensé à apporter la dague que vous avez trouvée dans l'excavation?

La voix d'Alison était calme, mais dissimulait une note d'hostilité que Kate remarqua immédiatement. Elle se renfrogna.

— Oui, bien sûr.

Doucement, afin de ne pas déranger le chat, elle se pencha vers le sac de cuir à ses pieds et tendit la dague à la jeune fille.

— Je l'ai trouvée sur le sable et ne l'ai prise que parce que la marée montait. Elle aurait été perdue.

Alison hésita et prit l'objet avec une répugnance évidente.

— Merci. Je l'avais mise dans mon sac à dos. Elle a dû tomber, dit-elle en la posant sur la table.

— Qu'y a-t-il, Allie ? Cela ne t'intéresse déjà plus ?

Le sarcasme de Greg fit affluer le sang aux joues de sa sœur.

— Bien sûr que si, répliqua-t-elle.

— Tu n'y étais pas aujourd'hui.

— Si, j'y étais, répliqua-t-elle furieusement. Tu ne sais pas de quoi tu parles. *Elle* m'a vue, pas vrai ?

— En effet, dit Kate.

— Alors, qu'avez-vous pensé du travail d'Allie ? coupa Roger, habitué depuis longtemps aux disputes de ses enfants.

— Remarquable, répondit Kate en se penchant vers l'avant. J'espère qu'Alison va bientôt faire appel à des experts. La marée emporte le sable très vite. Si elle ne fait pas attention, tout le site aura disparu avant qu'elle ne puisse en établir la nature exacte.

— Avez-vous pris des photographies ?

Il sembla à Kate que la question de la jeune fille était moins motivée par l'intérêt que par le désir de la prendre en défaut. Ce fut donc avec une certaine satisfaction qu'elle fouilla dans son sac et en tira le film.

— Je crains que la lumière n'ait pas été aussi bonne que je l'aurais souhaité, mais c'est mieux que rien.

— Merci, dit de nouveau Alison en prenant le rouleau.

— C'est très gentil de votre part de les avoir prises pour elle, intervint encore Roger, qui considérait sa fille d'un air soucieux. Alison, as-tu informé quelqu'un de tes découvertes ? Kate a raison, il faudrait demander à des experts d'intervenir le plus tôt possible.

— Elle le fera quand elle sera prête, lança Diana de la cuisine. Laisse-la tranquille et donne-lui la chance de rédiger d'abord un compte rendu de ses travaux, si elle le désire.

Kate se tourna en posant un bras sur le dos du canapé, afin de mieux voir Diana, qui râpait du parmesan.

— Cela devient véritablement urgent, dit-elle, presque sur un ton d'excuse. Encore quelques marées hautes, et le tumulus aura disparu.

— Donc, c'est un tumulus, coupa Greg. Il semble que nous ayons déjà notre propre expert sur les lieux.

— Je ne me prétends pas telle, bien au contraire, répliqua Kate en se tournant de nouveau, consciente que le chat sur ses genoux s'impatientait de ses gesticulations. Je suis néanmoins persuadée qu'il s'agit de quelque chose d'important.

MARCUS!

La voix sembla résonner dans toute la pièce.

Le chat enfonça ses griffes dans les genoux de Kate, bondit comme un éclair et disparut en haut de l'escalier.

Tout le monde demeura frappé de stupeur.

— Je suis navré. J'espère qu'il ne vous a pas fait mal, dit Roger, visiblement mal à l'aise. Je n'arrive pas à comprendre pourquoi il a agi de la sorte. Il semblait pourtant vous aimer.

— C'est peut-être l'odeur de la cuisine de m'man, glissa Patrick, qui prononçait ses premières paroles de la soirée.

Seul le chat avait entendu, alors, à part elle ? La voix avait pourtant été si forte, presque douloureuse aux oreilles de Kate.

Ses mains étaient crispées autour de son verre vide. Roger le remarqua et se leva lentement.

— Laissez-moi vous en servir un autre, Kate. Oubliez le matou. Il a mauvais caractère. Alors, dites-moi, aimez-vous le cottage de Redall ?

— Avez-vous revu le fantôme ?

La question de Greg s'immisça dans la conversation avant que Kate ne puisse répondre à Roger.

— Quel fantôme ? demanda Diana. Il n'y a pas de fantôme ici, Kate. Mon fils essaie de vous faire marcher.

— Je ferais ça, moi ? protesta Greg en souriant. Bien sûr qu'il y a un fantôme. D'ailleurs, Kate l'a vu. Elle me l'a dit, hier soir, quand nous avons discuté de l'atmosphère malsaine qui règne au cottage. Nous croyons tous deux qu'il y a un lien avec la tombe, sur la plage.

Alison était devenue livide.

— Tais-toi, Greg !

Son frère tourna la tête vers elle. Comme leurs regards se croisaient, il sourcilla légèrement. Alison baissa les yeux d'un air coupable. Il lui avait expliqué, moins d'une heure auparavant, comment il allait chasser Mme l'Intellectuelle du cottage. La solitude commençait à lui affecter les nerfs et il ne faudrait que quelques petits incidents — des bruits, peut-être, ou des événements insolites — pour qu'elle s'enfuie en hurlant dans la nuit. Mais il n'avait pas mentionné la tombe.

Kate observait Greg à son insu. Il était bel homme, avec son visage honnête et ses yeux francs. Elle avait remarqué qu'il pouvait soutenir son regard facilement, malgré le défi et la dérision cachés derrière les apparences. Mais il ne s'agissait que d'apparences. Il jouait avec elle.

— S'il s'agit d'un fantôme, il n'est pas si mal, dit-elle avec un sourire, et son parfum est particulièrement suave.

Alison se mordillait nerveusement la lèvre.

— Arrêtez de plaisanter, c'est idiot, lança-t-elle d'une voix tendue. Le dîner est-il prêt ? Je suis affamée.

De l'autre côté de la pièce, où elle mettait la table, Diana leva la tête et sourit. Elle avait suivi la conversation et comprenait à moitié où Greg voulait en venir.

— Viens terminer cela pour moi, Allie. Ensuite, nous pourrons passer à table. Greg, occupe-toi du vin. Roger et Patrick, ne bougez pas d'où vous êtes. Je vous connais, tous les deux. Au moment où je vais appeler tout le monde à table, vous disparaissez et l'on ne vous revoit plus avant des heures.

Elle se tourna à nouveau vers l'évier pour égoutter les pâtes.

La pièce était chaleureuse, pleine de vie et de mouvement. Kate trempa à nouveau les lèvres dans son whisky. Elle commençait à se sentir légèrement ivre. Personne n'avait donc entendu? La voix était-elle venue de Greg par un artifice quelconque?

— Venez, laissez-moi vous accompagner à table, dit-il, la main tendue.

Kate se leva précipitamment.

Il était un peu plus grand qu'elle et d'une carrure sportive. Soudain, Kate réalisa avec surprise qu'il s'agissait d'un très bel homme. Etrangement consciente de la fermeté de sa main sous son coude, elle se laissa mener à table et se retrouva assise entre son père et lui.

— Si le cottage est hanté, alors c'est par deux revenants romains, lança Kate, qui commençait à se prendre au jeu. L'un d'eux serait Marcus Severus Secundus et l'autre, son épouse, Augusta.

Roger s'esclaffa en plongeant son couteau dans le beurre.

— Dieu du ciel! Comment en êtes-vous donc venue à cette conclusion?

— Vous avez dit que Marcus hantait le cottage de Redall, expliqua Kate en se tournant vers Greg. Je suis allée au musée et j'ai vu les vitrines le concernant, ainsi que sa femme. C'est ainsi que j'ai appris son nom.

Greg sourit et tendit à son tour la main vers le beurre.

— Il devait y avoir une magnifique villa, là-bas, dans le temps. C'est étrange. Vous en faites presque quelqu'un d'amical. Il me semble plutôt avoir un sale caractère.

— Pourquoi dites-vous cela ?

— Greg ! protesta Diana à l'autre bout de la table.

— Désolé, m'man, mais Kate devrait être prévenue. D'une certaine façon, après tout, elle est l'invitée de Marcus. Si sa femme et lui se sont déjà manifestés à elle, il est logique de penser qu'ils vont chercher à faire plus ample connaissance.

Il y eut un silence.

— La dague lui appartenait, murmura Alison. Il s'en est servi pour tuer des gens.

Kate l'examina attentivement, frissonnant d'appréhension malgré elle. Alison gardait les yeux fixés sur son assiette. Sa migraine était revenue.

— Je suis heureuse de m'en débarrasser, alors, dit Kate en s'efforçant de paraître gaie. Mieux vaut la mettre hors de portée en vous la confiant. Justement, ce soir, j'ai parlé de tout cela à un ami qui m'a téléphoné des Etats-Unis. Il était très envieux. Ils n'ont pas de fantômes romains en Amérique.

Greg et Alison étaient-ils de connivence ? S'amusaient-ils tous à ses dépens ?

— En quoi notre Marcus est-il déplaisant ? s'enquit-elle auprès de Greg.

Son interlocuteur haussa les épaules.

— On raconte que certaines nuits, quand la marée est haute et que la lune est pleine, on peut entendre les cris de ses victimes…

— Greg, ça suffit ! coupa brusquement son père. Tu fais peur à ta sœur.

— Il en faudrait davantage pour l'effrayer. Qui plus est, je suis persuadé que notre historienne non plus ne craint pas les revenants. Quelle providentielle source d'information cela ferait ! Elle serait bien aise de pouvoir en louer deux à un prix aussi raisonnable.

Voilà : le pot aux roses était découvert. Kate se sentit tout d'un coup d'humeur plus joyeuse et sourit.

— Pourquoi hanteraient-ils la tombe de la plage ? Ils n'y ont pas été enterrés et je suis presque sûre qu'il ne s'agit pas d'une sépulture romaine.

— Comment le savez-vous ? dit Patrick en sortant de son mutisme habituel. Allie n'a pas trouvé de corps, n'est-ce pas ?

— Non ! Bien sûr que non ! s'écria Alison.

De nouveau cette panique soudaine, inexpliquée. La jeune fille serra les poings sous l'effet des pulsations douloureuses dans sa tête.

— Elle n'en trouvera probablement pas, d'ailleurs, intervint Kate, sans faire attention à elle. Le sable dissout les cadavres. Comme à Sutton Hoo, par exemple. Le même phénomène a dû s'y produire, quoiqu'il s'agisse d'une sépulture saxonne, et donc sans doute plus récente. Les sels présents dans le sable ne laissent qu'une espèce d'ombre, que les archéologues ne peuvent découvrir que si le site a été laissé intact.

Du coin de l'œil, elle remarqua l'air épuisé d'Alison et s'empressa d'ajouter :

— Le hic, c'est que le tumulus est maintenant juste au bord de la mer. La marée et le vent l'ont déjà altéré au point de rendre impossible ce genre de découverte.

La tourbe. La couche de tourbe dans la dune. Les mots flottèrent dans sa tête tandis qu'elle regardait son assiette. La tourbe n'était exposée à l'air que depuis peu ; seul le bord s'en détachait, en dégageant une odeur douceâtre de terre fraîchement remuée…

Kate fit tomber sa fourchette. Les autres s'interrompirent et la fixèrent avec surprise.

— Désolée, dit-elle en souriant d'un air timide. Ce sont toutes ces histoires de fantômes. Je crois que vous êtes enfin parvenus à me flanquer la frousse.

— Et c'est impardonnable, dit Diana d'un ton qui n'admettait pas de réplique. Je ne veux plus qu'on tienne de tels propos à ma table. Je connais ce cottage depuis fort longtemps. Il n'est pas hanté, ne l'a jamais été, et nous n'en parlerons plus.

Kate jeta un regard furtif en direction de Greg. Il avait docilement ramené son attention à son assiette.

A la fin du repas, alors que les autres allaient s'asseoir devant le feu, Diana posa une main sur le bras de Kate.

— Aidez-moi à faire le café. Nous n'avons pas encore eu l'occasion de bavarder entre femmes.

Elle prit la bouilloire en souriant et se dirigea vers l'évier. Pas un mot ne fut échangé pendant qu'elle la remplissait, mais au bout d'un moment Diana regarda par-dessus son épaule et fit signe à Kate de s'approcher. Quelques gouttes d'eau s'évaporèrent en chuintant lorsqu'elle posa la bouilloire sur la cuisinière.

— Vous vous êtes sans doute aperçue que Greg essaie de vous chasser du cottage en vous effrayant, murmura-t-elle. Vous ne pouvez pas savoir combien je suis peinée qu'il ait décidé d'agir de façon aussi puérile. Il me garde encore rancune parce que je l'ai forcé à déménager. Cela n'a rien à voir avec vous. C'est contre moi qu'il en a.

Kate se tourna vers la table et se mit à empiler les assiettes. A l'autre bout de la pièce, Roger choisissait un disque compact parmi ceux qui traînaient sur la stéréo. Greg, penché devant l'âtre, mettait une nouvelle bûche dans le feu.

— C'est bien ce que je pensais, dit-elle au bout d'un moment. Alison et lui sont de connivence, je crois. Ne vous inquiétez pas, je peux leur tenir tête.

— Vous en êtes certaine ? s'inquiéta Diana. Vous devez me trouver bien faible mais, voyez-vous, quoi que je leur dise, ils continueront, s'ils croient pouvoir parvenir à leurs fins.

Elle entrechoqua deux plats sous l'effet de la colère.

134

— Je pense à vous, toute seule là-bas. C'est si loin de tout.

— Croyez-vous qu'ils iraient jusqu'à s'en prendre à moi physiquement? demanda Kate avec stupeur.

— Non. Certainement pas. Aucun d'entre eux ne ferait de mal à une mouche. Mais ils pourraient trouver amusant de vous faire peur, répondit-elle en hochant la tête. Ô mon Dieu, je suis tellement navrée! Cela m'inquiète terriblement. Greg n'est pas un garçon facile...

Sa voix s'éteignit.

Kate sentit la colère sourdre en elle. Impulsivement, elle mit une main sur le bras de Diana.

— Je vous en prie, ne vous faites pas de mauvais sang. Je peux me débrouiller toute seule, je vous l'ai dit. D'ailleurs, en toute franchise, je craindrais davantage l'existence de véritables revenants. Mais je peux faire face à des imposteurs et les battre à leur propre jeu. Tant que je sais à qui j'ai affaire, et que Roger et vous êtes ici...

— Vous pouvez compter sur nous.

— Alors, tout va bien.

Kate prit la cafetière et y fit couler un peu d'eau chaude pour la réchauffer. Greg et son père étaient maintenant assis près de la cheminée. Les deux plus jeunes avaient disparu. Doucement, le son de la musique emplit la pièce.

Il était presque minuit quand Kate annonça à contrecœur qu'elle ferait mieux de rentrer. Greg se leva.

— Je vais vous reconduire, dit-il avec un large sourire. Vous n'allez pas traverser le bois toute seule à pareille heure.

Kate chercha les yeux de Diana et sourit à la dérobée. Le sous-entendu était clair. Encore des histoires de revenants.

— Volontiers. Ce chemin paraît long quand on est fatigué.

Le ciel s'était éclairci. Les étoiles scintillaient et le

pare-brise de la Land Rover disparaissait sous une fine couche de givre. Greg ouvrit la portière pour Kate et fouilla sous le siège du conducteur à la recherche d'un grattoir.

Ayant dégagé un petit coin du pare-brise, il grimpa à l'intérieur et fit claquer sa portière. Le moteur démarra comme à regret, avec un bruit qui déchira le silence. Greg fit faire demi-tour au véhicule et le dirigea vers les bois. Les roues de la Land Rover rompaient la glace accumulée au creux des ornières en y laissant d'étranges motifs.

D'un air sombre, Kate s'agrippa au tableau de bord alors que le véhicule dérapait.

— Votre ami, aux Etats-Unis, dit Greg en mettant subitement fin à son mutisme, c'est votre fiancé ?

— Ce l'était.

— Que s'est-il passé ?

Les roues tournoyèrent follement et Greg tira sur le levier de vitesse.

— Les gens changent.

— Mais vous restez en contact.

Kate jeta un regard en biais à son profil séduisant. Un léger frisson d'excitation la parcourut.

— Oui, dit-elle fermement. Nous restons en contact.

A sa grande surprise, Greg ne dit plus rien. Lorsqu'ils arrivèrent, elle sauta en bas de son siège et se pencha à l'intérieur pour le remercier, mais il était déjà descendu.

— Je ferais mieux de vérifier si tout est en ordre, dit-il. C'est le moins que je puisse faire.

— Ce n'est pas nécessaire. Je suis certaine que les fantômes sont partis.

Elle lui tendit néanmoins les clés. Sachant qu'elle pouvait compter sur Roger et Diana, elle était curieuse de savoir ce que Greg allait entreprendre.

Lorsqu'ils entrèrent, la lampe du salon était allumée et le poêle chauffait, au grand soulagement de Kate. Greg lança un coup d'œil approbateur au poêle et remarqua la grande provision de bois tout à côté. Si cette mesure de précaution l'amusa, il n'en laissa rien paraître.

— Tout cela m'a l'air très bien. Désirez-vous que j'aille voir en haut ?

— Inutile, je peux me débrouiller. Merci quand même. Je n'ai pas peur.

Elle n'avait pas enlevé son manteau et attendait de façon significative à côté de la porte. Il promena son regard une dernière fois autour de lui.

— Très bien, alors. A la prochaine.

— Merci de m'avoir ramenée et remerciez à nouveau vos parents pour moi. C'était une charmante soirée. Je me suis vraiment amusée.

— Parfait.

Pendant un instant, il la regarda avec une expression à peine perceptible de dérision. Elle crut qu'il allait se pencher et l'embrasser sur la joue, comme l'avait fait son père, mais s'il en avait eu l'intention, il changea d'avis, s'inclina à demi et sortit.

Elle resta sur le seuil et le suivit du regard tandis qu'il remontait dans la Land Rover, trouait l'obscurité de ses phares et se dirigeait vers le bois. Kate ferma la porte en poussant un soupir de soulagement. Le cottage était sûr, il y régnait une chaleur confortable, il y avait de l'eau chaude (elle avait pris soin de laisser le chauffe-eau allumé), la porte était verrouillée et elle pouvait compter sur des alliés. Marcus n'existait pas. Ce n'était que le fruit d'une imagination étrangère.

20

Kate se dirigea vers la cuisine et alluma. Aussitôt, une nuée de mouches se mirent à bourdonner furieusement, tournoyant autour de la lumière, se jetant aveuglément contre les murs et le plafond. D'où venaient ces bestioles? Elle n'avait pourtant rien laissé traîner qui puisse les attirer. D'ailleurs, on était en plein hiver. Elle fit un mouvement vers le vaisselier, mais s'arrêta net, frappée de stupeur. Il y avait une traînée de terre mouillée sur la surface pâle du bois. Elle en aperçut aussi sur le sol, devant les armoires, et dans l'évier. En se penchant au-dessus de la cuvette d'acier inoxydable, Kate sentit son estomac se contracter: des asticots se tortillaient dans la crasse. L'odeur grasse, douce et intense, lui assaillit de nouveau les narines.

Ce devait être un coup de Greg! Un de ses amis, muni d'une clé, était probablement venu lui préparer cette petite surprise pendant qu'elle était à la ferme.

Furieuse, elle ouvrit les deux robinets, regarda la terre noire et les vers disparaître en tourbillonnant, puis entreprit ensuite de nettoyer le reste des dégâts. Mais pour les mouches, rien n'y fit. Elle résolut d'acheter un insecticide le lendemain.

Découragée, elle finit par éteindre et referma soigneusement derrière elle. Au pied de l'escalier, elle s'arrêta, le visage levé vers l'obscurité, pleine d'appréhension. Qu'est-ce qui l'attendait là-haut? Fatiguée et d'une humeur massacrante, Kate grimpa les marches d'un pas décidé. En entrant dans sa chambre, elle retint son souffle. Apparemment, tout était en ordre. Avec un soupir de soulagement elle alla tirer son dessus-de-lit en dentelle. Les draps étaient intacts. Soulagée de voir qu'on n'avait pas cédé à l'envie infantile de s'en prendre à l'endroit où elle dormait, Kate promena son regard dans toute la chambre, à la recherche de signes d'intrusion. Il n'y en avait aucun: la pièce était telle qu'elle l'avait laissée. La seule odeur décelable était le parfum discret des branches de daphné qu'elle avait placées dans un verre, sur la table, près de la fenêtre. Elle ouvrit la fenêtre et regarda dehors. Le ciel nocturne était sans nuage. Au-delà des dunes, la mer paraissait lumineuse et tranquille. Le mouvement des vagues sur la plage suivait un rythme lent et puissant, comme le souffle d'un animal endormi. Elle contempla longtemps le paysage qui s'offrait à elle, appuyée contre le rebord glacé de la fenêtre. Au bout de quelques minutes, elle referma en frissonnant et retourna vers le lit.

Le grincement de la porte d'en face la surprit au-delà de toute description. Elle fit brusquement volte-face, son cœur battant la chamade. Quelqu'un s'était dissimulé dans l'autre chambre. En retenant son souffle, elle chercha des yeux quelque objet pouvant lui servir d'arme, mais ne trouva qu'un cintre traînant sur la chaise. Elle le saisit et se glissa sur la pointe des pieds derrière la porte de la chambre, qui était restée entrebâillée. Grâce à l'étroit rai de lumière qui éclairait le mur d'en face, elle put voir que l'autre porte aussi n'était pas tout à fait fermée. Au-delà, la pièce était plongée dans les ténèbres.

— Greg?

Elle s'éclaircit la gorge et fit une nouvelle tentative.

— Greg? Allez, je sais qu'il y a quelqu'un.

Ouvrant sa propre porte toute grande, elle s'avança bravement et poussa celle d'en face.

— Pour l'amour de Dieu, cessez de jouer! Il est une heure du matin. La comédie est terminée!

Elle actionna l'interrupteur et regarda dans la pièce. Pendant un instant, elle fut trop horrifiée par ce qu'elle vit pour réagir.

Toutes ses affaires étaient de nouveau sens dessus dessous. Mais cette fois, les peintures de Greg avaient été projetées aux quatre coins de la pièce. Les châssis en étaient rompus, les toiles, lacérées. De la terre noire traînait partout. Son odeur était saisissante, écœurante. Kate agrippa la porte et s'appuya contre elle de tout son poids. Ses genoux étaient sur le point de céder. Elle sentit la bile monter dans sa gorge. On avait tout saccagé. Les charnières de la valise où elle avait enfermé le torque avaient été arrachées, le chiffon qui l'enveloppait avait été mis en pièces et l'objet lui-même semblait avoir disparu.

— Mon Dieu !

Les paumes moites, elle sortit sur le palier et se tourna vers les ténèbres au bas de l'escalier.

— Où êtes-vous donc ? cria-t-elle.

Kate dévala les marches et alluma la lumière du vestibule. La porte était verrouillée, comme elle l'avait laissée. La clé était encore dans le plat, sur la table à côté de l'entrée. Elle courut dans le salon. Là aussi, rien n'était changé. Les fenêtres étaient fermées et la cuisine, déserte, à l'exception des mouches bleues qui reprirent leur ronde sans fin au plafond dès qu'elle alluma.

Elle saisit le téléphone et attendit longtemps avant que Diana ne réponde, d'une voix étouffée par le sommeil.

— Diana, je suis désolée de vous appeler si tard, bredouilla Kate sans s'apercevoir à quel point sa voix tremblait. Puis-je parler à Greg ? Vous m'aviez avertie. Vous m'aviez avertie et je croyais pouvoir faire face, mais maintenant, c'est trop. Il doit venir ici et s'expliquer !

A la ferme, Diana s'assit dans le lit et alluma en tâtonnant la lampe de chevet. A côté d'elle, Roger grogna et ouvrit les yeux.

— Tout a été vandalisé. Mes boîtes, ses peintures — ses propres peintures — ont été détruites !

Kate s'interrompit, essayant de respirer plus lentement, de recouvrer un peu de son calme.

— Je vous en prie, dites-lui de venir.

Elle raccrocha brutalement et se tourna vers la cuisine. Elle avait d'abord cru qu'elle était en ordre, intacte, mais elle s'apercevait maintenant qu'elle n'avait pas vu la terre qui traînait encore sur le vaisselier, derrière divers objets : une minuterie, quelques livres, une plume. Elle s'approcha. Un asticot

140

se tortillait sur le reçu d'épicerie qu'elle avait rapporté de Colchester. Son corps blanc et gélatineux était parsemé de grains de tourbe. Kate crut qu'elle allait se mettre à vomir. Fermant les yeux, elle prit une profonde inspiration et une sueur froide couvrit son visage. Elle recula lentement, quitta la cuisine et referma brusquement la porte. Elle s'accroupit devant le poêle et tendit les mains vers le feu, guettant le bruit de la Land Rover. Il fallut une bonne vingtaine de minutes avant qu'elle voie la lumière des phares osciller à travers les rideaux.

Ses jambes étaient si faibles qu'elle put à peine gagner la porte d'entrée. En tremblant, elle inséra la clé dans la serrure et tira le verrou pour laisser entrer Diana, Roger et Greg.

— Qu'est-il arrivé ? s'inquiéta Diana en entourant les épaules de Kate de son bras. Ô Seigneur ! qu'est-il arrivé ?

— Demandez-le-lui, fit Kate, qui ravalait difficilement ses larmes, en faisant un signe de tête en direction de Greg.

— Je n'ai pas la moindre idée de ce dont vous m'accusez, rétorqua Greg en s'avançant dans le salon tout en regardant autour de lui. Eh bien, qu'y a-t-il ?

— Là-haut, articula Kate en essayant de retrouver son calme. Dans la pièce vide.

Elle resta dans le vestibule avec Diana tandis que Greg s'élançait dans l'escalier, suivi plus lentement par son père. Il y eut un silence, puis elles entendirent toutes deux Greg proférer un chapelet de jurons.

— Irait-il jusqu'à faire cela ? murmura Kate. Détruire ses propres peintures ?

Diana la regarda d'un air sombre et monta à la suite des deux hommes.

Greg se tenait au milieu de la pièce, un de ses tableaux à la main. Il se tourna brusquement vers la porte quand Diana fit son entrée, suivie de près par Kate. Il était livide.

— Qui a fait ça?

— Je croyais que vous me le diriez, répliqua Kate. C'était votre idée, non? M'effrayer pour que je parte et que vous puissiez récupérer le cottage.

— Croyez-vous que j'aurais détruit mes propres œuvres? Croyez-vous que je ferais cela? Bon Dieu! C'était une de mes meilleures.

Il désignait la toile représentant le cottage sous la mer.

— Pourquoi l'avoir laissée ici, alors? rétorqua Kate. Si elle était si précieuse à vos yeux, pourquoi ne pas l'avoir emportée?

— Parce que... parce que sa place était ici, fit-il en la regardant avec colère. Parce que je voulais les accrocher ici.

Il baissa les yeux vers la toile déchirée.

— Apparemment, vos hommes de main ont mal interprété leurs ordres.

— Que voulez-vous dire? cria-t-il. Qui vous a mis cette idée-là en tête? Ma mère, je suppose?

— Tu ne peux pas nier que tu voulais faire peur à Kate, coupa Roger. Quand ta mère m'en a parlé, j'ai refusé de croire à un comportement aussi infantile de ta part, mais elle avait raison. Je l'ai bien vu au dîner, ce soir.

Il s'appuya contre le mur et porta subrepticement la main à sa poitrine, sous sa veste. Son visage avait pris une teinte grisâtre.

Greg passa doucement un doigt sur ce qui restait de son tableau.

— Je ne nie pas qu'Allie et moi voulions nous amuser un peu en parlant de fantômes. Mais ça, non.

— Alors, qui a agi ainsi?

Ils se regardèrent en silence.

— Des vandales? dit Diana.

— Des vandales ne se seraient certainement pas contentés d'une seule pièce, répondit Kate. Rien n'a été volé, pour autant que je le sache.

Elle s'arrêta net. Le torque! Le torque avait disparu. A moins qu'il ne fût enfoui quelque part sous les débris?

— Manque-t-il quelque chose? demanda Roger, qui avait perçu son hésitation.

— Peut-être. Un objet que j'avais ramassé sur la plage. Je l'avais enfermé dans cette valise.

— Un objet provenant des fouilles? lança Greg d'un ton accusateur.

Kate haussa les épaules.

— Je voulais le porter au musée. J'étais sûre qu'Alison ne se donnerait pas la peine de le faire, et ce site est trop important pour qu'une gamine s'amuse à détruire ce qu'il en reste. Désolée, mais je dis la vérité. Il s'agissait d'un torque. C'était un objet de valeur.

Elle pénétra dans la pièce à son tour, mit la valise de côté et balaya du pied le monceau de papiers qui se trouvaient en dessous. Un peu de terre s'échappa de la valise. Quelque chose s'agitait au milieu. Elle regarda avec surprise, puis se détourna.

— Ô mon Dieu! s'exclama Diana d'un air dégoûté.

— Je crois que nous ferions mieux d'appeler la police, soupira Roger. Si Greg n'a rien à voir avec tout cela, et j'en mettrais ma main au feu, cette affaire les concerne directement.

— Mais il n'y a pas eu effraction, fit Kate à mi-voix. La porte était verrouillée, toutes les fenêtres étaient closes.

— C'est exact, j'avais vérifié en bas, dit Greg en jetant sa toile endommagée dans un coin. Dommage que vous ne m'ayez pas laissé regarder en haut également. Cela vous aurait épargné un choc. Je vais téléphoner à la police, papa.

— Revenez donc avec nous, vous dormirez à la maison. Vous ne pouvez pas rester seule ici après ce qui s'est passé, proposa Diana avec sollicitude.

Sans discuter, Kate les suivit en bas et alla prendre quatre verres et la bouteille de whisky. Ils passèrent tous au salon, où Greg alimentait le feu après avoir téléphoné.

— La police va venir aussi vite que possible, dit-il en se redressant devant Kate. Je vous dois des excuses. Papa avait raison : il était puéril de ma part d'essayer de vous faire fuir, mais je vous jure que je n'ai rien à voir avec ce qui est arrivé.

Ses épaules s'arquèrent légèrement quand il accepta le whisky qu'elle lui tendait.

— J'ai peut-être agi avec désinvolture en ce qui concerne ces tableaux, mais quelques-uns d'entre eux avaient beaucoup de valeur. A mes yeux, du moins.

Kate lui adressa un regard navré.

— Je vous crois.

— Ma chère Kate, dit Roger en s'asseyant dans le fauteuil situé près du poêle, vous feriez bien de vérifier soigneusement si rien ne manque.

Il jeta un coup d'œil à l'ordinateur et son imprimante, entourés de piles de livres.

— Je n'arrive pas à comprendre pourquoi quelqu'un aurait pénétré ici et laissé ces appareils. On aurait d'abord pris cela, avant toute autre chose.

— Dieu merci, on ne les a pas emportés. Mais vous avez raison, je vais vérifier. Il y avait des bracelets d'argent et des bagues dans la chambre à coucher. Je n'ai pas regardé s'ils s'y trouvent encore.

Elle se dirigea vers l'escalier, mais hésita. L'étage lui paraissait soudain plein de dangers.

— Je vais passer le premier, dit Greg en se levant à son tour.

On n'avait touché à rien dans la chambre. Il n'y avait absolument aucun signe d'intrusion. Ils vérifièrent soigneusement, puis s'aventurèrent de nouveau dans l'autre pièce.

— Je voulais chercher le torque, dit Greg, mais nous ferions peut-être mieux de ne rien toucher. La police voudra sans doute prendre des empreintes.

Des yeux, Kate fit le tour de la pièce. Des mouches

144

fonçaient contre l'ampoule nue, au centre du plafond, brisant le silence de leur bourdonnement incessant.

— Je n'y comprends rien, dit-elle, vraiment rien.

Greg haussa les épaules.

— Qui sait pourquoi les gens agissent ainsi ? Il y a tellement de raisons. Je crois que le motif premier, ici, était la colère. Pour une raison quelconque, la personne qui a fait cela était furieuse.

— Peut-être cherchait-elle quelque chose qu'elle n'a pas trouvé.

— Mais quoi ? De l'argent ?

— Elle aurait fouillé dans ma chambre, sous les coussins des fauteuils, dans la cheminée, dit Kate en esquissant un sourire. Lorsqu'on a cambriolé l'appartement de ma sœur, c'est ce que les voleurs ont fait. Non. Celui ou celle qui est entré ici cherchait quelque chose de précis.

— Le torque ?

— Mais comment aurait-on su qu'il était ici ? J'étais la seule à connaître son existence.

Ils se dévisagèrent en silence.

Marcus.

Le nom n'avait pas été prononcé, mais il était là, suspendu dans l'air au-dessus d'eux. Kate secoua la tête. Marcus n'était qu'une invention conçue par Alison, Greg et elle-même. Le fruit d'une imagination fertile, la sienne, nourrie par les suggestions de deux imaginations délirantes, les leurs.

— Alors ? Qui d'autre en connaissait l'existence ? demanda Greg doucement.

— Seulement Marcus.

21

La police fouilla méticuleusement la pièce, sans résultat. Finalement à quatre heures du matin, les agents, fatigués, grimpèrent dans leur véhicule et prirent le chemin cahoteux menant à la ferme Redall, suivis de la Land Rover des Lindsey. Kate regarda les feux arrière de la voiture de police disparaître dans les bois et suivit les Lindsey à l'intérieur de la maison. Elle était exténuée et la tête lui tournait. Elle avait fini par se prendre d'affection pour le cottage, malgré le peu de temps qu'elle y avait séjourné et la crainte inexplicable que l'endroit lui avait parfois inspirée. Maintenant, ce sentiment fragile s'était brisé, un peu comme si un nouvel ami s'était retourné contre elle et l'avait giflée.

Diana s'était arrêtée dans le vestibule pour l'attendre.

— Vous pouvez dormir dans la chambre de Greg, Kate. Il est monté vous préparer le lit.

— Mais lui ?

Kate suivit son hôtesse dans le salon qu'elle avait quitté quelques heures auparavant. Il ne restait plus que des cendres dans l'âtre, mais il régnait encore une température agréable dans la pièce. On y sentait encore un arôme de café et de vin, ainsi qu'une légère trace d'origan et d'ail.

— Il s'arrangera très bien, trancha Roger. Mon bureau lui sert maintenant de studio. Il pourra toujours y camper. Vous avez l'air épuisée, ma petite. Je vous suggère de monter vous coucher. Nous reparlerons de tout cela demain matin.

Kate obéit sans discuter et se laissa tomber sur le lit. En dépit de sa fatigue, elle prit le temps d'examiner la chambre de Greg. La pièce était petite mais chaleureuse. Un joli papier peint couvrait les murs et des poutres apparentes soutenaient le plafond bas. Le mobilier, de style victorien, lui sembla plutôt banal, mais il était confortable.

Sur la table, près de la fenêtre, traînaient toutes sortes d'objets : une brosse et un peigne, mais aussi des boutons de manchettes (il pouvait donc être élégant quand il le désirait ? Kate n'arrivait pas à l'imaginer). Elle vit également un pinceau, apparemment inutilisé, plusieurs sortes de crayons, de la menue monnaie, un billet de train froissé acheté à Liverpool Street, une chaîne de trombones, quelques bonbons à la menthe dans un morceau de papier argenté déchiré, ainsi qu'une exquise tabatière laquée.

Elle ne mit que deux minutes pour se dévêtir et enfiler la chemise de nuit en coton qu'elle avait fourrée dans son sac avec sa brosse à dents, après quoi elle se glissa dans le lit en soupirant d'aise.

Tirant la couverture par-dessus sa tête, elle ferma les yeux. Mais elle était trop excitée pour dormir. Etreignant son oreiller, elle se tourna vers la vitre et le ciel d'une noirceur d'encre. Lentement, des larmes se mirent à couler le long de ses joues. Dehors, au-delà du jardin, la vase se mit à luire sous les étoiles à mesure que la marée s'infiltrait dans la laisse.

Il commençait à faire jour lorsqu'elle tomba enfin dans un sommeil agité. Elle ne s'éveilla en sursaut qu'après onze heures, tirée d'un rêve pénible par une musique tonitruante qui venait de la chambre d'à côté. Kate s'assit lentement dans le lit et se frotta les yeux avec lassitude. Alors que Johnny Rotten reprenait son souffle entre deux hurlements, elle entendit le son de l'aspirateur monter du rez-de-chaussée.

Elle s'aspergea le visage d'eau froide, se brossa les cheveux et remit les vêtements qu'elle portait la veille. Le salon était désert : même les chats brillaient par leur absence. A travers les poutres de chêne qui divisaient la pièce en deux, elle aperçut Roger, absorbé dans la lecture du *Times*. Le bruit de l'aspirateur venait maintenant d'un autre coin de la maison. Lorsque Kate s'approcha, Roger leva les yeux et sourit.

— Le café est prêt. Venez en prendre une tasse.

Il replia son journal et le plaça lentement à côté de son assiette.

— J'ai eu une longue conversation au téléphone avec la police, ce matin, dit-il en se penchant vers elle, les coudes appuyés sur la table. Après mûre réflexion, ils pensent, comme vous, que c'est Greg qui a fait le coup, ou qu'il en est du moins l'instigateur. Il n'y a absolument aucune trace d'effraction et Greg est la seule personne, à part vous, Di et moi, à posséder une clé du cottage.

— Mais il n'irait tout de même pas jusqu'à détruire ses propres tableaux ?

— Il est parfois difficile de savoir ce qui se passe dans la tête de mon fils, soupira Roger.

Il se versa une nouvelle tasse de café.

— Ma chère petite, je comprendrais fort bien que vous décidiez de partir et je serais plus qu'heureux de vous rendre l'argent du loyer, dans sa totalité. En revanche, si vous désirez toujours rester au cottage, j'enverrai quelqu'un aujourd'hui même changer les serrures, et je veillerai personnellement à ce que vous soyez la seule à avoir une clé pendant tout le reste de votre séjour. Je ne peux vous exprimer à quel point je suis navré de tout le souci que ces incidents ont pu vous causer.

Roger sourit faiblement. Il semblait épuisé et son visage, sous sa peau parcheminée, avait perdu ses couleurs.

Impulsivement, Kate posa sa main sur la sienne. A la lumière du jour, sa peur s'était envolée.

— Je crois que j'aimerais quand même rester. Ce pays est si beau... et mon livre avance bien.

Elle tourna la tête vers la fenêtre ornée de rideaux en vichy bleu.

148

— Evidemment, c'est facile à dire maintenant que le soleil brille et que la maison bourdonne d'activité.

— Essayez. Vous pouvez changer d'avis à tout moment et si vous vous sentez nerveuse, vous savez que nous ne sommes pas loin. L'un d'entre nous accourra au moindre appel, je vous le promets. Greg est sorti. Venez jeter un coup d'œil à ses tableaux, dit-il en se levant.

Elle le suivit jusqu'au bureau et s'arrêta dans l'embrasure, tandis que Roger se laissait tomber dans le fauteuil.

— C'est un bon peintre. Cela ne l'excuse en rien mais nous permet peut-être de le comprendre un peu.

Kate fit lentement le tour de la pièce. Elle s'était déjà fait une idée du travail de Greg d'après ce qu'elle avait vu au cottage, mais ces tableaux renforcèrent son opinion. Il avait du talent.

— Qui est cette femme?

Intriguée, elle tendit à Roger un petit portrait tiré d'un groupe de toiles semblables.

— Je l'ignore, dit-il en haussant les épaules. Il s'agit d'une série récente.

Kate étudia la toile. La femme avait de grands yeux gris, trop grands pour son visage, et des cheveux châtains bouclés. Elle était vêtue de bleu mais aucun détail de ses vêtements n'était figuré. Les épaules et les bras étaient suggérés, sans plus. Elle frissonna et posa le tableau.

— C'est excellent.

Roger lui adressa un petit sourire de conspirateur.

— Ne lui dites pas que je vous ai montré tout cela. Maintenant, allons préparer les pommes de terre et, après le déjeuner, je vous ramènerai au cottage.

Kate ne put se défendre d'une certaine appréhension quand elle se retrouva au cottage, mais la présence de Roger et Diana la rassura, tout comme l'arrivée du serrurier, quelque vingt minutes plus tard. Tandis qu'il s'occupait de la porte, ils montèrent tous les trois pour remettre la pièce saccagée en ordre.

Roger vérifia les deux fenêtres.

— Désirez-vous également des verrous à ces endroits? demanda-t-il d'un ton dubitatif.

— Cela me semblerait exagéré.

— On pourrait peut-être les visser au cadre, ce serait moins cher, proposa Diana. Mieux vaut prendre toutes les précautions.

La nuit était presque tombée lorsqu'ils partirent. Kate se sentit étrangement soulagée de les voir s'en aller. Persuadée que la maison était maintenant aussi bien défendue que Fort Knox et que Greg était à l'origine des étranges phénomènes des derniers jours, elle avait attendu leur départ avec une impatience grandissante. Après vingt-quatre heures sans écrire, elle commençait à se sentir en état de manque.

Elle se servit un café, s'assit à sa table et, stylo en main, entreprit de relire une pile de feuilles.

Dehors, le jour d'hiver avait cédé la place à une nuit glaciale et désolée. A quelques reprises, elle leva les yeux vers les carreaux et tendit l'oreille. En fin de compte, elle avait refusé que l'on condamne les fenêtres. Il aurait été trop triste de se priver d'air frais et de perdre la rassurante rumeur de la mer.

A cet instant précis, toutefois, aucun son ne parvenait de l'extérieur, ni celui du vent ni celui des vagues. Le cottage était entouré d'un silence total, rompu seulement par le bourdonnement discret de l'ordinateur et le bruit des touches sous ses doigts. La sonnerie aiguë du téléphone, dans la cuisine, la fit sursauter violemment.

C'était Jon.

— Comment vas-tu?

— Couci-couça, fit-elle en s'asseyant sur le tabouret. En fait, pas très bien. On m'a cambriolée.

— Tu plaisantes ? Ô mon Dieu, Kate, est-ce que tout va bien ?

En entendant une inquiétude sincère dans sa voix, Kate regretta de nouveau de lui en avoir trop dit.

— Oui, tout va bien. On n'a rien pris, sinon… Te souviens-tu, la dernière fois que tu as appelé… Je nettoyais un torque.

— Celui de ton ancien Celte ?

Son ton était léger, mais Kate n'en sentait pas moins l'inquiétude percer dans sa voix.

— Il a disparu et quelques peintures ont été détruites.

— Kate, tu ne peux pas rester là…

— Mais si, je t'assure. Tout va bien. Il y a le téléphone et les propriétaires ont fait changer toutes les serrures. La maison est aussi sûre qu'un château fort et je suis maintenant la seule à en posséder la clé. Ce n'étaient sûrement que des enfants du coin qui croyaient le cottage vide. Je ne crois pas qu'ils reviennent.

— As-tu téléphoné à la police ? Ô mon Dieu, Kate, comme j'aimerais ne pas être si loin ! Veille bien sur toi, ma chérie.

Kate raccrocha d'un air songeur. La voix de Jon emplissait encore la pièce. Ma chérie, il l'avait appelée ma chérie. Il l'aimait encore.

Elle prit conscience tout d'un coup que le vent se levait. Les branches des arbres s'étaient mises à gémir doucement, mais cela n'avait aucune importance. Soudain, plus rien n'importait. Inexplicablement heureuse, bien au chaud, sachant qu'elle pouvait compter sur une bonne provision de bois et de nouvelles serrures à la porte, elle sourit.

Elle retourna à son livre mais sans pouvoir se concentrer, car ses pensées n'arrivaient pas à se détourner de Jon. Son sujet finit cependant par la reprendre et elle se plongea de nouveau dans l'enfance du poète. Catherine Gordon et la relation qu'elle entretenait avec son fils constituait une énigme fascinante. Son amour paraissait aussi difforme que le pied de son pauvre enfant. Kate s'appuya contre le dossier de sa chaise en mâchonnant le bout de son stylo. Une rafale de vent vint frapper le cottage. Elle sentit les murs vibrer et entendit le choc soudain de la pluie contre la vitre. Se penchant vers son clavier, elle se mit à écrire. Une minute plus tard, elle regardait son écran avec horreur.

Puissent les dieux te maudire, Marcus Severus, et punir ton corps putréfié et ton âme corrompue pour ce que tu as fait aujourd'hui...

— Mon Dieu! murmura-t-elle. Ô mon Dieu!

Une autre rafale fit vibrer les carreaux et Kate tourna la tête comme si le vent et la pluie avaient fouetté son visage. A la hâte, elle éteignit l'ordinateur comme si elle craignait de se brûler à son contact et recula sa chaise dans un grand bruit. Ses mains tremblaient.

— Je n'ai pas écrit ces mots!

Elle l'avait fait, pourtant, de façon automatique, comme une secrétaire sous la dictée. Elle promena des regards apeurés autour d'elle. Tout était calme dans la pièce. Le vent s'était tu aussi vite qu'il s'était levé et le silence régnait à nouveau dans la nuit. Tout ce qu'elle pouvait entendre était le sang qui battait derrière ses tympans.

— Je suis fatiguée, c'est tout, se dit-elle à mi-voix. La journée a été longue. J'ai besoin de sommeil.

Elle se versa un peu de whisky d'une main encore loin d'être ferme et le but à petites gorgées. Tandis qu'elle essayait de se détendre, un vague malaise la gagna peu à peu, puis se transforma en certitude : il y avait quelqu'un derrière elle. Kate retint son souffle, n'osant pas bouger. Ses mains enserraient le verre et la peur lui donnait la chair de poule.

— Alison? demanda-t-elle d'une voix rauque.

L'intrus était une femme. Elle en avait la certitude.

— Alison, c'est toi?

Lentement, elle pivota.

Personne. Kate tourna les yeux vers la porte du salon. L'humidité l'avait légèrement gauchie au fil des années, si bien qu'elle produisait un grincement distinctif lorsqu'on l'ouvrait ou la fermait. Or, elle n'avait pas entendu ce bruit caractéristique.

— Tu perds la tête, Kennedy.

Elle but une autre gorgée de whisky. La chaleur lui brûla la gorge, se répandit dans ses veines et lui donna le courage nécessaire pour ouvrir la porte. Le vestibule était désert. La porte d'entrée était verrouillée, comme elle l'avait laissée peu de temps auparavant. Il n'y avait personne. Résolument, le verre toujours à la main, elle grimpa l'escalier et entra dans sa chambre en allumant. Tout était à sa place. Elle hésita un moment devant l'autre pièce, puis ouvrit la porte d'un coup et actionna l'interrupteur. Rien n'avait changé. La chambre était maintenant en ordre, presque vide. Ses valises avaient été rangées contre le mur et ce qui restait des toiles de Greg avait été transporté dans son studio de fortune, à la ferme. Les deux fenêtres étaient fermées. Même les mouches avaient disparu. Du torque, il n'y avait toujours aucune trace.

En poussant un soupir de soulagement, elle descendit pesamment l'escalier et retourna au salon.

Bon Dieu, encore cette odeur ! Cette odeur de terre et ce parfum sucré, indéfinissable. Kate entassa des bûches dans le poêle, dont elle referma bruyamment les portes.

— Va au diable, Marcus, et laisse-moi tranquille ! lança-t-elle à voix haute.

Se tournant pour éteindre la lampe, elle lâcha son verre en poussant un hurlement.

Il y avait une femme dans le coin de la pièce !

En un éclair, Kate vit ses cheveux châtains, sa longue robe bleue tachée et déchirée, et sut qu'elle l'avait déjà vue. L'instant d'après, la femme avait disparu, ne laissant dans l'air qu'une odeur de terre mouillée et un parfum étouffant.

Un goût amer dans la bouche, Kate recula vers la porte et battit en retraite jusqu'au vestibule, les yeux rivés sur l'endroit où la femme se tenait quelques secondes auparavant. Elle ne croyait pas aux fantômes. Ce n'étaient que des histoires à dormir debout, un sujet de plaisanterie avec les Lindsey. Son imagination lui jouait des tours. Oui, c'était cela. Qui a dit que nous sommes tous fous la nuit ? Mark Twain ? Aucune importance, c'était vrai.

Mais peut-être était-ce dû au whisky ? Elle avait sans doute trop bu. La bouteille était dans le salon, là où… cette chose était apparue. Tant pis, elle s'en passerait. Elle grimpa l'escalier quatre à quatre et entra en coup de vent dans sa chambre. Ses mains tremblaient encore, mais pas assez pour l'empêcher de pousser le fauteuil victorien, lourd malgré sa petite taille, contre la porte. Pourquoi n'avait-elle pas insisté pour que le serrurier pose un verrou à la porte de sa chambre, cet après-midi ?

Kate se déshabilla prestement et sauta dans son lit en relevant les couvertures par-dessus sa tête. A ce moment seulement, elle se souvint que les fantômes peuvent passer à travers les murs.

22

Assis devant son ordinateur, Patrick se renfrogna. La formule mathématique sur laquelle il avait travaillé si longtemps ne sortait pas. Il s'arrêta en regardant dans le vide. La cacophonie provenant de la chambre de sa sœur le dérangeait. Le jeune homme soupira. Crier ne servirait à rien. En fait, cela inciterait sans doute Alison à augmenter le volume. Comment avait-elle obtenu de Greg qu'il lui achète une nouvelle radiocassette ? Leur père avait dit que l'assurance finirait sûrement par payer, mais pourquoi Greg avait-il avancé la somme aussi vite ? Patrick réfléchit à la question encore quelques minutes, mais bientôt, les symboles sur l'écran attiraient de nouveau son attention.

Fidèles compagnons dans la quasi-obscurité, ses livres étaient sagement alignés sur les étagères autour de lui. Dans la pièce, les seules sources d'éclairage étaient la lampe sur un coin de la table et l'écran de l'ordinateur.

Il frappa la touche d'entrée des données à quelques reprises encore, prenant subitement conscience du son lointain des vagues, du gémissement du vent d'est et du bruit de la pluie contre la fenêtre.

Devant lui, l'image ondula. Il fronça les sourcils et se frotta les yeux. Une lettre disparut, puis une autre, et une autre encore.

— Oh, non ! Pas une saloperie de virus !

Serrant les dents, il tenta de sauvegarder ce qu'il avait réussi à élaborer, mais déjà l'écran était vide et le curseur se déplaçait de nouveau régulièrement. Lentement, un message apparut :

Puissent les dieux te maudire, Marcus Severus, et punir ton corps putréfié et ton âme corrompue pour ce que tu as fait aujourd'hui...

Patrick semblait pétrifié, les mains crispées sur les bras de son fauteuil. Pendant un moment, il lut et relut le message sans comprendre, puis il bondit avec une telle violence que son siège tomba à la renverse.

— Allie ! Allie ! hurla-t-il en se précipitant vers la chambre de sa sœur. Qu'as-tu fait à mon ordinateur, espèce de bourrique ?

Après la pénombre relative dans laquelle il travaillait, la clarté de la chambre de sa sœur l'aveugla. Au moins six ampoules brillaient là-dedans : deux projecteurs, le plafonnier et trois lampes de table, placées par terre à des endroits stratégiques. Pas étonnant qu'elle ait mal à la tête !

Alison était étendue sur le lit, encore tout habillée, une expression vide sur le visage, tandis qu'elle écoutait pour la millième fois sa cassette des Sisters of Mercy.

Patrick se jeta sur son appareil et le débrancha rageusement.

— Te rends-tu compte de ce que tu as fait? Tu as tout bonnement foutu mon projet en l'air!

— Quoi? fit-elle en le regardant sans le voir.

Le silence total succédant au vacarme de la musique produisait un effet étrange.

— Le message sur mon écran. Très drôle! C'est à se tordre, vraiment!

Il postillonnait de rage.

— Quel message? demanda Alison en se recouchant et en se couvrant les yeux de son bras. Je n'ai pas touché à ton stupide ordinateur.

— Allie, dit-il d'une voix subitement très calme, je te préviens.

— Je te l'ai dit, je n'ai rien à voir avec cela. Fous le camp.

— Viens avec moi, ordonna-t-il en la tirant du lit.

— Paddy! Tu me fais mal! s'exclama-t-elle en le suivant contre sa volonté.

— Tiens, explique-moi cela! s'écria-t-il, désignant l'écran.

Alison se pencha et l'examina.

— Ce sont des trucs de maths. Je n'ai pas la moindre idée de ce que cela signifie.

— De maths? fit-il en la poussant sur le côté.

L'écran fonctionnait parfaitement et la formule y était inscrite, dans sa totalité. Il la regarda d'un air incrédule.

— Mais tout était parti. Il y avait un message, une malédiction...

— Des clous, dit-elle méchamment. Je peux m'en aller, maintenant?

Patrick ne l'entendit pas.

— Je l'ai vu. Un message. Une malédiction...

Mais Allie était déjà partie en faisant claquer la porte derrière elle.

156

23

— J'espère qu'il ne neigera pas trop, dit Sam Wannaburger, l'éditeur américain de Jon, en soulevant la pesante valise de l'écrivain. Je suis tellement content que vous ayez accepté notre invitation.

Il était venu prendre Jon à son hôtel en voiture. Après une longue route, ils s'étaient enfin arrêtés devant une maison aux murs de bardeaux, en retrait de la rue principale, dans une petite ville du fin fond du Massachusetts. Les projecteurs extérieurs éclairaient les lignes harmonieuses du bâtiment et les pins qui l'entouraient, donnant un air éthéré à l'ensemble sous la neige.

— Quoi qu'il arrive, il est maintenant trop tard pour le regretter. Nous avons des heures de discussion devant nous, ainsi que de quoi boire et manger : il peut bien neiger ! S'il est impossible de regagner la ville en voiture, nous prendrons le train !

Il donna une grande claque dans le dos de Jon et le poussa vers l'entrée.

La maison était superbe. Avec fierté, Sam avait expliqué à son hôte qu'il s'agissait d'une demeure du dix-neuvième siècle entièrement rénovée. La cheminée mesurait presque quatre mètres de large et les bûches qui y flambaient étaient de taille appropriée. Les immenses fauteuils et canapés placés devant l'âtre avaient de toute évidence été conçus pour des géants. Une odeur de serre chaude flottait dans la pièce et... Jon dissimula un sourire en levant la tête pour humer l'air subrepticement. Avait-il bien perçu un arôme de tarte aux pommes ?

L'épouse de Sam était d'une douloureuse minceur. Elle semblait fragile au point de se briser au moindre mouvement brusque. La main qu'elle tendit à Jon évoquait vaguement une branche dépouillée de ses feuilles. Il était en présence d'une de ces Américaines qui le remplissaient de tristesse. Corsetée, éternellement au régime, le visage transformé par la chirurgie plastique, la maîtresse de maison était vêtue d'un fourreau de soie qui avait dû coûter quelques milliers de dollars à ce bon vieux Sam. Elle semblait si mal à l'aise que Jon souffrait pour elle. Malgré tous ses efforts (ou peut-être même à cause d'eux) elle paraissait bien plus âgée que son jovial époux, bedonnant et chauve. Tandis qu'elle avançait vers Sam sur la pointe des pieds et lui tendait une joue fardée, Jon se demanda si elle se laissait jamais aller à quelque salutaire extravagance. Cette pensée le ramena à Kate et il se rembrunit. Inquiété par le cambriolage, il avait essayé de lui téléphoner à trois reprises de Boston, mais elle n'avait pas répondu. Machinalement, il consulta sa montre : dix-huit heures. Il était donc vingt-trois heures environ en Angleterre. Il se tourna vers Sam :

— Pourrais-je essayer d'appeler Kate une dernière fois ? Elle devrait être à la maison, maintenant.

— Bien sûr, répondit Sam d'un air radieux. Je vais vous montrer votre chambre. Vous y trouverez un téléphone.

Il s'empara de la valise de Jon et ouvrit la marche vers le grand escalier. La chambre de Jon n'était pas aussi vaste qu'il l'avait d'abord craint, mais son opulence dépassait ses rêves les plus fous : le lit, les chaises, les rideaux, le tapis, tout était dans des tons de vert. On aurait dit quelque refuge sylvestre. Jon sourit en songeant à cette métaphore ridicule, exagérée, à l'image de la pièce où il se trouvait, à l'image de son hôte. Mais pourtant, quel accueil chaleureux ! Une fois seul, il s'assit sur le lit et prit le téléphone.

Une vingtaine de minutes plus tard, après avoir pris sa douche, Jon rejoignit Sam. Son appel n'avait donné aucun résultat. Les téléphonistes avaient établi que l'appareil du cottage de Redall était subitement et inexplicablement tombé en panne.

24

Les prêtres s'étaient dirigés en procession vers le lieu sacré, au milieu du cercle d'arbres, sur la butte dominant le marais. Ils gagnaient leurs places désignées dans le cercle. Nion était jeune, mais son sang royal lui donnait une certaine préséance.

Il promena son regard sur l'assemblée. Les visages de ses maîtres, de ses amis, de ses confrères étaient fermés, leurs pensées tournées vers l'intérieur. Le jeune homme s'efforça de ramener son attention à la prière et à la méditation. Il n'avait assisté au choix de la victime qu'une seule fois auparavant. Le pain sacré avait alors été cuit sur la flamme et rompu comme il était prescrit depuis des siècles. Le morceau brûlé, celui qui revenait aux dieux, avait été tiré par un vieux druide de plus de quatre-vingts étés : un homme prêt à se conformer à la volonté divine. Pourtant, même lui avait eu un moment de terreur en se voyant désigné, avant d'incliner la tête en signe de résignation.

La cérémonie était strictement réglée. L'élu était honoré et couronné par ses confrères. Durant les quelques heures le séparant de la mort, il faisait ses adieux à sa famille et mettait de l'ordre dans ses affaires. Le moment venu, il se dévêtait, se baignait dans les eaux sanctifiées par des herbes et des épices, puis, après avoir bu le vin somnifère, il s'agenouillait pour le sacrifice. Il mourait par le garrot si le sacrifice était dédié aux dieux de la terre, par la corde s'il devait satisfaire les dieux du ciel, et par la noyade s'il devait apaiser ceux des rivières et des mers.

Comme les autres, Nion assista en silence, la tête couverte, à la bénédiction et au chauffage de la pierre servant à la cuisson. L'appréhension lui nouait la gorge, quoique le choix fût déjà arrêté. Il regarda furtivement le druide le plus âgé, un vieillard frêle comme un roseau dont le visage était à moitié dissimulé par un capuchon de lin. Il serait presque certainement choisi. Le pain circulerait d'une manière telle qu'il recevrait le morceau brûlé. Comment se sentait-il, sachant que l'aube prochaine serait sa dernière ?

Nion ferma les yeux et essaya de prier, mais à midi il devait retrouver Claudia. Son corps musclé, vigoureux et plein de désir frémissait à cette pensée. Il se réprimanda sévèrement et ramena son attention à ce qui se déroulait devant lui.

Le pain était maintenant cuit et répandait une vive odeur dans le matin clair. Mais il lui vint également une senteur de brûlé aux narines et il déglutit nerveusement, reportant malgré lui les yeux sur le vieillard, dont le visage était maintenant d'une pâleur malsaine.

Les bras croisés sous les pans de son manteau, il attendit que le pain ait refroidi et soit divisé en petits morceaux — vingt et un, sept fois trois : un pour chacun des hommes présents. On plaça ces morceaux dans un panier qu'on fit circuler. L'une après l'autre, les mains fouillaient dans le panier pour y prendre un morceau. L'un après l'autre, les visages se détendaient et les prêtres mangeaient leur portion. Arriva le tour du vieillard. Il plongea une main tremblante dans le panier et l'en retira. Nion le vit tourner le morceau de pain encore et encore entre ses doigts d'un air incrédule. Puis son visage se détendit et sa bouche forma un sourire édenté. Les dieux n'avaient pas voulu d'un vieil homme débile. Devant la menace que faisait planer Rome, un tel sacrifice était insuffisant.

La peur étreignit l'estomac de Nion. Il s'aperçut soudain que plusieurs des participants le regardaient à la dérobée sous leur capuchon.

Le panier approchait. Ses mains étaient moites. Il ne restait que cinq morceaux. Tout d'un coup, le panier se trouva devant lui, tendu par le druide qui avait fait cuire le pain et en avait tiré le premier morceau. Hésitant, Nion leva les yeux vers les autres et

lut le sort qui l'attendait sur leurs visages avant même
de plonger la main dans le panier.

Le morceau de pain qu'il prit était encore chaud et
se défaisait dans sa main. Il était brûlé.

A six heures du matin, la marée avait atteint son point culminant. Le vent du nord-est, accouru des monts Oural, apportait de la neige, en dressant des vagues menaçantes sur la mer.

S'agitant sans cesse dans son lit, Alison était la proie de rêves oppressants. La terre froide et humide pesait sur elle, obstruait ses narines, l'aveuglait, emplissait ses oreilles, la faisait disparaître sous les joncs, cachant en même temps ce qui devait être révélé. Alison se redressa brusquement avec un cri d'angoisse, cherchant à se défaire de sa couverture. Dehors régnait une obscurité totale et la pluie tombait bruyamment sur le jardin.

Encore sous le choc, Alison se leva et chercha ses vêtements. Les coups de boutoir dans sa tête étaient devenus incessants, comme le battement des vagues contre le rivage. Ils la poussaient, la forçaient à agir contre sa volonté. Elle ouvrit la porte de sa chambre et tendit l'oreille. La maison était silencieuse. Ses parents étaient couchés de l'autre côté, dans une pièce qui donnait sur les bois. Dans les chambres à côté de la sienne, Greg et Patrick dormaient toujours comme des marmottes jusqu'au matin. Alison frissonna. Aujourd'hui, il faisait un temps à réveiller les morts.

Sans réellement savoir ce qu'elle faisait, elle mit son imperméable, ses bottes, et ouvrit la porte d'entrée. Le vent rugissait dans le matin, glacé, et c'est avec difficulté qu'elle referma la porte. En courbant la tête, elle se dirigea vers le chemin qui traversait les bois. Tout ce dont elle avait conscience, c'est qu'elle devait se rendre à la tombe.

Elle devait la sauver avant que la marée ne l'emporte.

25

Kate, épuisée, avait finalement réussi à s'endormir. Mais le bruit des gouttes d'eau qui tambourinaient contre la vitre l'avait éveillée, elle aussi, vers six heures. Cette fois, la pluie tombait dru et son vacarme arrivait presque à couvrir les hurlements du vent.

Kate ne voulait pas se lever. Quelque chose d'effrayant l'attendait en bas. Elle pourrait l'affronter le jour venu, mais pour l'instant, mieux valait rester au chaud sous les couvertures, toutes lumières allumées. Avec lassitude, elle se cala contre ses oreillers et tendit le bras vers son livre sur la table de chevet.

Une heure plus tard, lorsqu'elle se traîna hors du lit et ouvrit les rideaux, tout ce qu'elle put voir fut l'obscurité et les gouttes de pluie descendant le long de la vitre. Pas question de retourner au lit, pourtant. Elle était trop consciente du silence de l'autre côté de la porte.

Elle enfila son jean et un chandail épais et s'avança sur le palier. Tout semblait normal. Elle attendit plusieurs secondes, indécise, puis dévala l'escalier et pénétra en coup de vent dans le salon. La pièce était vide. Le poêle chauffait doucement, tout était à sa place et la lumière était allumée dans toutes les pièces — sa note d'électricité serait sûrement salée. Il n'y avait aucune odeur étrange, aucune silhouette tapie dans l'ombre.

Elle se baigna le visage avec un peu d'eau froide, se fit un café fort et se prépara un bol de muesli arrosé de lait. Elle était une idiote de première classe, doublée d'une mythomane trouillarde ! Tout ce qu'il lui fallait, c'était un café, un peu de nourriture et une bonne sortie sous la pluie pour se remettre les idées d'aplomb.

Les coups résonnant à sa porte la tirèrent de ses pensées. C'était Greg. L'eau dégouttait de son ciré. Il en avait relevé le col et gardait les mains enfoncées dans ses poches.

— Vous voyez : pas de clé. J'ai dû frapper, dit-il d'un air sombre. Puis-je entrer, ou suis-je trop dangereux pour qu'on me laisse franchir le seuil ?

— Bien sûr que vous pouvez entrer ! répondit Kate en refermant péniblement la porte derrière lui. Pourquoi ce ton sarcastique ?

— Ce ton sarcastique, comme vous dites, est peut-être consécutif aux deux heures d'interrogatoire que m'a fait subir la police, la nuit passée. Apparemment, elle croit encore, comme vous, que je suis responsable de votre cambriolage.

Il retira son ciré, le pendit à la boule de la rampe d'escalier et s'ébroua comme un jeune chien.

— J'ai pensé venir vous remercier personnellement de votre confiance et reprendre, en passant, une ou deux des choses qui m'appartiennent et que je ne tiens guère à laisser ici, maintenant.

Kate sentit monter en elle une hostilité capable de rivaliser avec celle de Greg.

— Je vous assure que je ne vous ai pas accusé, rétorqua-t-elle, furieuse. S'ils vous croient coupable, l'idée leur est venue d'une autre source. D'ailleurs, je commence à me demander s'ils n'ont pas raison. Cela ressemblait bien au genre de tours stupides que vous pourriez essayer de me jouer pour me chasser d'ici. C'était bien votre intention, n'est-ce pas ? Me chasser d'ici ?

— Ce serait un réel plaisir. Mais de toute manière, je crois bien que les éléments s'en chargeront pour moi. Maintenant, si cela ne vous fait rien, je vais reprendre mes affaires et vous laisser savourer votre triomphe derrière vos portes barricadées.

— Qu'avez-vous laissé ici, au juste? Je croyais que vous aviez tout emporté mercredi soir.

— Les tableaux détruits, oui. Mais deux sont restés intacts, accrochés aux murs.

Sans plus s'intéresser à elle, il entra au salon. Dans un coin, près de la fenêtre, était suspendu un petit dessin représentant une femme. Kate l'avait à peine remarqué. Greg le décrocha et le posa sur la table.

— Il y en a un autre là-haut. Permettez?

L'air toujours aussi buté, il grimpa les marches.

Restée seule dans le vestibule, Kate haussa les épaules. Quelle mesquinerie! Par curiosité, elle se dirigea vers la table et examina le dessin.

Greg revint au salon au moment même où elle lançait une exclamation étouffée.

— Qu'est-ce que cela signifie? dit Kate en se tournant vers lui avec colère, le visage pâle. Vous l'avez vue?

— Mais qui donc?

Il avait à la main le tableau représentant des jacinthes qui était accroché dans la chambre. Kate y jeta un regard empreint de regret. C'était son préféré.

— La femme du tableau. Elle est venue ici. Hier soir.

— C'est impossible, répondit Greg, l'air troublé. Je l'ai inventée. Ce n'est qu'un visage imaginaire.

Un visage qui le tourmentait depuis qu'il s'était imposé à son esprit.

— Mais vous le trouvez si important que vous ne pouvez le laisser ici, avec moi.

Kate avait parlé si doucement que Greg dut tendre l'oreille pour la comprendre.

— Parfaitement, rétorqua-t-il. Qu'est-ce que cela signifie: vous l'avez vue hier? Vous avez reçu de la visite? Etes-vous bien sûre qu'il ne s'agissait pas d'un cambrioleur ou d'un vandale?

— C'était un fantôme.

L'affirmation était si catégorique qu'il crut avoir

mal entendu. C'était lui qui était censé chercher à l'effrayer, mais cette phrase lui avait donné la chair de poule.

— Où l'avez-vous vue ?

— Là. Presque à l'endroit où vous vous tenez. Sa robe était bleue, comme dans les autres peintures que vous avez faites. Les rubans et les peignes dans ses cheveux étaient noirs.

— Supposons que je l'aie déjà vue (oui, il l'avait vue, en rêve, en imagination, dans son cœur, même), cela ne vous effrayerait-il pas de vivre sous le même toit qu'un revenant ?

Kate demeura silencieuse un moment, puis leva les yeux vers lui et le regarda bien en face.

— Pour être tout à fait franche : oui, je crois.

— Vous allez rester, néanmoins, ne serait-ce que pour me contrarier.

— Si vous me permettez une simple remarque, vous vous faites une idée très exagérée de l'importance que vous avez pour moi, dit-elle très sérieusement. Je reste parce que je suis venue écrire un livre, et parce que je n'ai pas d'autre endroit où aller. Je n'ai pas les moyens de vivre à Londres, pour l'instant.

« Voilà, c'est lâché. Pas besoin d'entrer dans les détails », conclut-elle en pensée.

— Dommage que vous emportiez celle-là. Je l'aimais bien, ajouta-t-elle en pointant le doigt sur le tableau qu'il tenait sous son bras.

Cette dernière remarque, qui se voulait une offre de paix, ne trouva aucun écho chez Greg.

— Vous pourrez toujours vous acheter une reproduction si vous avez besoin de fleurs sur votre mur.

— Je ne me donnerai pas cette peine. Maintenant, s'il n'y a rien d'autre, j'aimerais retourner au travail. Vous devez sûrement vous présenter à un poste de police quelque part ? demanda-t-elle avec un sourire mielleux.

— Navré de vous décevoir, dit-il sur un ton de

colère retenue, mais ils ne m'ont pas arrêté. Pas plus qu'aucun de mes amis.

— Ce ne doit être qu'une question de temps, alors, lança-t-elle en se dirigeant vers la porte.

Le vent avait légèrement changé de direction et une pluie glaciale pénétra avec force dans le vestibule. Kate recula, tandis que Greg sortait sans se retourner.

Son intuition lui disait qu'il ne mentait pas : il n'avait rien à voir avec le cambriolage. Mais le dessin ? Que signifiait le dessin de cette femme ?

Kate attendit que le véhicule ait disparu pour mettre son imperméable et un foulard. Son bel enthousiasme s'était évanoui, mais elle n'en restait pas moins déterminée à sortir pour tenter de se débarrasser de son affreux mal de tête et mettre ses idées en ordre pour son prochain chapitre.

L'herbe humide mouilla le bas de son pantalon tandis qu'elle se dirigeait vers la plage, que découvrait la marée basse.

Tournant résolument le dos à l'excavation, Kate marcha contre le vent, les mains enfoncées dans ses poches. L'atmosphère avait une pureté de cristal et la mer étincelait comme du métal poli. Tout près, un goéland poussa son cri.

Elle dut toutefois interrompre rapidement sa promenade. Plus loin sur les vagues, un rideau sombre s'avançait vers la baie de Redall, laissant présager une averse de grêle. Kate fit demi-tour et marcha d'un pas rapide, plus à l'aise maintenant qu'elle avait le vent dans le dos.

Elle ne put résister à l'envie de jeter un coup d'œil à la tombe, juste pour voir si elle n'avait pas été complètement emportée. Chaque marée constituait maintenant une menace.

Kate touchait au but quand l'averse débuta. Elle grimpa jusqu'au sommet de la dune en glissant à chaque pas et plongea son regard dans l'excavation.

Alison était agenouillée sur le sable, les bras pendants, les mains nues, les yeux fixés sur la paroi sablonneuse. Un coup d'œil à la zone où l'on voyait les algues humides et les coquillages déposés par la mer apprit à Kate que la marée haute du matin ne s'était pas approchée du site. Pour l'heure, l'excavation était préservée.

Kate hésita, se demandant s'il ne valait pas mieux s'éloigner sans bruit pour ne pas déranger la jeune fille et s'épargner ainsi un flot d'injures. Alison restait immobile. En fronçant les sourcils, Kate s'approcha. Elle ne voyait pas de pelle, pas de truelle, pas de radiocassette ni d'outil d'aucune sorte. Alison semblait pétrifiée. Ses longs cheveux tombaient en désordre et sa parka déboutonnée battait contre son corps.

— Alison? dit Kate, mal à l'aise.

Elle s'attendait que la jeune fille réagisse furieusement contre cette intrusion, mais Alison ne fit pas un geste.

— Alison! lança de nouveau Kate, inquiète, en descendant vers elle. Alison? Est-ce que ça va?

L'adolescente ne semblait pas avoir entendu et gardait les yeux fixés sur le sable et la tourbe de la dune.

— Alison?

Maintenant franchement alarmée, Kate entoura de son bras les épaules de la jeune fille et la secoua légèrement. Son corps était rigide et froid. Sous sa parka, elle ne portait qu'un mince chandail et un tee-shirt.

— Alison, que se passe-t-il?

La grêle sembla redoubler. Les petits projectiles de glace crépitaient contre l'herbe desséchée et s'abattaient dans le sable. Kate vit avec horreur qu'Alison ne cillait même pas sous l'impact des grêlons qui rebondissaient sur ses joues et fondaient sur son visage.

Elle prit sa main glacée et se mit à la frictionner vigoureusement.

— Alison, il faut te lever. Viens. Tu ne peux pas rester ici. Tu vas attraper une pneumonie. Debout !

La jeune fille ne semblait toujours pas entendre. Sa main était froide et molle comme celle d'une morte.

Kate regarda autour d'elle. Des mèches de cheveux pendaient en dégoulinant devant ses yeux et le vent lui glaçait le visage. En quelques minutes seulement, la mer était devenue noire comme de l'encre. L'horizon n'offrait plus de démarcation entre le ciel et l'eau. Tout était sombre et menaçant.

— Viens, Alison. Le temps se détériore.

Kate laissa tomber la main de la jeune fille et s'accroupit devant elle. Ses yeux fixaient obstinément le vide. Elle ne réagit même pas lorsque Kate la gifla.

Derrière elles, une autre vague de grêlons s'avançait sur la plage, en laissant sur le sable un étrange voile blanc.

Désespérée, Kate enleva sa veste et la lança sur les épaules d'Alison. Puis, passant un bras de la jeune fille autour de son cou, elle essaya en vain de la mettre debout.

— Lève-toi, espèce d'idiote, lève-toi ! cria-t-elle à travers ses dents serrées. Tu vas mourir de froid.

Kate luttait désespérément contre l'inertie d'Alison. Elle mesurait cinq centimètres de moins que Kate, mais rien ne semblait pouvoir la faire bouger.

Kate mit fin à ses efforts inutiles et se redressa en essuyant son visage. L'eau commençait à imprégner son chandail.

— Je t'en prie, Allie, tu dois essayer. Lève-toi, je t'aiderai. Nous irons au cottage. Il fait chaud là-bas et nous y serons en sécurité.

Malgré elle, Kate regarda furtivement les parois de sable qui les entouraient. A ce moment précis, elle refusait d'imaginer ce qui avait pu mettre Alison dans un tel état.

Passant à nouveau le bras d'Allie autour de ses

épaules, elle entoura sa taille, puis se mit à tirer de toutes ses forces. Pour la première fois, Alison remua.

— C'est ça, aide-moi. Essaie de te lever.

Maladroitement, la jeune fille se mit sur pied et s'appuya lourdement contre elle.

— C'est bien. Maintenant, il faut sortir d'ici. Un pas à la fois. Doucement... Voilà.

Malgré l'averse glaciale, le visage de Kate était en sueur. Moitié tirant, moitié poussant, elle réussit à faire sortir Alison de l'excavation. Ses yeux restaient fixes et elle ne semblait pas se rendre compte de ce qui se passait. Elle titubait aux côtés de Kate comme une poupée de son.

Elles durent s'arrêter à deux reprises pour que Kate reprenne son souffle, mais au bout d'un long moment elles arrivèrent enfin au cottage. Kate réussit à appuyer Allie contre le mur pendant qu'elle cherchait ses clés. Enfin, la porte s'ouvrit et elles échappèrent à la grêle. Kate traîna Alison jusqu'au salon et la laissa tomber sur le canapé. A bout de forces, elle courut à l'étage et tira une couverture de son lit. Saisissant sa robe de chambre au passage, elle redescendit l'escalier en courant. Alison était là où elle l'avait laissée, affalée sur le canapé.

Avec maladresse, Kate cala la jeune fille contre les coussins et entreprit de lui enlever son chandail et son tee-shirt détrempés, pour lui passer la robe de chambre en tissu-éponge. Elle enleva ensuite les bottes, les chaussettes et le jean, hissa les jambes d'Allie sur le canapé et l'enveloppa dans la couverture.

— Le téléphone.

En réalisant qu'elle claquait des dents, Kate se dirigea vers la cuisine. Tremblant de tous ses membres, elle attendit que la sonnerie résonne à la ferme de Redall. Ce fut seulement à la deuxième tentative qu'elle s'aperçut de l'absence de tonalité. La ligne fonctionnait pourtant : elle pouvait entendre un léger bruit de fond, comme si quelqu'un respirait à l'autre bout.

— Oh non, je vous en prie! s'exclama Kate dans un sanglot.

En serrant les dents, elle fit précipitamment le numéro d'urgence, mais seul le silence lui répondit. A l'autre bout du fil, on aurait dit que quelqu'un d'aussi désespéré qu'elle tendait l'oreille.

— Allô? cria-t-elle en secouant le combiné. Allô, m'entendez-vous? Y a-t-il quelqu'un?

Pas de réponse. Une nouvelle rafale de vent précipita la pluie verglaçante contre les vitres de la cuisine. Lentement, Kate raccrocha. Jamais elle ne s'était sentie aussi seule.

Elle retourna au salon et se pencha sur Alison. Ses traits avaient conservé la même expression de surprise et de terreur. Ses paupières ne battaient pas et ses pupilles, contractées et immobiles, ne semblaient pas réagir à la faible lumière du salon. La jeune femme lui prit la main sous la couverture. Elle paraissait légèrement plus chaude, mais peut-être Kate se trompait-elle. Que fallait-il donc faire dans les cas d'hypothermie? Ne pas donner d'alcool, non? Des bouillottes d'eau chaude. Elle n'en avait pas et ne se rappelait pas en avoir vu dans la maison. Une brique chauffée. N'était-ce pas ce qu'on utilisait autrefois? Une brique chauffée et enveloppée dans de la flanelle. Kate sourit tristement. Elle n'avait aperçu ni brique ni flanelle où que ce fût dans le cottage. Puis elle se souvint des pierres qui servaient de bordure. De grosses pierres rondes provenant sans doute de la plage. L'une d'entre elles, enveloppée dans une serviette, ferait sûrement l'affaire. Dehors, la tempête faisait rage. La grêle et la neige fondante qui fouettèrent son visage rappelèrent à Kate qu'elle aussi était trempée jusqu'aux os et qu'elle grelottait de froid. Elle se précipita vers une des lourdes pierres. Pendant un instant, Kate crut qu'elle ne parviendrait jamais à la faire bouger, mais le sol gelé finit par céder avec un petit bruit de succion. La pierre était étonnamment lourde et Kate rentra avec son fardeau en titubant. Elle le posa sur le poêle, qu'elle entreprit de remplir de bûches.

— Ce ne sera pas long, lança-t-elle par-dessus son épaule. Je prépare quelque chose pour te réchauffer les pieds. Veux-tu une boisson chaude ? Tu es en sécurité maintenant, Allie. Essaie de te réveiller un peu.

En s'asseyant sur le bord du canapé, elle posa la main sur l'épaule de la jeune fille, qui réagit brusquement. Son mouvement fut si soudain et violent que Kate sursauta.

— Tu es en sécurité, Allie, répéta-t-elle doucement. Tu ne dois pas avoir peur.

Malgré elle, Kate regarda en direction de la fenêtre. On ne pouvait rien voir derrière le rideau de pluie glacée qui frappait la vitre. Que s'était-il passé là-bas ? Elle regretta amèrement que Greg ne soit pas resté plus longtemps, ou qu'il ne soit pas revenu prendre une toile oubliée. Peut-être devrait-elle essayer le téléphone encore une fois ?

Comme elle se levait, Alison agrippa son poignet. Kate poussa un cri étouffé. La jeune fille la regardait fixement, son visage pâle tourné vers elle.

— Ne me laissez pas.

Sa voix était rauque, à peine audible, mais Kate poussa un soupir de soulagement.

— Tout va bien. Tu es en sécurité.

— Non, répondit Alison en hochant la tête.

Le mouvement sembla lui faire mal. Elle ferma les yeux et laissa retomber mollement le haut de son corps. Pendant un bref moment, Kate fut soulagée de ne plus avoir à supporter l'horrible regard, mais cette réponse monosyllabique lui avait glacé le sang.

— Pourquoi n'es-tu pas en sécurité ?

Elle crut d'abord qu'Alison ne l'avait pas entendue, mais celle-ci ouvrit lentement les yeux.

— Ils sont libres, murmura-t-elle en serrant la

main de Kate avec une force surprenante, je les ai libérés.

Son élocution était brouillée, comme si elle était légèrement ivre.

— Ils attendent depuis longtemps. Claudia... Claudia veut sa vengeance.

— Claudia ? Qui est Claudia ?

Alison esquissa un sourire tremblant, mais sa voix était étrangement forte :

— Claudia est une putain, une traîtresse. C'est un animal. Elle méritait la mort.

— Alison, sais-tu où tu te trouves ? bégaya Kate.

La jeune fille ouvrit brusquement les yeux et promena un regard incertain sur la pièce avant de s'arrêter sur Kate. Pendant un instant, elle ne dit rien puis fondit en larmes.

Une vague de compassion balaya tous les sentiments que Kate avait pu entretenir auparavant à l'égard d'Alison. Elle se pencha vers elle et la serra dans ses bras. La jeune fille semblait tout à coup aussi frêle qu'un oiselet et Kate sentit ses côtes sous la mince robe de chambre. Sa peau était encore terriblement froide.

— Ecoute, laisse-moi chercher une serviette là-haut. J'ai fait chauffer une pierre pour toi. Je vais l'envelopper et la mettre à tes pieds.

Kate se leva à demi en regardant en direction du poêle.

— Non ! s'exclama Alison en l'agrippant de nouveau. Ne me laissez pas.

Kate retomba à côté d'elle sur le canapé.

— Tu n'as aucune raison d'avoir peur ici, Alison, répéta-t-elle doucement. Tu es en sécurité.

Comme pour contester son affirmation, une rafale de vent plus forte que les autres ébranla le cottage. De la fumée redescendit dans le tuyau du poêle et sortit par les portes ouvertes, répandant dans la pièce une âcre odeur de chêne et de pommier brûlés. Kate leva les yeux vers la fenêtre en se demandant si elle tiendrait contre la tempête. Une lueur attira son regard. De l'eau. La fenêtre n'était pas entièrement étanche. Sans lâcher la main d'Alison, Kate se pencha légèrement de côté pour mieux voir. C'était bien cela : une petite flaque s'était formée sur le rebord. Kate regarda plus attentivement. De petits bouts de feuilles, de même que des grains de terre y flottaient, et plusieurs vers se tortillaient au bord.

Kate crut qu'elle allait vomir.

— Qu'y a-t-il ? Qu'est-ce qui se passe ? cria Alison au bord de la panique. Qu'avez-vous vu ?

Elle agrippa encore plus fort la main de Kate.

— Rien. Rien du tout.

Kate tenta de se libérer en grimaçant sous la force de sa poigne.

— Juste un peu d'eau qui s'est infiltrée, c'est tout. Rien de bien surprenant étant donné la force du vent.

Elle s'efforçait autant à conserver son calme qu'à rassurer la jeune fille.

— Ecoute, il me faut quelque chose pour essuyer cela. Il doit y avoir une fuite dans le cadrage. Je vais la boucher avec une serviette et ensuite, je te prépare une bonne boisson chaude. Je suis sûre que tu aimerais cela, n'est-ce pas ?

— Non, non, fit Alison en agitant frénétiquement la tête. Ne comprenez-vous pas ? Claudia s'est libérée. Claudia et…

Elle parut hésiter, l'air tendu, la tête subitement inclinée, comme si elle essayait d'entendre des voix lointaines.

— Claudia et… et… Claudia et…

Sa voix devint un murmure. Peu à peu, un grand étonnement envahit ses traits.

— Qu'est-ce que je disais ?

— Rien, Allie. Rien du tout.

Kate s'efforçait d'exprimer un calme qu'elle ne ressentait pas. Cette enfant délirait. Quels étaient les symptômes de l'hypothermie ? La panique, un comportement bizarre? Ô Seigneur! Il fallait un médecin.

— Allie, laisse-moi téléphoner à ta mère. Tu n'as rien à craindre ici. Je vais à côté, dans la cuisine. Regarde, je vais laisser les deux portes ouvertes pour que tu puisses bien me voir.

— Non!

La voix d'Alison s'enfla jusqu'à devenir un cri. Kate en eut la chair de poule. La jeune fille luttait maintenant avec la couverture.

— Je vais avec vous. Je n'aime pas cet endroit. Cette fenêtre! Elle va passer par la fenêtre! s'exclama-t-elle en étendant le bras.

Kate regarda dans la direction que désignait Alison. Il y avait davantage de terre dans la flaque d'eau. De la terre et de la tourbe. Elle sentit sa gorge se contracter et crut apercevoir un mouvement du coin de l'œil. Tout d'un coup, elle prit une décision.

— D'accord, allons ensemble dans la cuisine. Viens, je vais t'aider. Nous allons nous préparer une boisson chaude et je vais essayer de téléphoner.

« Mon Dieu, faites qu'il marche. Faites que le téléphone marche! »

Kate passa un bras autour d'Alison et l'aida à se rendre à la cuisine, où elle l'assit, toujours enveloppée dans la couverture, sur un tabouret.

En silence, elle ferma la porte puis, d'une main qui tremblait, elle prit le combiné.

La ligne était toujours silencieuse.

26

Après avoir garé sa voiture au beau milieu d'un espace réservé aux handicapés, juste à côté des portes du château, Greg se dirigea vers l'entrée. Chemin faisant, il leva les yeux vers le ciel. La météo prévoyait une neige anormalement abondante pour la saison. Cela signifiait sans doute seulement de la neige fondante pour la baie de Redall, mais on ne savait jamais. De toute manière, ce serait sûrement pire à Colchester. Il semblait toujours neiger davantage ici qu'ailleurs.

Il y avait longtemps que Greg n'avait pas mis les pieds au musée. La grande salle et ses lieux d'exposition périphériques avaient disparu, faisant place à des sections cloisonnées, plus intimes. L'éclairage était moins intense. Pourquoi ces idiots ne laissaient-ils pas les choses à leur place? Avant, il aurait pu retrouver Marcus les yeux fermés. Maintenant, Dieu savait où on l'avait fourré.

Il finit par le retrouver en haut, près d'une autre de ces satanées vidéos. En lançant un regard furieux vers la cabine d'où sortaient des bruits de massacre, Greg s'arrêta devant la statue et la contempla longuement et durement. Puis, comme l'avait fait Kate, il se dirigea vers la reconstitution de la sépulture et se pencha sur les restes du légionnaire. Elle avait raison : ce n'était pas Marcus qui était enterré à Redall. Mais alors, de qui s'agissait-il? Son regard glissa vers l'autre bout du présentoir. L'épouse de Marcus avait des os bien formés, mais légèrement plus petits. Greg n'avait fait que des études rudimentaires d'anatomie, aux Beaux-Arts, mais il était néanmoins en mesure de deviner qu'elle était morte jeune. Comment? se demanda-t-il. A la suite d'une maladie? D'une blessure? Lors d'un accouchement? Il jeta un coup d'œil à la note explicative, mais elle ne donnait que le strict minimum d'informations. Il considéra pensivement ce qui restait du crâne de Marcus. Son histoire était-elle inscrite dans ses restes? Ses amours, ses haines, ses triomphes et ses défaites? Greg posa les mains sur la vitre froide du présentoir.

— Allez, espèce de salaud, dis quelque chose!

Il avait parlé tout haut mais ne s'en rendit compte

qu'en apercevant une femme, non loin de là, qui le regardait bizarrement. Immédiatement, elle détourna les yeux. Il esquissa un sourire absent, mais déjà son attention était reprise par Marcus. Un homme riche, puissant, qui avait su tirer parti de la défaite de Boudicca, qui était revenu à Colchester et à Redall pour y acheter des terres alors que les prix s'étaient effondrés, un peu comme maintenant. Greg fit la grimace. Etait-ce bien ainsi que les choses s'étaient passées, ou s'était-il simplement emparé d'un domaine qu'il convoitait depuis longtemps ? L'ancien propriétaire de Redall était-il mort durant la révolte, laissant ses terres incultes et désertées, ou les avait-il vendues avec un bon profit ? Greg s'approcha davantage de la vitre et y appuya le front en fermant les yeux.

HAINE

COLÈRE

PEUR

FURIE

Les émotions qui surgirent en lui chassèrent toute autre pensée de son esprit. Un ouragan de couleurs agressives l'emporta dans son tourbillon : du rouge ! du noir ! un orange vif ! Greg criait, se débattait, conscient, loin à l'intérieur de lui-même, que de l'écume s'était formée aux commissures de ses lèvres. Des hurlements angoissés parvenaient à ses oreilles, des hurlements qui étaient les siens.

Soudain, aussi rapidement qu'ils étaient venus, le vacarme, les couleurs et l'angoisse s'évanouirent, faisant place au silence.

Bon Dieu, était-ce vraiment venu de lui ? Avait-il réellement poussé ces hurlements, ou était-il victime d'une illusion ? La bande vidéo était terminée et se rembobinait en silence, avant de faire entendre pour la millième fois un dialogue entre deux

Romains devant les hordes ennemies qui approchaient. La salle était silencieuse et froide.

Greg n'entendit pas les claquements de talons ra-
pides et inquiets qui s'approchaient. Seul le contact
timide d'une main sur son bras le tira de sa torpeur.

— Ça va? Désirez-vous que j'aille chercher de
l'aide?

La femme de tout à l'heure le dévisageait maintenant avec crainte.

— Je vous ai vu tituber. J'ai pensé que...

Sa voix s'éteignit lorsqu'il posa sur elle un
regard vide.

— Je ne sais pas, je me suis demandé si vous
étiez épileptique. Je suis désolée, finit-elle par dire
en rougissant.

— Non, ça va, merci. Ce doit être la chaleur.

Il promena autour de lui un regard confus. L'air,
dans la salle, semblait froid, extrêmement froid.

La femme recula lentement. Dès qu'elle serait hors
de vue, elle se précipiterait en bas, peut-être pour
envoyer un des gardiens. Eh bien, qu'ils montent,
tous autant qu'ils étaient! Ils verraient bien qu'il
n'était pas fou. En fait, il n'avait jamais eu l'esprit
aussi clair que maintenant.

Il tendit la main vers la vitre du présentoir et la
retira comme si elle l'avait brûlé. La chose — quelle
que fût sa nature — qui s'en était prise à lui, qui lui
avait imposé toutes ces émotions ignobles, était
venue de derrière cette vitre.

27

*Il n'y avait pas d'escorte, pas de garde pour le sur-
veiller. On lui faisait totalement confiance. Les dieux
avaient parlé: il n'y avait pas d'autre choix que
l'obéissance. Les adieux de dernière minute aux êtres*

chers étaient courants. Quoi de plus naturel pour un homme sur le point de quitter ce monde ?

NON !

Son cri de douleur résonna au-dessus des dunes et du marais, jusqu'à se perdre dans les nuages à l'horizon.

— *Claudia, mon amour...*

— *Non ! Je ne les laisserai pas faire ! Quels dieux barbares peuvent exiger une telle chose ? Tu ne dois pas retourner là-bas. Tu ne dois pas ! cria-t-elle avant de fondre en larmes.*

— *Je le dois, Claudia. Les dieux m'ont choisi.*

Sa voix était ferme et sa force d'âme le surprenait lui-même.

— *Je hais tes dieux !*

— *Il ne faut pas. Tu dois les honorer comme je le fais et leur obéir. Etre choisi pour le sacrifice est un honneur insigne.*

— *Un honneur ! Je croyais que ceux de ton peuple sacrifiaient leurs prisonniers ! Leurs esclaves ! Quel honneur est-ce donc de mourir comme un esclave ?*

Les larmes coulaient le long du visage de Claudia, creusant des sillons dans le fard au safran qu'elle avait appliqué si gaiement avant de se mettre en route.

— *Le plus grand honneur de tous. Les dieux ont exigé le sang d'un prince.*

Nion parlait avec calme. Etrangement, il puisait du courage dans le besoin qu'il éprouvait de la rassurer.

— *Peut-être les avons-nous offensés, mon amour, ma chérie, dit-il doucement en caressant son visage, comme s'il essayait de mémoriser la forme de son nez, de ses lèvres, de ses yeux pour l'éternité. Peut-être est-ce mieux ainsi. Tes dieux aussi, je l'espère, seront apaisés et honorés par ma mort.*

— *Non, répondit-elle avec véhémence. Non, je vénère Fortuna. Elle n'exige pas la mort de ses fidèles. Elle veut qu'ils vivent et qu'ils soient heureux. Non, je ne te laisserai pas mourir. Ou alors, laisse-moi mourir avec toi.*

— Non, dit-il en la secouant doucement par les épaules. Claudia, tu dois vivre. Pour ton fils. Tu ne peux le laisser. Et pour moi aussi. Pour chérir ma mémoire dans ton cœur. Tu dois être forte, comme une digne fille de Rome, tu t'en souviens ?

Elle était si fière de ses origines nobles. Les paroles de Nion eurent l'effet escompté. Elle redressa un peu les épaules et releva la tête, malgré les larmes qui continuaient de couler sans retenue.

— N'as-tu pas peur ?

— Bien sûr que non, répondit-il en souriant gravement. Je suis un prince et un prêtre. Pourquoi aurais-je peur d'aller vers mes dieux ? Je veux te donner ceci, dit-il en dégrafant la lourde broche d'argent qui fermait son manteau. Porte-la en souvenir de moi et n'aie pas trop de chagrin.

Elle prit le bijou d'une main tremblante et le porta à ses lèvres.

— Quand... quand cela doit-il se passer ?

— A l'aube. Lorsque le soleil paraîtra au bord du monde.

— Où ? murmura-t-elle.

— Au marais sacré, dit-il en souriant tristement. Sur la terre qui appartenait à mes pères et aux pères de mes pères. Là où les dieux se rassemblent et où ce monde et le suivant se côtoient. Tu dois partir, maintenant.

— Pas encore, supplia-t-elle d'une voix brisée par la douleur.

— Je t'en prie, Claudia Honorata. Je veux te dire adieu sans larmes. Tu dois être aussi remplie de fierté et de courage que si tu avais vraiment été ma femme.

Elle ferma les yeux.

— Si tel est ton désir, élu de mon cœur.

Avec un sourire fragile et vide, elle leva la tête et l'embrassa sur la joue. Il prit ses mains et les pressa contre ses lèvres, puis il se détourna et courut à son char.

Le téléphone ne fonctionnait toujours pas. Kate avait essayé à trois reprises et n'avait obtenu qu'un étrange silence rempli d'écho. En raccrochant, chaque fois, elle avait eu la conviction qu'à l'autre bout du fil, quelqu'un écoutait sa respiration nerveuse sans dire un mot.

— Qu'y a-t-il? demanda Alison, qui était parcourue d'un frisson incessant.

— Le téléphone ne semble pas fonctionner.

— Vous voulez dire que nous sommes complètement isolées?

— Ne t'inquiète pas, Allie, c'est sans importance. Tu es en sécurité ici. En sécurité et bien au chaud. Je vais nous préparer une boisson chaude, maintenant. Qu'est-ce qui te ferait plaisir?

Elle s'efforça de sourire d'un air rassurant, mais Alison haussa les épaules.

Kate prit la bouilloire qu'elle alla remplir à l'évier. Par la fenêtre, elle aperçut les arbres qui ployaient sous la violence du vent, à peine visibles à travers la pluie mêlée de neige. Une étrange obscurité régnait dans le ciel chargé de nuages gris-brun. Des nuages de neige.

Kate ouvrit le robinet. Il y avait du sable dans la cuvette. Du sable, de la tourbe et... Elle retira précipitamment la bouilloire avec un frisson de dégoût et regarda le jet d'eau emporter la terre grouillante de vers. D'un coup d'œil furtif, elle s'assura qu'Allie n'avait rien vu. La jeune fille avait fermé les yeux et oscillait légèrement sur son tabouret.

En faisant la grimace, Kate remplit la bouilloire et la brancha.

— Veux-tu retourner devant le feu? demanda-t-elle gentiment. Tu pourrais t'étendre sur le canapé et faire un somme.

— Non. Je veux rester avec vous.

Kate prit deux tasses sur l'étagère et préféra une boîte neuve de chocolat en poudre au pot de café. C'était sans doute Diana qui l'avait mise là quand elle avait garni les armoires de produits d'épicerie. Un chocolat chaud les réconforterait toutes les deux. Elle souleva le couvercle à l'aide d'une cuillère et déchira le sceau de papier. La boîte était pleine de terre. Un gros asticot blanc se débattait vigoureusement dans la lumière soudaine. Kate poussa un cri et jeta la boîte, qui s'écrasa contre le mur.

— Qu'est-ce que c'est? fit Alison en se redressant.

Elle regardait sans comprendre la boîte rouge qui avait roulé dans un coin, laissant une traînée de poudre chocolatée sur le carrelage.

Kate se frotta les yeux. Elle tremblait comme une feuille.

— Je suis désolée. La boîte a glissé de ma main. C'est stupide…

Elle parvint à se maîtriser et à ramasser la boîte, dont elle renifla le contenu avec précaution. L'odeur était douce, sucrée, tout à fait normale.

— Heureusement, il en reste assez pour nous deux.

Elle devait avoir des hallucinations. Quelle idiote! Alors qu'elle devait rester calme et forte, dans l'intérêt d'Alison. Elle chercha à se calmer.

— Allie, qui est Claudia?

— Claudia? fit la jeune fille en se tournant vers elle.

Les couleurs étaient revenues à ses joues mais son regard conservait une étrange vacuité qui mettait Kate mal à l'aise.

— Je ne connais personne de ce nom. Pourquoi?

— Pourtant tu as dit… (Kate s'interrompit avec un soupir.) Non. J'ai dû mal entendre. C'est sans importance. Le chocolat est prêt. Allons dans l'autre pièce et asseyons-nous près du feu.

La flaque d'eau s'était étendue sur le rebord de la fenêtre. Elle avait même commencé à goutter par terre. Kate posa les tasses et alla chercher un chiffon dans la cuisine. Alison était restée perchée sur son tabouret.

— Je vais mettre davantage de bûches dans le poêle. Veux-tu que je t'aide ?

Alison fit signe que non.

— Est-ce que… est-ce que tout est normal dans le salon ?

— Bien sûr. La fenêtre fuit un peu, c'est tout. Je vais d'abord éponger les dégâts, puis je m'occuperai du feu.

Kate s'approcha de la fenêtre avec circonspection, en examinant attentivement le cadre. Il y avait encore des grains de terre mêlés à l'eau, mais les vers avaient disparu. En soupirant de soulagement, elle éponge a l'eau et coinça un chiffon entre l'appui de la fenêtre et le cadre, afin de parer à l'infiltration. En retournant au poêle, elle constata que sa provision de bois était tombée à trois bûches. Elle en plaça une dans le brasier et poussa un peu la clé pour ouvrir le registre. Le feu gronda légèrement plus fort tandis qu'elle arrangeait les coussins sur le canapé. Derrière elle, Alison s'était immobilisée dans l'embrasure de la porte et regardait la pièce avec hésitation.

— Est-elle partie ? demanda-t-elle dans un souffle.

— Qui ?

— Je ne sais pas. Il y avait quelqu'un ici… Ou bien était-ce sur la plage ?

Kate se dirigea vers elle et lui passa un bras autour des épaules.

— Il n'y a personne d'autre que nous ici, Allie, et tu n'as rien à craindre. Tu as eu très froid sur la plage et tu as dû souffrir d'hypothermie. Il arrive qu'on imagine des choses dans de tels cas. Viens, étends-toi et bois ton chocolat. Tu te sentiras bientôt mieux, je te le promets.

Kate refusa de tourner les yeux vers le coin de la pièce où était apparue la femme. Cela aussi avait été le fruit de son imagination.

— Tiens, pourquoi ne pas écouter un peu de musique ?

En fouillant parmi ses cassettes, elle ne put réprimer un léger sourire. Que penserait Alison de Vaughan Williams, de Sibelius ou de Bach, alors que ses goûts étaient si manifestement différents? Ses mains hésitèrent. Le *Requiem* de Fauré. Comment était-il arrivé là? La cassette appartenait à Jon. Elle la considéra un moment, songeuse, puis la glissa dans l'appareil.

Tandis que les accents sublimes de l'Introït et du Kyrie résonnaient dans la pièce, Alison s'étendit sans protester et ferma les yeux. Kate la regarda furtivement de son fauteuil. La bûche brûlait rapidement. Il faudrait bientôt en mettre une autre et il n'en resterait plus qu'une. Son regard se porta vers la fenêtre. Le chiffon qu'elle y avait mis était encore sec et aucun mouvement n'était décelable dans la pénombre à l'extérieur.

Les coups timides frappés à la porte d'entrée faillirent se perdre dans la musique, mais Kate se leva brusquement, les nerfs à vif. Alison, qui dormait maintenant profondément, ne réagit pas.

C'était Patrick. Il portait un imperméable jaune et ses cheveux mouillés étaient plaqués sur sa tête. Il était venu à bicyclette en pédalant dans la boue, et l'effort considérable lui avait mis le feu aux joues.

— Bonjour. Maman se demandait si Allie était ici. Votre téléphone ne marche pas, le saviez-vous?

— Alison est bien ici, et j'étais au courant pour le téléphone.

Kate le tira à l'intérieur et ferma la porte. Elle jeta un regard par-dessus son épaule en direction du salon. Alison n'avait toujours pas bougé. Ses yeux étaient fermés et sa poitrine se soulevait de façon lente et régulière.

— Allons dans la cuisine pour parler.

En refermant silencieusement la porte derrière eux, Kate vit à sa grande honte que ses mains tremblaient encore.

— Ecoute, quelque chose d'étrange est arrivé.

J'ai trouvé Alison sur la plage, agenouillée au fond de son excavation, dans une espèce de transe. Il faut que tes parents viennent la chercher avec la Land Rover. Elle n'est pas encore assez forte pour marcher. Je crois qu'elle devrait voir un médecin.

— Ah, merde! Greg est parti avec la Land Rover. Personne ne sait où il est allé. La Volvo ne pourra pas passer, le chemin est un véritable bourbier. Pour couronner le tout, la météo prévoit de fortes chutes de neige. Qu'est-ce qui arrive à ma sœur? Que faisait-elle sur la plage par ce temps?

— Je n'en sais rien. Elle n'avait pas de pelle, ni aucun de ses outils. On aurait dit qu'elle était en état de choc.

Kate scruta le jeune homme. Elle lui avait à peine parlé jusqu'ici, mais elle avait aimé ce qu'elle avait pu constater chez lui. Il semblait plus calme et plus sérieux que son frère et sa sœur. En fait, il devait être beaucoup plus semblable à son père.

— Quelque chose est arrivé là-bas, Patrick. J'ignore quoi, mais cela l'a terrifiée et elle continue d'avoir peur. Moi aussi, d'ailleurs, ajouta-t-elle sans le vouloir.

Patrick la regarda avec circonspection.

— Elle a déclenché quelque chose en fouillant cette tombe, n'est-ce pas? dit-il d'une voix calme. Elle a réveillé quelque chose.

— C'est possible, répondit Kate prudemment.

— Croyez-vous qu'il s'agisse de la tombe de Marcus?

— Je ne crois pas. On a trouvé sa sépulture quelque part près de Colchester... Je pense que la tombe de la plage est celle d'une femme.

Il ne montra aucune surprise et ne chercha même pas à savoir comment elle pouvait l'affirmer. Il semblait plus intéressé par l'examen de toutes ces nouvelles données.

— Ainsi, ces histoires de revenants ne sont pas

des blagues. Le cottage est réellement hanté par une femme. Croyez-vous qu'Allie l'a vue ?

— Oui. Elle se nomme Claudia.

— Comment le savez-vous ?

— Allie a déliré à son propos. Elle ne s'en souvient plus maintenant, mais elle a prononcé son nom à plusieurs reprises.

— Ô mon Dieu, comme j'aimerais que papa et maman soient ici !

Il leva subitement les yeux et chassa d'un geste exaspéré une mouche bleue qui s'entêtait à foncer contre la lampe près de lui. Kate sentit son estomac se nouer. D'où venaient ces mouches ? Et les vers ? Comme s'il avait deviné ses inquiétudes, Patrick sourit.

— On voit cela souvent, l'hiver, dans les vieilles maisons. Elles hibernent, ou un truc de ce genre. Il y a probablement des souris mortes sous le plancher. Elles ont dû se réveiller quand vous avez chauffé la maison.

Il avait raison, bien entendu, mais Kate frémit. Elle sourit faiblement.

— J'étais en train d'imaginer le pire.

— L'avez-vous vraiment vue ? Claudia, je veux dire ?

Les yeux de Patrick étaient pénétrants et d'un gris-vert profond, comme ceux de son frère, mais ils semblaient doux.

— En effet, je l'ai vue.

Une fois de plus, il sembla accepter sa réponse sans surprise. Il n'y avait ni moquerie ni incrédulité dans sa voix lorsqu'il posa cette autre question :

— D'après vous, est-ce elle qui a saccagé la maison ?

— Je n'ai jamais vraiment cherché à savoir si je croyais ou non aux fantômes, dit-elle en haussant les épaules. Cela me semblait une idée intéressante… de loin.

— D'un point de vue scientifique, c'est indéfendable.

— Je me le demande, fit Kate en souriant.

— L'énergie psychokinétique a été mesurée, je crois, et l'on a démontré qu'elle pouvait légèrement déplacer des objets. C'est ce qu'on appelle à tort des esprits frappeurs. Le phénomène est souvent lié à la présence d'un adolescent, à cause de toute l'angoisse refoulée, conclut-il en souriant.

Kate se dit avec un certain amusement que ce jeune homme avait bien plus de maturité que son frère aîné.

— Allie est une petite peste, poursuivit-il, mais elle n'est pas méchante. Il n'y a aucune malice en elle. Jamais elle ne ferait quelque chose comme ça.

Patrick se sentait autorisé à parler ainsi parce qu'il avait deux ans de plus que sa sœur. Il leva la tête et sursauta lorsqu'une rafale plus forte que les autres précipita une volée de grêlons contre les fenêtres.

— Avant de partir, puis-je voir la pièce où le phénomène s'est produit?

— Si tu veux. A gauche, en haut de l'escalier.

Il monta et revint au bout d'une dizaine de minutes.

— Tout semble en ordre.

— Elle a obtenu ce qu'elle cherchait.

— Allie?

— Non, pas Allie.

Les yeux de Patrick s'agrandirent.

— J'ignorais qu'il manquait quelque chose. D'après maman, rien n'avait été pris.

— Ils... elle a emporté le torque d'argent que j'avais trouvé dans la tombe.

— Oh! Alors ce devait être un cambrioleur, après tout. Les fantômes ne peuvent voler des choses.

— Si, ils le peuvent.

Alison était apparue dans l'embrasure de la porte. Son visage était d'une pâleur effrayante. Elle se dirigea d'un pas incertain vers le tabouret et y grimpa.

— Elle voulait le torque parce que c'était à lui.

— A qui? demanda Patrick en fixant sa sœur.

— Je n'en sais rien, mais elle l'aimait.

Patrick lança un regard furtif à Kate.

— Ecoute, Allie, je vais chercher maman et papa. En attendant, tu devrais rester couchée.

— Je vais bien.

Un frisson vint démentir ses paroles.

— Vous allez revenir le plus vite possible, n'est-ce pas? demanda Kate à mi-voix tandis qu'elle reconduisait Patrick à la porte. C'est très important. Je ne crois pas que nous… enfin, qu'elle devrait rester seule ici.

Patrick remit son imperméable jaune. Kate dut résister à l'envie de le retenir par la manche en lui criant de rester. Mais quelle idée insensée! Qu'y avait-il donc à craindre?

— Il lui faut un médecin, Patrick. Tout ira bien aussi longtemps qu'elle restera au chaud, je pense, mais je me sentirais grandement soulagée si elle se faisait examiner.

— Ne vous inquiétez pas. Maman a été infirmière. Elle saura quoi faire. Je serai là-bas dans dix minutes. Si Greg n'est pas revenu avec la Land Rover, nous pourrons toujours téléphoner à Bob Farnborough, qui habite un peu plus loin sur la route principale. Il a une quatre roues motrices.

Il s'élança dans la pluie et se retourna.

— Tout ira bien, ne vous inquiétez pas. Gardez bien la porte verrouillée.

Ils se regardèrent un instant. Kate comprit que lui aussi avait peur, et qu'il savait qu'aucune porte ne pourrait empêcher Claudia d'entrer.

Au fond de l'excavation le sable avait pris la couleur de la tourbe qui se dispersait dans les flaques d'eau. La pluie et la grêle qui tombaient sur la peau tannée la gardaient humide et la préservaient momentanément de l'air en lui redonnant son élasticité. Des mèches de longs cheveux cuivrés, encore soyeux après plus de mille neuf cents ans, s'étalaient sur le visage aux orbites creuses, tournées vers le ciel obscur. Le bras de la femme, pressé contre la poitrine de l'homme, était déformé, brisé. Au contact de l'air froid, ses doigts raidis s'abaissèrent lentement et caressèrent l'épaule de l'homme. Leurs os déjà friables continuèrent à se désintégrer et devinrent poussière.

Une rafale de vent venant de la mer frappa la dune et le sable recommença à s'écouler. Le mélange de terre et de tourbe humide tomba dans les flaques d'eau et lentement, le torque d'argent qui reposait dans la main décharnée de Nion retourna dans l'oubli.

29

Par la fenêtre de son bureau, Bill regarda la rue en contrebas et poussa un long soupir. Il détestait Londres sous la pluie et cette neige fondante, poussée par des rafales de vent glacé, n'arrangeait vraiment pas les choses. Trop mouillée pour se condenser sur le sol, trop froide sur le visage pour être supportable, elle transformait les feuilles mortes

et les déchets des caniveaux en un mélange dégoû-
tant. Tout cela était déprimant. Bill n'arrivait pas à
se décider : irait-il à son cottage ou non ? Toute la
semaine, il avait aspiré à un repos bien mérité. Une
soigneuse manipulation de son emploi du temps lui
avait permis de libérer tout son lundi et la moitié du
mardi suivant, ce qui lui donnait un long week-end.
Aujourd'hui, malheureusement, le temps semblait
faire obstacle à ses projets.

Derrière lui, le téléphone sonna.

— Bill, c'est Jon Bevan. Je t'appelle des Etats-
Unis, mon avion ne part que demain. Ecoute, je suis
un peu inquiet. Je n'arrive pas à joindre Kate ; son
téléphone ne fonctionne plus. As-tu le numéro de la
famille qui habite la ferme tout près ?

— Bien sûr.

Bill tendit la main vers son vieux fichier rota-
tif, objet qui lui plaisait tout à fait, maintenant qu'il
était entièrement passé de mode.

— Comment ça va de ton côté ?

— Pas mal. Je voulais savoir si je serais bien
accueilli à Redall.

— Je ne peux rien te dire à ce propos. Je n'ai
parlé à personne là-bas cette semaine.

— Alors, tu n'es pas au courant du cambriolage ?

— Du cambriolage ? A la ferme ?

— Non, au cottage de Kate. Elle semblait nerveuse la dernière fois que je lui ai téléphoné. Presque
effrayée.

— Effrayée ?

Bill baissa les yeux vers le gribouillis circulaire
qu'il avait tracé sur la tablette devant lui. Il y ajouta
encore quelques cercles, puis un œil.

— C'est normal, reprit-il, si on l'a cambriolée.
Les voleurs ont-ils emporté beaucoup de choses ?

— Je ne crois pas. Juste un objet déterré sur la
plage. Je suis sûr qu'elle va bien. Il n'y a probablement pas de quoi fouetter un chat.

— Sûrement, dit Bill en riant, mais je vais quand

même appeler les Lindsey pour m'en assurer. Justement, je me demandais si je ne partirais pas là-bas ce soir. La météo n'est pas très favorable, toutefois.

— Ici non plus.

Dans le Massachusetts, Jon regarda par la fenêtre de sa chambre la neige qui tourbillonnait dans le jardin, masquant les érables au bout de la pelouse.

— Je crois que tu devrais y aller, Bill. Ecoute, quand tu l'auras vue, me passerais-tu un coup de fil ? Ou demande-lui de me téléphoner. Je vais te donner mon numéro ici.

— Je te rappellerai dès que j'aurai joint Diana, d'accord ? dit Bill en prenant le numéro en note. Ne t'en fais pas, mon vieux. Je suis sûr que Kate va bien.

Il essaya d'abord son numéro à elle. En effet, pas de tonalité. A la ferme des Lindsey, il dut laisser sonner longtemps avant d'obtenir une réponse.

— Greg ? C'est Bill Norcross. Puis-je parler à Diana ?

— Désolé, mais tout le monde semble être sorti. Que puis-je faire pour vous ? répondit Greg d'une voix peu amène.

— Je voulais simplement savoir quel temps il fait chez vous. Je pensais venir aujourd'hui.

— Il y a des vents forts et de la grêle. A votre place, je resterais sagement à Londres.

— Avez-vous vu Kate, récemment ? Son téléphone ne fonctionne plus.

— Elle se portait à merveille la dernière fois que je l'ai vue, dit Greg sur un ton hostile. Je dirais même qu'elle était dans de très heureuses dispositions. Avez-vous signalé le problème à la compagnie de téléphone ?

— J'allais le faire.

— Parfait. Dès que la ligne sera rétablie, vous pourrez lui demander des nouvelles de la météo toutes les heures.

— C'est ça, dit Bill en se rembrunissant. Merci, Greg.

190

Il raccrocha. Le crayon avec lequel il griffonnait se brisa en deux entre ses doigts. Bill le considéra avec surprise.

— Salaud! murmura-t-il.

Presque deux heures s'étaient écoulées depuis le départ de Patrick lorsque Kate vit un véhicule sortir du bois en dérapant dans la boue. Elle ne connaissait pas le conducteur, mais Diana et Roger l'accompagnaient, ainsi que Patrick.

— Dieu merci, fit-elle à mi-voix.

Alison était restée étendue sur le canapé, enveloppée dans des couvertures. Kate courut à la porte et l'ouvrit.

— Où est-elle?

Le visage pâle de fatigue, Diana se dirigea vers le salon.

— Salut, m'man, fit Alison en ouvrant les yeux.

— Que s'est-il passé, au juste? dit Roger en prenant Kate par le bras. Oh, pardon! Laissez-moi vous présenter Joe Farnborough, qui a eu la gentillesse de nous emmener jusqu'ici.

Kate tourna les yeux vers un grand homme aux cheveux blancs et au visage tanné, qui la dévisageait avec une curiosité non dissimulée. Comme leurs regards se croisaient, il sourit.

— La petite Allie a eu des ennuis, apparemment?

— Je pense que cela va bien, maintenant. Mais il vaudrait mieux qu'elle rentre à la maison.

Ils suivirent Roger au salon et trouvèrent Diana penchée sur sa fille. Elle lui tenait la main.

— Je vais bien, m'man. Je te jure. Pas la peine de faire des histoires. Ramène-moi seulement à la maison.

Alison était pâle et fatiguée, mais un peu de sa vigueur était revenue et avec elle, sa mauvaise humeur coutumière.

— Mais qu'est-il arrivé, Allie? demanda Roger en

s'asseyant près de sa fille après avoir poussé les couvertures.

— Je suis allée à la tombe, je voulais la voir. Il était tôt. Il faisait encore nuit.

— Tu es sortie en pleine obscurité! s'exclama Diana, médusée.

— Je ne sais pas pourquoi, mais il fallait que je le fasse. J'ai pris une lampe de poche. Le bois était humide et froid, il faisait très noir et j'avais peur, dit-elle, la voix tremblante. En arrivant au cottage, j'ai vu que toutes les lumières étaient allumées et cela m'a réconfortée un peu. J'ai pensé frapper et demander à Kate de venir avec moi, mais je ne pouvais pas.

Elle éclata en sanglots.

— Je le voulais, mais j'en étais incapable.

Kate la regarda, consternée.

— Mais Allie, pourquoi? Je serais allée avec toi.

— J'en étais incapable. Je le voulais mais elle ne me laissait pas faire.

Il y eut un moment de silence durant lequel Kate et Roger échangèrent un regard. Patrick avait sans doute déjà parlé de Claudia.

— Qui te l'interdisait? s'enquit doucement Diana.

— Quelqu'un. Elle. Je ne sais pas. *Lui* veut m'arrêter, mais *elle* veut me dire quelque chose. Ils luttent dans ma tête.

En pleurant, elle pressa la paume de ses mains contre ses tempes.

— Elle veut que je sache.

— Elle veut que tu cesses de fouiller la tombe? dit Patrick qui se tenait dans l'embrasure. C'est cela, n'est-ce pas?

— Non, dit Allie en se redressant. Non, au contraire. Elle veut que j'y aille, que je continue. Elle veut que je trouve... quelque chose, fit-elle d'un ton las en se recouchant.

— Bien, peu importe ce qui s'est passé, je suggère que nous te ramenions chez toi, ma petite, intervint

192

Joe Farnborough. Je ne veux pas vous presser, mais je dois aller chercher des choses en ville avant que le temps ne se gâte tout à fait.

— Bien sûr, Joe. Je suis désolée. Vous avez été si gentil de nous venir en aide, dit Diana qui commença à s'affairer. Roger, peux-tu la porter ?

— Pas besoin, m'man, je peux marcher.

En reniflant misérablement, Alison posa les pieds par terre et se leva.

Sur le seuil, Kate la regarda se faire conduire jusqu'à l'arrière de la Land Rover, encore plus vieille que celle des Lindsey. Quand ils furent tous installés, Patrick se tourna vers elle.

— Papa, Kate peut-elle venir avec nous ? Je ne crois pas qu'elle devrait rester seule ici.

— Bien sûr, cela va de soi. Il faut venir avec nous, ma petite. Nous devons discuter de tout cela très sérieusement. De toute manière, il faut signaler que votre téléphone ne fonctionne plus. Vous ne pouvez pas rester seule ici tant qu'il n'est pas réparé.

Il revint à l'intérieur, décrocha la veste de Kate et la lui tendit. La jeune femme ferma les yeux, soulagée. Pendant un moment, elle avait cru qu'ils allaient tous partir et la laisser là, sans qu'elle ait la force ou la volonté de les appeler. Le désir qu'elle éprouvait de ne pas quitter le cottage était aussi fort que celui de partir. Revenant dans la pièce, elle éteignit toutes les lumières, ferma les portes du poêle et regarda autour d'elle. L'eau avait recommencé à s'infiltrer à travers le chiffon qu'elle avait coincé contre la fenêtre. Sur le morceau de tissu, elle pouvait voir quelques grains de terre et, dans la pénombre, de petits points blancs qui rampaient lentement le long du rebord. Kate pivota sur ses talons et empoigna son sac. Comme elle allait sortir, elle fit demi-tour pour prendre la pile de feuilles, sur la table, ainsi que la disquette de son ordinateur. Après cela seulement, elle put emboîter le pas à Roger et verrouiller derrière elle.

30

Diana était redescendue. Alison se glissa sous les couvertures. A côté d'elle, invisible sous l'édredon, traînait un vieil ours en peluche auquel manquait une oreille. Toutes les lumières de la chambre étaient allumées. Quelques minutes plus tard, Greg apparut dans l'encadrement de la porte.

— Es-tu réveillée, Allie?

La jeune fille enfouit l'ourson encore plus loin sous les couvertures.

— Qu'est-ce que tu veux?

— Il faut que nous parlions.

Il ferma la porte derrière lui et s'assit au bord du lit.

— J'ai bien dit qu'il fallait lui faire peur. A Kate, je veux dire. J'ai aussi souvent dit que tout irait mieux si elle s'en allait, et j'étais sérieux. C'est une véritable emmerdeuse.

Il se tut un instant et regarda par terre d'un air songeur.

— Elle a été gentille avec moi, dit enfin Alison.

— Qu'est-il vraiment arrivé là-bas, Allie? Tu n'essayais pas seulement de lui faire peur, n'est-ce pas?

— Non, fit-elle d'une voix faible.

— Alors, que s'est-il passé?

— Rien.

— C'est impossible... Tu sais que tu peux tout me raconter, dit-il en posant la main sur son épaule.

— Mais c'est la vérité : rien n'est arrivé. Je n'ai rien vu. Ce n'étaient que des sensations.

Sa bouche se mit à trembler. Elle s'assit, sortit l'ourson de sous les couvertures avec un air de défi et l'étreignit contre sa poitrine. Dans sa chemise de nuit vert fluo, les cheveux ramenés sur son visage, elle avait l'air d'une enfant de six ans.

Greg sentit monter en lui une grande tendresse.

— Quelles sensations? demanda-t-il doucement.

Alison parut avoir de la difficulté à se souvenir.

— De peur, de colère, de haine. J'ai été comme saisie. Tout s'est mélangé dans ma tête en une espèce de tourbillon rouge. Cela m'a fait mal.

Ses yeux s'emplirent de larmes.

Greg la regarda sans la voir. Il se rappelait une petite femme aux cheveux gris, vêtue d'une veste bleu pâle qui allait mal avec ses souliers à talons hauts. Une voix répéta dans sa tête: «Je vous ai vu tituber... Je me suis demandé si vous étiez épileptique.»

Malgré son chandail de laine d'agneau et sa vieille veste de tweed, il eut la chair de poule.

— Qu'y a-t-il? Quelque chose ne va pas?

Alison avait ouvert les yeux tout grands.

— Non. Non, tout va bien, ma chérie.

Jamais il ne l'appelait ainsi. Ce terme affectueux dans la bouche de son frère l'effraya encore plus que l'étrange expression sur son visage.

— Ecoute, Allie, dit Greg en se levant, tu dois dormir. D'accord? Etends-toi que je te borde.

Il se pencha vers elle, remonta l'édredon jusqu'à son menton et tapota les couvertures avec une tendresse maladroite et inaccoutumée.

— Veux-tu que j'éteigne?

— Non! s'exclama-t-elle avec terreur.

— D'accord, pas de problème, dit-il en essayant de sourire. Dors bien, avorton.

Il avait repris son attitude supérieure, plus normale.

Au rez-de-chaussée, les autres étaient assis devant le feu, chacun une tasse de thé fumant à la main. Greg se plaça au centre du demi-cercle, dos à la cheminée.

— Nous devons combler cette excavation. Il ne

faut pas qu'Alison y retourne, et je pense que Kate devrait quitter le cottage.

— Pour que vous puissiez y retourner.

Elle avait prononcé ces paroles d'une voix tranquille, mais la dureté de son visage exprimait autant sa détermination à rester que son antipathie croissante envers lui. Il poussa un soupir.

— Je ne désire pas du tout y retourner pour l'instant. Mais vous? Tenez-vous vraiment à demeurer là-bas après tout ce qui est arrivé? Vous n'avez sûrement pas travaillé beaucoup, avec toutes ces interruptions.

— Il se trouve justement que je travaille très bien en ce moment, merci. Et ce serait vraiment mesquin de ma part de penser que j'ai perdu du temps en venant en aide à Alison. Cette petite est sensible et intelligente, et je commence à l'aimer. J'ignore pourquoi elle a tenu à se rendre ainsi sur la plage — nous saurons probablement tout lorsqu'elle se sentira mieux — mais cela n'entame en rien ma volonté de demeurer au cottage de Redall. Grâce aux nouvelles serrures, j'y suis comme dans une forteresse.

— Je suis d'accord pour combler l'excavation, intervint Roger en se calant confortablement contre le dossier du canapé. Il n'est arrivé que des ennuis depuis qu'Alison a commencé à y travailler. Nous pourrions demander à Joe de le faire avec son tracteur.

— Non!

Devant l'étonnement des autres, Kate finit par réaliser que l'exclamation était sortie de sa propre bouche.

— Non, répéta-t-elle d'un ton plus modéré. Je ne crois pas que ce soit la chose à faire. Il s'agit d'un site important. Mieux vaudrait se mettre en rapport avec la société archéologique locale et le musée, et demander qu'on envoie des experts pour voir de quoi il s'agit.

— Je ne pense pas que nous voulions vraiment le

savoir, coupa Greg. Qu'en penses-tu, papa ? Allie est déjà suffisamment perturbée comme cela.

— Le fait qu'il s'agisse d'une tombe ne l'effraie pas du tout, répliqua Kate.

— Je vous demande pardon, mais je crois justement que si. De l'extérieur, Allie semble impertinente et capricieuse, mais quand on la connaît bien, on sait à quel point elle est sensible. Toute cette histoire a un mauvais effet sur elle. Vous avez tous vu que cela fait travailler son imagination. Ce n'est pas bon pour elle. Maman, dit-il en cherchant le soutien de Diana, il faut m'appuyer.

Diana se rembrunit.

— Vous avez tous raison, dans un certain sens. Cet endroit l'obsède et je doute que ce soit bon pour elle. Mais je doute que raser la dune règle quoi que ce soit. Ce qui y est enterré là y resterait.

Kate approuva de la tête.

— Mieux vaut entreprendre de vraies fouilles. Nous pourrions enfin savoir la vérité.

— A propos de quoi ? dit Greg d'une voix très calme. Qu'y a-t-il de si important à savoir ? Moi, je crois qu'il n'y a rien à savoir. Rien du tout.

31

La lumière était étrangement froide. Un mince voile de brume dormait sur le marais, recouvrant les herbes et les roseaux, étouffant tous les sons.

Nion était immobile au bord du bassin. Baigné, vêtu de ses plus beaux vêtements, il était prêt. Derrière lui, les deux prêtres avaient disposé leurs instruments devant eux, sur l'autel : une corde, un couteau. Maintenant, ils surveillaient avec respect les préparatifs de Nion. Quand le moment serait venu, il leur ferait signe.

Nion fronça les sourcils. Pourquoi seulement deux prêtres ? Il s'était attendu qu'ils soient tous présents, que tous veuillent être témoins de son sacrifice. Au lieu de quoi, il n'y aurait que cette cérémonie discrète, presque cachée, qui sombrerait dans l'oubli, car aucun chant ne l'immortaliserait. Lentement, il entama ses préparatifs. Au cou, il portait deux torques, le plus grand en or, symbole de son sang royal et de sa dignité de prêtre, et celui en argent gravé qu'il avait reçu de Claudia. En enlevant le premier, Nion sentit le métal froid exercer une pression contre sa peau. Il le leva au-dessus de sa tête, s'attendant presque qu'un des premiers rayons du soleil, encore dissimulé sous l'horizon, vienne s'y refléter. Il murmura la prière d'offrande et lança le torque de toutes ses forces dans l'eau couverte de brume. L'objet disparut avant lui dans l'autre monde. Vint ensuite le torque d'argent, qu'il porta d'abord à ses lèvres. Puis Nion rassembla ses armes : l'épée, la lance, la dague. L'une après l'autre, il les leva en signe d'offrande et les lança. Sous les filaments laiteux de la brume, elles tombèrent dans l'eau et commencèrent à s'enfoncer inexorablement dans la vase.

Ensuite, ses vêtements. Il enleva son manteau et en fit le plus petit paquet possible, méticuleusement, comme s'il essayait d'étirer les derniers moments avant que le bord du soleil n'apparaisse au-dessus de la mer. Il retint les plis de son manteau avec son épingle et le lança vers l'endroit où ses armes avaient disparu. Suivirent la bourse contenant les pièces de monnaie, sa ceinture de cuir, ses bracelets et sa tunique. Nion était maintenant nu, il ne lui restait que la bande d'écorce de frêne tressée qu'il portait au bras, signe de sa haute naissance. Il redressa imperceptiblement les épaules et riva ses yeux sur l'est, où l'horizon s'éclaircissait de seconde en seconde. Nion eut subitement conscience que derrière lui, un des prêtres s'était penché vers l'autel pour y prendre le garrot qu'il tordait entre ses mains.

Nion serra les poings. Le soleil n'était pas encore apparu, mais là-bas, au-delà des eaux froides, cachés par la brume, les dieux attendaient.

Vers la fin de l'après-midi, le téléphone fonctionnait de nouveau au cottage de Redall. Roger y ramena Kate dans la Land Rover, toujours sous la pluie glacée, et fit avec elle le tour de la maison, pièce par pièce. Il insista pour allumer lui-même le poêle et refaire une provision de bois.

— Tout semble en ordre, dit-il enfin. Vous êtes sûre que vous désirez rester ici?

Sur la table de la cuisine, il avait déposé une boîte en carton remplie de conserves, auxquelles Diana avait ajouté un pot de café, une bouteille de scotch et plusieurs autres petites choses qu'elle avait tirées de son propre garde-manger. «Juste au cas où le mauvais temps vous empêcherait de sortir», avait-elle dit. En la prenant à part, elle lui avait également demandé si elle ne désirait pas plutôt rester avec eux, mais Kate s'était montrée inflexible : elle devait travailler.

Roger regarda une dernière fois autour de lui.

— Bon. Alors vous savez où nous trouver si vous avez besoin de quoi que ce soit.

Elle resta à la porte pour regarder le véhicule de Roger disparaître entre les arbres, puis referma. Rien n'avait été décidé au sujet de l'excavation. Greg aurait voulu la faire disparaître sous le sable, Roger et Kate préféraient faire venir des archéologues de Colchester, et Alison, lorsqu'elle s'était enfin réveillée, était devenue absolument hystérique à l'idée qu'on fasse quoi que ce soit. Devant les larmes de sa fille, Diana avait opposé son veto à toute intervention, au moins avant un jour ou deux. A contrecœur, Kate avait fini par accepter. Après tout, c'était leur terre, leur dune.

Elle consulta sa montre. Presque quatre heures.

Elle mit de l'eau à chauffer, se hissa sur le tabouret et prit le téléphone. Sa sœur Anne était chez elle.

— Salut, ma vieille. Je me demandais justement comment les choses allaient pour toi.

— Je vais bien. Comment trouves-tu Edimbourg?

— C'est magnifique! La ville est encore plus belle que je ne l'avais espéré. Mon boulot est fascinant, j'adore la vie ici et C. G. aime l'appartement. Il est immense, en comparaison de notre ancien logement et il y a un jardin à l'arrière. C'est le septième ciel. Du moins ce l'était, avant qu'il ne commence à neiger, ajouta-t-elle en riant. Alors dis-moi tout sur les rivages dénudés de l'East Anglia.

— L'endroit est un peu étrange, à vrai dire.

Kate fit une pause en regardant la vapeur s'élever du bec de la bouilloire.

— Anne, peut-on accorder la moindre crédibilité aux histoires d'esprits frappeurs?

Il y eut un moment de silence à l'autre bout du fil.

— Voilà une question fascinante. Pourquoi?

— Pour diverses raisons.

Kate sourit avec une ironie désabusée. Plus moyen de revenir en arrière, maintenant. Anne ne lui laisserait aucun répit avant de lui avoir arraché jusqu'au détail le plus insignifiant.

Il fallut un temps étonnamment long pour tout raconter. Anne écouta sans dire un mot, interrompant sa sœur une seule fois pour claquer des doigts à l'adresse de Carl Gustav, qui griffait de façon provocante le dossier d'une chaise. Le chat sauta sur ses genoux et s'y installa pour un bon moment.

— D'après ta question initiale et ce que tu me dis, tu soupçonnes que toute cette activité est centrée autour d'Alison, est-ce que je me trompe?

— C'est bien ainsi que les choses arrivent, non? L'angoisse propre à l'adolescence et tout cela. L'énergie frustrée.

— C'est ainsi que les choses arrivent... si elles arrivent vraiment. Les bruits que tu décris auraient aussi bien pu venir des poutres de la maison. Tu as probablement chauffé le cottage plus que n'importe qui depuis des siècles et il commence à tomber en morceaux. As-tu songé à cette possibilité? On peut toujours dire qu'il s'agit d'explosions d'énergie psychique, si l'on croit à de telles histoires, et j'ai déjà lu des trucs à ce sujet, mais le reste: la terre, les vers… A dire vrai, cela ne ressemble pas vraiment à des esprits frappeurs. On dirait plutôt un roman d'horreur.

Kate fit la moue.

— Anne, il ne s'agit pas d'un roman! Sois sérieuse, j'ai besoin de ton aide.

— D'accord, alors c'est peut-être la chaleur qui a réveillé les mouches. N'est-ce pas ce qu'on t'a suggéré? Cela me semble plus réaliste. Mais j'ai bien l'impression qu'il s'agit d'un tour qu'on te joue, Katie chérie, et si ce garçon (Greg, m'as-tu dit?) est aussi furieux que tu l'affirmes, je ne chercherais pas d'explication plus loin. Il m'a l'air de quelqu'un de malheureux et de très frustré.

— Tu ne crois pas qu'il pourrait s'agir d'événements surnaturels, alors?

— Je crois que c'est improbable, même pour le revenant que tu penses avoir vu. Tu étais fatiguée. Il est fort possible que tu aies tout imaginé. Les odeurs s'expliquent facilement: elles peuvent durer des mois, voire des années dans certaines maisons. Quant aux vers, d'où veux-tu qu'ils viennent? D'une tombe vieille de deux mille ans? Combien de temps crois-tu que la chair tienne sur les os? D'ailleurs, comment auraient-ils pu pénétrer dans ton cottage?

Anne s'était mise à caresser les oreilles de Carl Gustav et Kate pouvait entendre le ronronnement du chat au téléphone. La solitude lui pesa tout d'un coup.

— Qu'est-ce que je dois faire? Je ne veux pas quitter ce cottage. C'est merveilleux, ici, et j'y travaille bien.

— T'est-il arrivé quoi que ce soit depuis que les serrures ont été changées?

— Oui.

— Et tu ne crois pas que les vers proviennent de quelque chose de tout à fait mort sous le parquet?

— Non.

Kate baissa les yeux. En fait, il n'y avait pas de cave et le sol du cottage reposait directement sur la terre.

— Tu ne penses pas qu'Alison aurait pu dissimuler sur elle une boîte d'allumettes remplie de terre et de bestioles, et en répandre le contenu sur le rebord de ta fenêtre pendant que tu étais à la cuisine?

— Non, je ne le pense pas.

— Alors, il va me falloir un peu de temps pour résoudre ton histoire, dit Anne en éclatant de rire. Ce ne sera pas facile. Tu n'as pas peur, au moins?

— Pas vraiment.

— Tu n'en as pas l'air très sûre.

— Et toi, le serais-tu, si tu habitais, comme moi, au beau milieu de nulle part? Il commence à faire noir. Voilà justement une mouche.

Elle n'y était pas quelques minutes auparavant, Kate en était certaine, mais maintenant, elle tournoyait près de la lumière.

— Bien, tu peux te rassurer à cet égard: les mouches bleues n'ont rien de surnaturel. Tu ne connais peut-être pas leur provenance, mais tu peux parier n'importe quoi qu'elles viennent des asticots, qui, à leur tour, proviennent d'un corps en putréfaction...

— Répète ce que tu viens de dire, coupa Kate d'une voix tendue.

— J'ai dit: «d'un corps en putréfaction».

— «Ton corps putréfié et ton âme corrompue», dit Kate lentement. Ce sont les mots qui n'arrêtent pas de me tourner dans la tête.

En un instant, la peur l'avait ressaisie.

— Ce n'est qu'une coïncidence. N'as-tu jamais entendu parler du synchronisme?

En percevant l'inquiétude dans la voix de sa sœur, Anne chercha à se faire rassurante :

— D'ailleurs, ce n'est même pas une coïncidence troublante : nous parlions de vers. Ecoute, je reçois à dîner et il faut vraiment que je m'y mette, sinon mes invités devront se contenter de sardines. Pouvons-nous discuter de tout cela demain ? Je vais consulter mes bouquins au sujet des esprits frappeurs et des loups-garous en crise d'adolescence pour te donner des armes contre Alison. Mais à ta place, je me verserais un bon verre, je fermerais toutes les portes à clé, je chercherais des boîtes d'allumettes au contenu suspect sous les meubles et je me perdrais dans mon livre. Par contre, si tu as vraiment peur, téléphone-moi. N'importe quand, compris ? Il faut que j'y aille, maintenant.

Anne raccrocha sans laisser le temps à Kate de dire au revoir.

— Anne ? Anne ?

Elle secoua le combiné et tendit l'oreille : il n'y avait plus de tonalité.

— Oh, non ! Pas encore.

Affolée, Kate posa et reprit le combiné. Aucun son ne sortait de l'écouteur. Elle recommença, toujours sans succès.

A Edimbourg, Anne se mordit la lèvre, la main posée sur le téléphone. Kate n'était pas du genre à avoir peur de son ombre. Au diable les invités ! Sa sœur importait davantage qu'un soufflé réussi. Elle souleva le combiné et composa le numéro de Kate.

Il n'y avait pas de tonalité.

Kate resta quelques instants à regarder dans le vide, en proie à un profond découragement. Pas encore ! Enfin, ce n'était pas si grave. Demain, elle se rendrait à la ferme et signalerait à nouveau le problème à la compagnie du téléphone. Elle n'avait pas prévu d'appeler qui que ce soit d'autre ce soir.

Mieux valait suivre le conseil d'Anne : prendre un verre, vérifier si des asticots étaient dissimulés quelque part, et se replonger dans le travail.

Il était minuit moins le quart lorsqu'elle finit par éteindre son ordinateur. Ses yeux étaient fatigués et ses idées s'embrouillaient, mais après s'être étirée, elle remit ses lunettes et parcourut les dernières pages qu'elle avait imprimées. C'était bon. Excitant, vivant, magnifique. Pleine d'enthousiasme, elle se dirigea vers la cuisine pour prendre la nouvelle bouteille de whisky. Kate se versa un doigt du liquide ambré et retourna au salon. Zut ! Elle se rendit compte qu'elle avait espéré un appel de Jon toute la soirée, mais personne ne pouvait la joindre, maintenant. Il lui manquait terriblement.

Le fracas au-dessus de sa tête la fit à peine sursauter. Elle leva les yeux vers le plafond, puis tendit la main en direction de la bouteille.

— Va au diable, Marcus, murmura-t-elle. Tu es soit de l'énergie psychique, soit une poutre qui travaille. Dans un cas comme dans l'autre, je me fous bien de toi.

32

Le matin suivant, Greg retrouva Allie dans la cuisine. Elle était assise à table, encore en robe de chambre. Son visage était pâle et ses traits tirés. Il s'installa devant elle et prit la cafetière.

— Alors, comment te sens-tu, petite cloche ?

— Mal, répliqua-t-elle avec humeur.

— M'man a-t-elle dit que tu devrais voir un médecin ?

— Non, elle pense que j'ai seulement besoin de repos.

— Tu n'as pas dormi ?

— Qu'est-ce que tu crois?

Elle croisa les bras sur la table et y posa sa tête.

— Nous allons téléphoner à Joe, aujourd'hui, et lui demander de niveler la dune, dit doucement Greg. Papa aussi croit que cela vaut mieux. D'ailleurs, ce n'est qu'une question de jours avant que la mer n'emporte ce qu'il en reste.

— On ne peut pas faire cela, dit-elle en le regardant d'un air épouvanté, à travers les longs cheveux qui tombaient sur son visage. C'est un site archéologique. Vous n'avez pas le droit.

— Personne n'en saura rien. Je suis désolé, Allie, mais la décision est prise. Il y a là-bas des choses qu'il vaut mieux laisser enterrées. Penses-y bien et tu verras que j'ai raison.

— Non, je ne vous laisserai pas faire! Vous ne pouvez pas! Vous ne devez pas! lança-t-elle en se levant brusquement.

— Allie…

— Non! Ne vois-tu pas? Le monde doit savoir. La vérité doit être connue!

— Quelle vérité? dit Greg en fronçant les sourcils.

Alison haussa les épaules et retomba sur sa chaise.

— Sur ce qu'il y a dans la tombe. Sur ce qui s'est passé là-bas. La vérité sur…

Elle s'arrêta net, comme si l'on avait subtilisé le nom sur ses lèvres.

— … la personne qui s'y trouve, poursuivit-elle. Vous ne devez pas y toucher. Pas question. Si jamais tu téléphones à Joe, moi j'appelle le musée et je leur dis tout. Ils demanderont un classement du site.

Greg sentit la colère monter en lui. Quel imbécile il avait été de lui en parler! Il aurait dû appeler Joe et tout faire en catimini.

— Il n'y a rien de spécial, là-bas. Juste quelques morceaux de poterie et des broutilles du même genre, dans une dune au bord de la mer. Mieux vaut oublier tout cela.

— Non, dit-elle en fermant les yeux à demi,

comme Smith-le-veinard lorsqu'il avait une souris ou un oiseau dans la gueule et qu'il croyait qu'on allait le lui prendre. Non. Vous n'y toucherez pas. La vérité doit être connue.

Greg se leva brusquement. Dans ses mains, la tasse de café et la soucoupe tremblaient.

— Comme tu voudras.

Il se dirigea vers le canapé, où les chats étaient déjà pelotonnés. Leur attitude exprimait le rejet d'un monde extérieur où la neige tombait sans répit d'un ciel gris, poussée par des vents qui transperçaient la peau. Greg se sentait extraordinairement contrarié. Son cœur battait anormalement vite et sa gorge était serrée. Mais qu'est-ce qui lui arrivait ? Il se foutait éperdument de cette tombe, et sa défaite tactique contre Alison n'était pas bien grave. C'était presque toujours elle qui gagnait et d'habitude Greg ne s'en souciait guère. Il prit une gorgée de café et se laissa aller contre le dossier du canapé en fermant les yeux.

Derrière lui, sa sœur renifla et passa furtivement le revers de sa main sur ses yeux. Sa tête était douloureuse et son visage lui semblait bouffi à cause du manque de sommeil. Il lui restait une chose à faire, mais elle n'arrivait pas à se rappeler laquelle. Il faisait froid dans la cuisine. Alison se tourna vers le fourneau. Il était allumé et la bouilloire fumait doucement. Pourquoi n'arrêtait-elle pas de frissonner ? Elle se leva lentement et alla rejoindre son frère.

— Je vais appeler les archéologues, dit-elle en s'asseyant sur un bras du canapé.

— Idiote, fit Greg en levant les yeux vers elle, ils ne voudront même pas t'écouter. D'ailleurs, que veux-tu qu'ils fassent par ce temps ?

Comme pour illustrer son propos, une nouvelle rafale de vent vint secouer la maison. Le feu rugit. Plusieurs étincelles jaillirent et atterrirent sur le tapis. Machinalement, Alison se leva et les éteignit une à une.

— Bien sûr, qu'ils m'écouteront.

— Jamais de la vie. De toute façon, quand ils arriveront, il n'y aura plus rien à voir. C'est la mer qui va terminer ton travail.

Il vida sa tasse en la regardant piétiner méthodiquement le tapis pour qu'il ne reste aucune étincelle. Alison se dirigea vers la porte.

— Où vas-tu?

— Téléphoner.

— Maintenant? fit-il en se redressant.

— Oui, maintenant.

— Allie, tu ne dois pas.

— Pourquoi non? dit-elle en le toisant. Pourquoi tiens-tu tellement à m'en empêcher?

— Parce que tout ce que tu vas réussir à faire, c'est créer des embêtements.

— Quel genre d'embêtements?

Elle pointa légèrement le menton, dans un air de défi qui lui était plus naturel que son attitude amorphe. Greg se leva.

— Laisse tomber, Allie. S'il te plaît. Attends au moins jusqu'à lundi. Par ce temps, ils ne pourront même pas venir. Mieux encore, attends jusqu'au printemps. Si la dune est encore là.

— Justement, cria-t-elle en tapant du pied. Ils doivent venir avant que tout ne soit emporté. Ils doivent trouver qui est enterré là, et pourquoi.

— Non. Personne ne doit jamais savoir, répondit Greg, le visage fermé et la voix d'une étrange dureté.

— Veux-tu me dire pourquoi?

Elle le dévisagea avec stupéfaction. La rage implacable dans les yeux de son frère lui faisait peur.

— Greg, qu'y a-t-il? Je ne comprends pas.

Il la fixait du regard et ses pupilles s'étaient contractées à l'extrême, bien que la lumière fût tamisée dans la pièce. Les deux chats sautèrent en bas du canapé et l'un d'eux disparut derrière le fourneau.

— Greg, supplia-t-elle, qu'y a-t-il? Tu m'effraies.

Il continua de la regarder fixement, comme si la haine qu'il éprouvait à son égard était trop forte pour être contenue. Soudain, il sembla rejeter les sentiments étranges qui s'étaient emparés de lui.

— Pardon. Je ne sais pas ce que j'ai. Je me fous bien de ce que tu veux faire de cette damnée tombe. Agis donc comme tu l'entends.

Greg était ébranlé. Cette sensation inexplicable était revenue : la sensation qu'une entité extérieure cherchait à imposer sa volonté. Une entité terrible, dévastatrice. Il s'appuya contre les coussins et porta une main à ses yeux.

Alison s'échappa vers le bureau de son père en jetant un dernier regard à Greg. Les annuaires étaient empilés par terre, à côté du fauteuil pivotant. Elle s'assit et en prit un. Tout autour d'elle, les tableaux de son frère étaient appuyés contre les murs et sur son chevalet. Dans la pièce, une odeur étrange se superposait à celle de l'huile et de la térébenthine, ainsi qu'aux senteurs plus mystérieuses du vernis et de la peinture. Alison ouvrit l'annuaire et chercha la rubrique « Archéologie ». Rien. Elle essaya de nouveau sous « Colchester ». Il lui fallut un certain temps pour trouver. En pointant le numéro du doigt, elle attira le téléphone vers elle, consciente que Greg se tenait dans l'embrasure et surveillait chacun de ses gestes.

Ses doigts se serrèrent sur le combiné. Ignorant son frère, elle fit le numéro et tendit l'oreille. Au bout d'un moment, elle raccrocha en fronçant les sourcils.

— Qu'y a-t-il ? Quelque chose ne va pas ? demanda Greg d'une voix presque moqueuse.

— Je n'arrive pas à obtenir de tonalité... On dirait que les lignes sont brouillées, comme si quelqu'un écoutait à l'autre bout.

Greg sourit.

— C'est peut-être le cas, fit-il doucement.

33

Bill se pencha et scruta la route à travers le pare-brise. Il regrettait amèrement d'avoir décidé d'aller passer le week-end dans son cottage. Juste au moment où il allait quitter le bureau, la veille, un importun l'avait retenu pendant des heures. Quand il était enfin parti, la nuit tombait et Bill avait préféré remettre son voyage au lendemain matin.

Lorsqu'il s'était réveillé, à neuf heures, un soleil de bon augure brillait. L'air vivifiant de l'East Anglia lui ferait peut-être du bien.

Mais le soleil s'était éclipsé presque au moment où il avait pris la A 1 et de gros nuages s'étaient accumulés dans le ciel. A Chelmsford, de la neige mouillée se mit à tomber. Elle giclait sous les pneus et empêchait les essuie-glaces de fonctionner normalement. Les automobiles roulaient lentement. Sans quitter la route des yeux, Bill inséra une cassette dans le magnétophone du tableau de bord. Il allait d'abord se rendre à Colchester et s'offrir un bon repas au George. Ensuite, il verrait s'il devait rebrousser chemin ou continuer.

34

Kate eut de nouveaux cauchemars cette nuit-là. Sur la plage, une menace guettait, tapie dans l'ombre. Elle courait en regardant en arrière, consciente que le danger se rapprochait sans cesse. Ses chaussures glissaient sur le sable, mais le but se rapprochait. Dans son dos, le bruit sourd de pas sur le sable devenait de plus en plus fort. Enfin, elle parvint au cottage.

En tendant les bras vers la porte, elle se rendit compte qu'il y avait quelqu'un devant l'entrée. C'était Jon. Elle vit son sourire, sa main tendue. En sentant le frôlement de ses doigts, elle trébucha. Sa main n'agrippa que de l'air et la porte commença à se fermer, la laissant seule au milieu des ténèbres…

Kate se réveilla, le visage inondé de larmes. Des coups sourds résonnaient dans sa tête et sa bouche était sèche. En titubant un peu, elle réussit à se rendre en bas. La température glaciale lui rappela cruellement qu'elle avait oublié le poêle avant de se coucher. Elle se lava le visage, se brossa les dents et se peigna, mais sans se sentir mieux pour autant. Après avoir mis de l'eau à chauffer, elle gagna le salon pour ouvrir les rideaux. Il faisait jour et pourtant tout était sombre. La neige tombait sur un fond de nuages couleur d'étain. Kate pouvait sentir la pression du vent contre la vitre froide. Elle inspecta le rebord de la fenêtre. Le bois était bien sec et ne présentait aucun signe de suintement.

De retour à la cuisine, elle se prépara un café noir. En le sirotant, elle souleva le combiné du téléphone et le porta à son oreille. Toujours pas de tonalité, rien que cet écho mystérieux. Elle raccrocha brusquement et fit la grimace quand une secousse monta le long de son bras, jusque dans son crâne.

En maugréant, Kate enfila une chemise, un chandail épais, un pantalon et deux paires de chaussettes. Elle chercha ensuite sa veste, son écharpe et ses gants. Ses bottes étaient près de la porte. Avant de sortir, elle ralluma le poêle, dans l'espoir que le cottage offrirait une chaleur hospitalière à son retour. Avec un peu de chance, quelqu'un de la ferme viendrait la reconduire.

Une demi-heure plus tard, à la ferme, Patrick vint lui ouvrir.

— Bonjour, entrez, dit-il avec un large sourire.

— Comment va Allie?

— Bien. Elle est un peu bizarre, mais elle s'en tirera.

Sa réponse était peu claire et Kate pensa lui demander des explications, mais elle préféra laisser tomber.

— Patrick, pourrais-je utiliser votre téléphone? Le mien n'en fait à nouveau qu'à sa tête.

— Bien sûr. Il y en a un dans le bureau, répondit-il en indiquant la porte. Ensuite, venez nous rejoindre à la cuisine. Les autres sont tous là. Je vais leur dire de vous verser un café.

Avec un sourire de gratitude, elle entra dans le bureau de Roger. En libérant sa chevelure de l'écharpe de laine, elle tendit la main vers l'appareil.

— Je peux faire quelque chose pour vous?

La voix étouffée, derrière elle, faillit la faire crier. Elle se retourna.

— Greg! Je suis désolée. Je pensais qu'il n'y avait personne.

Il était installé sur le bras d'un vieux fauteuil usé près de la fenêtre, une tablette à dessin dans une main et un crayon dans l'autre. Il avait incliné une lampe de façon à éclairer directement son papier. Kate ne pouvait voir son visage dans la pénombre.

— Je voulais utiliser votre téléphone.

— Je vois. Vous ne nous faites pas confiance. Vous allez téléphoner au musée sans attendre.

Sa voix était sarcastique.

— Ce n'est pas du tout cela, répliqua-t-elle d'un ton indigné. Je vous ai dit que je ne ferais rien avant que nous ayons discuté davantage et j'étais sincère. D'ailleurs, si je voulais téléphoner au musée, je ne me donnerais sûrement pas la peine de faire tout ce chemin par ce temps. Je suis venue signaler que mon téléphone ne marche plus, encore une fois.

— Je vois. Le nôtre aussi est fichu.

Cette mauvaise nouvelle produisit chez Kate un sentiment d'angoisse incontrôlable. Il lui sembla pendant un instant que ses jambes allaient se dérober. Elle dut s'appuyer contre le bureau.

— Vous en êtes sûr?

— Vérifiez vous-même, jeta-t-il en reprenant son dessin.

Kate prit le combiné. Le même son, le même silence rempli d'écho qui semblait venir d'un autre monde... En raccrochant, elle se sentit couverte d'une sueur froide.

— L'avez-vous signalé à la compagnie du téléphone?

— Papa doit se rendre au village plus tard aujourd'hui. Il s'en occupera sûrement.

Il leva les yeux vers elle. Le visage de Kate était d'une pâleur effrayante.

— Cela vous préoccupe tellement, de ne pas avoir le téléphone?

— En effet, reconnut-elle en s'efforçant de sourire.

— Vous avez peur, là-bas, toute seule, n'est-ce pas? dit-il à mi-voix.

— Non, je n'ai pas peur. Mais cela m'embête beaucoup. Le téléphone est nécessaire pour mon travail. Je dois parler à mon éditeur et faire des recherches.

Il posa sa tablette et se leva lentement.

— Et vous voulez parler à cet homme aux Etats-Unis. Ne vous inquiétez pas, tout rentrera bientôt dans l'ordre. Les fils sont vieux et nous avons constamment des ennuis avec le téléphone, par ici. L'année prochaine, paraît-il, les télécommunications passeront par satellite. S'ils gardent les mêmes vieux poteaux, tout cela continuera de tomber en panne à la moindre intempérie... Alors, comment avance votre livre?

— Désirez-vous vraiment le savoir?

— Je ne perdrais pas mon temps à vous le demander, sinon.

Il entreprit d'ombrer une partie de son dessin. Ses gestes semblaient fermes et assurés.

— Dans ce cas, mon livre avance bien, merci.

— A la bonne heure, fit-il en levant les yeux vers elle. Kate, vous avez vu Allie, hier. Vous savez dans quel état elle est. Je vous en prie, utilisez votre influence pour la dissuader de poursuivre ces travaux d'archéologie. Tout cela a une influence néfaste sur elle. Elle fait des cauchemars. Elle imagine je ne sais quels monstres sortant de la tombe. On la dirait plongée dans un film d'horreur.

L'air songeur, Kate fit le tour du bureau et s'assit dans le fauteuil de Roger.

— C'est l'incertitude qui la dérange, Greg. Raser la dune n'y changera rien. Elle n'arrêtera pas de penser à ce qui est caché sous le sable. Il vaudrait mieux demander à des experts de s'occuper de cela. Je suis certaine qu'ils lui demanderaient de participer aux fouilles. Ils l'encourageraient, l'aideraient dans son projet, lui donneraient des informations. Ce serait pour le mieux, j'en suis sincèrement persuadée. La pire chose que vous puissiez faire est de prétendre qu'il n'y a rien là-bas.

— Vous faites une fameuse psychologue, vous savez ?

Kate refusa de s'emporter, malgré le ton délibérément moqueur.

— Non, je me fie simplement au bon sens. Patrick a dit qu'il y avait du café à la cuisine. En désirez-vous d'autre ?

Il fit signe que non sans lever les yeux de son dessin.

— Alors, vous m'excuserez, mais je vais y aller. Le chemin a été long et je suis transie…

— Kate, dit-il en posant sa tablette, croyez-vous qu'Allie soit simplement victime de son imagination ?

Elle soutint son regard pendant quelques secondes.

— Non, pas entièrement.

— Votre réponse est un peu ambiguë, si vous me permettez la remarque. Dois-je comprendre que vous me soupçonnez toujours ?

— J'éprouve bien du mal à le déterminer, Greg. Disons que si vous n'êtes coupable de rien, nous devrions peut-être nous inquiéter pour Allie.

— Laissez-moi vous montrer quelque chose avant que vous n'alliez prendre votre café.

Greg s'approcha du bureau et ouvrit le tiroir du bas, d'où il tira une enveloppe.

— J'ai fait développer vos photographies chez Boots.

Elle le dévisagea avec surprise et chercha ses lunettes dans les poches de son jean. Elle étala les photos sur le bureau et entreprit de les examiner. La pièce était silencieuse. Lorsqu'elle leva les yeux, son visage était encore plus pâle qu'auparavant.

— Vous auriez pu les truquer.

— Oh, allons donc ! Je ne me donnerais pas tant de peine.

— Les avez-vous montrées à Allie ?

— Bien sûr que non.

Elle les examina de nouveau. Les clichés étaient bons, malgré la lumière défavorable. Dans trois des photos, il y avait un détail qu'elle n'avait pas vu ce jour-là.

— Que pensez-vous que ce soit ?

Greg se tenait à ses côtés et regardait lui aussi. Il désigna une des photographies.

— On dirait un objet en mouvement. Un tourbillon de sable, je crois. A quoi cela ressemblait-il quand vous avez pris les photos ?

— Je ne l'ai pas vu, dit Kate en secouant la tête. Je n'ai rien vu d'anormal. La lumière n'était pas très bonne. Pour être tout à fait franche, je ne pensais pas qu'on verrait quoi que ce soit.

La tête de Greg était maintenant très près de la sienne. Kate se surprit à éprouver un sentiment

214

proche de l'excitation lorsque leurs épaules se frôlèrent. Mécontente d'elle-même, elle s'éloigna pour examiner un des clichés à la lumière de la lampe. L'image était claire et la mise au point parfaite, mais dans le tiers inférieur, légèrement à gauche, on voyait un tourbillon insolite et lumineux.

— Croyez-vous que l'appareil a laissé entrer la lumière du jour ? demanda-t-elle lentement en approchant encore la photo de la lampe.

— Cela m'étonnerait. Regardez à côté, tout est parfaitement clair. Tenez, essayez avec cela, dit-il en lui tendant une loupe qui traînait sur le bureau. Vous voyez : l'objet est clairement superposé.

Kate prit la loupe et examina la tache lumineuse.

— Quelle est votre théorie ?

— C'est peut-être l'effet d'un champ d'énergie.

— Mais d'où viendrait cette énergie ?

— D'après moi, ce phénomène peut s'expliquer de trois façons. Tout d'abord, il avait une source humaine, dit-il en la dévisageant. Auriez-vous pu projeter un champ de force quelconque ? En raison d'une colère réprimée, peut-être ? A la suite d'un sentiment d'indignation ? De frustration ? J'ai l'impression que vous éprouvez tout cela à la fois depuis votre arrivée ici.

— C'est très probable, répliqua-t-elle d'un ton acerbe, mais pas de façon suffisante, d'après moi, pour déclencher le moindre phénomène physique.

Greg se tenait de nouveau tout près et regardait la photo qu'elle tenait. Cette fois, elle ne s'éloigna pas.

— Quelles sont les autres possibilités ?

— Qu'il s'agisse d'un tourbillon, tout simplement, dit Greg en haussant les épaules, et que vous ne l'ayez pas remarqué, ou encore, que l'énergie provienne de la terre même.

— On peut rejeter la seconde hypothèse, affirmat-elle en espérant qu'il ne percevrait pas le tremblement soudain dans sa voix.

— Et qu'en est-il de la dernière ?

— De l'énergie venant de la terre même ? Comme des méridiens d'énergie, vous voulez dire ?

— Ça, ou une source distincte, enfouie dans le sol.

Il y eut un long silence, durant lequel Kate s'efforça d'assimiler ses paroles.

— Greg, qu'essayez-vous de dire ?

Lorsqu'elle leva les yeux, son visage était très près du sien. Elle réalisa qu'il n'était pas rasé. Sa barbe avait des reflets dorés, bien plus clairs que ses cheveux.

— Je me demandais simplement si cela ne venait pas de quelque chose enterré là-dessous.

— De quelque chose ou de quelqu'un ?

— De quelqu'un, je le crains.

— Mais nous ne pouvons en être certains. Assurément, c'est une excellente raison pour essayer de le découvrir.

A nouveau cette légère excitation quand la main de Greg effleura son épaule. Il prit la photo.

— Je crois, au contraire, que nous pouvons en être certains, Kate. Regardez celle-ci. Dites-moi ce que vous en pensez. Là, dans le coin, à la surface du sable.

Il y avait une petite tache granuleuse de bleu cobalt sur son index. En prenant la photo qu'il lui tendait, Kate toucha accidentellement sa main, mais Greg ne broncha pas. Elle examina l'endroit désigné à l'aide de la loupe, choquée de constater que sa main tremblait légèrement. Elle redoubla d'attention, scrutant soigneusement la surface de la photo. Le sable, les strates de tourbe, les coquillages : tout était parfaitement clair. Au bord de l'image, une forme semblait ressortir de la surface du sol.

— Mon Dieu ! murmura-t-elle.

— Cela fait partie d'une main, n'est-ce pas ? dit Greg à voix basse.

Kate le regarda droit dans les yeux. Quelques centimètres à peine séparaient leurs visages.

— Est-ce vous qui l'avez mise là ?

— Non.

Cette fois, elle le crut. Tout d'un coup, il n'y eut plus l'ombre d'un doute dans son esprit et elle en éprouva la chair de poule.

— Il faut aller vérifier. Qu'avez-vous dit à Allie à propos des photos ?

— Que j'étais arrivé trop tard pour le développement en une heure, et qu'elles ne seraient prêtes que dans quelques jours. Elle a semblé très soulagée.

— Cet endroit la terrifie. Elle ne veut plus en entendre parler, mais désire quand même que l'on poursuive l'excavation. C'est étrange et dangereux.

Greg acquiesça.

— Donc, nous sommes du même avis ?

— Quant à ce qu'il faut faire de la tombe ? Non, Greg. Il faut tirer les choses au clair. S'il y a un corps sur la plage, même depuis longtemps, nous devons commencer par en informer le coroner et peut-être aussi la police, pour autant que je le sache.

— Vous ne croyez tout de même pas à une histoire de meurtre ! s'exclama-t-il en riant.

Il se releva et lui prit la photographie des mains. Sa colère s'était envolée. Il ne songeait plus, maintenant, qu'à cette histoire mystérieuse et à la femme qui se tenait près de lui. Elle était vraiment très belle quand elle perdait son genre collet monté.

La chute subite de la température dans la pièce les prit tous deux de court. On aurait dit que quelqu'un avait ouvert une fenêtre. Pendant un instant, il y eut de l'électricité dans l'air.

— *Marcus*.

Le nom était sorti des lèvres de Kate dans un souffle. Sans le réaliser, elle agrippa le bras de Greg.

— Ô Seigneur ! que se passe-t-il ?

— Dieu seul le sait. Venez. Apparemment, nous avons touché une corde sensible. Sortons d'ici et pas un mot aux autres. Pas encore, du moins. Nous devons nous donner la chance de réfléchir.

Il ouvrit la porte et la fit passer dans le couloir.

En quittant la pièce, Kate regarda furtivement derrière elle. Tout semblait parfaitement normal. Il n'y avait là rien qui puisse l'effrayer, et la température était redevenue normale. Mais l'odeur de peinture, de vernis et d'huile de lin avait fait place à une senteur envahissante de terre humide et froide.

35

Les yeux aveuglés par les larmes, elle écarta les tiges de sureau d'une main tremblante. Il n'était qu'à une courte distance d'elle, nu maintenant, les bras étendus, poings fermés, en direction de l'est pour saluer le ciel. Derrière lui, les prêtres attendaient. Elle vit le couteau, le garrot, le bol contenant l'hydromel sacré. Soudain, il se tourna. Pendant un court instant, elle entrevit son visage. Ses traits étaient impassibles, comme si son esprit l'avait déjà quitté.

Un des prêtres s'avança avec le bol et le tendit à Nion en s'inclinant. Le jeune homme se tourna à nouveau vers l'est et leva le bol vers les nuages roses. Loin à l'horizon, là où le ciel rencontrait la mer, une vaste bande écarlate s'étendait lentement au bord du monde. Derrière Nion, le prêtre leva son couteau. Tous attendaient, immobiles, les yeux fixés vers le point lointain où le soleil allait paraître.

Claudia ravala ses larmes. Il ne devait pas la voir, ni entendre ses pleurs. Ses yeux aussi se portèrent vers l'horizon. Une minuscule tache rouge surgit de la brume écarlate.

Nion se raidit et ses mains se crispèrent sur le bol. Puis il se mit à boire. Le liquide doré déborda et coula sur son menton, le long de ses bras et jusque sur sa poitrine. Il vida le bol et le lança vers le marais, puis croisa les bras, s'agenouilla et attendit.

Dans son dos, les deux prêtres avancèrent. Elle vit le soleil rouge luire sur la lame du couteau. En une fraction de seconde, le garrot enserra sa gorge.

Après un excellent repas, Bill resta longuement attablé devant son café. A côté de lui, le *Times* était soigneusement replié à la page des mots croisés. Durant la dernière heure, il n'avait pu trouver que deux mots, ce qui le décourageait grandement. Il leva les yeux vers la fenêtre. A l'extérieur la neige s'était arrêtée de tomber. Un mince coin de bleu délavé apparut timidement entre les nuages, ce qui eut pour effet de le ragaillardir. Après tout, il ne restait qu'une trentaine de kilomètres à faire.

Après avoir installé deux sacs de provisions et quelques bouteilles de vin dans le coffre de sa voiture, Bill prit place derrière le volant.

Un moment plus tard, il arrivait à l'entrée du chemin traversant le bois de Redall, que la pluie et la neige fondante avaient transformé en un véritable bourbier. Bill gara sa voiture sur le bas-côté et descendit. Derrière lui, un tracteur avançait lentement sur la route. L'engin s'immobilisa à sa hauteur et Bill reconnut le conducteur.

— Bonjour, Joe. Ce serait fou de ma part d'essayer de descendre jusqu'au cottage, n'est-ce pas?

Joe rit en se grattant la tête.

— C'était déjà fou de venir jusqu'ici, cria-t-il par-dessus le grondement de son engin. Laissez donc votre voiture chez nous et je vous conduirai. Ça vaudra mieux.

Renonçant à concurrencer le bruit du moteur, Bill leva le pouce en signe d'assentiment.

Il leur fallut une heure pour parvenir à son cottage. Bill salua son bon Samaritain, et ouvrit la porte en poussant avec l'épaule. Une odeur de renfermé l'assaillit instantanément. «Pauvre idiot», pensa-t-il.

La porte donnait directement sur le salon. Les

meubles étaient vieux et leur état laissait à désirer, mais pour un week-end occasionnel, cela suffisait, et personne ne songerait à les voler. Bill trouvait toujours l'endroit déprimant au début, mais il savait par expérience que dès qu'il aurait allumé les lumières et la radio, et qu'il se serait occupé du feu (jamais il ne manquait de préparer le poêle pour qu'il lui suffise de craquer une allumette au retour), la petite maison reprendrait vie. En fin de compte, il s'aperçut qu'il fredonnait en se rendant à la cuisine. La pièce était simple : un vieil évier, une cuisinière électrique, une table et des chaises de pin. Dès qu'il serait installé, il enfilerait ses bottes et pataugerait dans la boue jusque chez Kate.

Il ne s'était pas attendu qu'elle soit sortie. En jetant un coup d'œil par une fenêtre, il vit que le poêle était allumé. Bill mit ses mains en visière et s'approcha de la vitre. La table était en désordre, comme si elle était partie en plein milieu de son travail, et la lampe, dans le coin, était allumée. Peut-être était-elle allée se promener ?

En glissant sur le sable et les galets humides, il partit en direction de la mer. Une fois sur la plage, Bill enfonça les mains dans ses poches, rejeta les épaules en arrière et se mit à marcher d'un pas alerte. La mer semblait maussade et se gonflait de façon menaçante. La marée haute était à mi-course. Les eaux avançaient en hésitant, poussant devant elles les algues et les coquillages plus loin sur la plage avant de glisser vers les profondeurs obscures pour reprendre leur élan vers la terre.

Bill ne put aller loin. Le vent ne soufflait pas vraiment fort, mais il était terriblement froid. Il se retourna et examina le chemin parcouru. Aucun signe de Kate, aucune trace de pas. Déçu, il décida de rentrer chez lui. Au diable l'air frais ; il ne fallait pas en prendre trop à la fois ! Il parcourut la plage jusqu'aux dunes qui en formaient l'extrémité et grimpa sur l'une d'entre elles pour avoir une bonne vue de l'estuaire. Les eaux étaient couvertes d'oies affairées. D'où il était, Bill pouvait les entendre se chamailler en se répondant entre les îles basses. Il sourit. Les oies étaient ses oiseaux favoris. Avec elles, on ne pouvait se sentir vraiment seul. Pourquoi donc les gens cherchaient-ils absolument à leur tirer dessus ? Mais certaines personnes étaient capables de tirer sur tout ce qui bougeait. En s'engonçant un peu plus dans son épais manteau, il se détourna et s'immobilisa soudain. Il y avait une femme un peu plus loin sur la dune voisine.

— Kate ! Ici ! cria-t-il en agitant le bras.

Elle avait le dos tourné, et était enveloppée dans une espèce de long vêtement. Des mèches de cheveux s'échappaient de sa coiffure.

— Kate ! hurla-t-il en mettant ses mains en porte-voix.

Il aurait beau s'époumoner, le vent était contre lui. Sur les eaux, quelques oies cessèrent de manger et levèrent la tête. Bill sauta en bas de la dune et courut vers elle, sentant la sueur s'accumuler sous sa lourde veste. A bout de souffle et convaincu qu'il allait avoir une crise cardiaque, il escalada la dune où elle se trouvait. Personne. Il regarda en bas. La moitié de la dune s'était effondrée sur la plage. On voyait clairement où la marée avait emporté le sable pour former de petits monticules couverts de varech. Un crabe mort gisait sur le dos parmi les débris. Bill fit la grimace. Moitié sautant, moitié glissant, il redescendit sur la plage et regarda autour de lui. Où diable était-elle passée ? Le jour tirait à sa fin. A l'horizon, le brouillard s'était levé.

De mauvaise humeur, il refit le chemin vers le cottage de Kate. De toute évidence, elle ne l'avait pas vu. L'air se refroidissait rapidement et son corps était parcouru de frissons, sous l'effet de la sueur qui s'évaporait. Tout d'un coup, il éprouva une grande sensation de solitude.

Il n'y avait toujours personne au cottage et la

porte était encore fermée à clé. Bill resta bêtement devant, à la regarder sans comprendre. Peut-être n'était-ce pas Kate qu'il avait vue? Mais qui d'autre pouvait se promener sur la plage par ce temps et à cette heure? Ce n'était certainement pas Alison ni Diana. L'une était trop petite et l'autre, trop ronde. La distance avait été trop grande pour qu'il puisse reconnaître de qui il s'agissait, mais il avait pu voir que la femme était grande et mince.

Déçu, il tourna le dos au cottage. Il ferait aussi bien d'aller à la ferme de Redall et demander une tasse de thé. D'ailleurs, c'était peut-être là qu'il trouverait Kate. En remontant son col, Bill se mit en route vers le bois.

36

— Où donc est passée Allie?

Diana promena son regard dans la cuisine comme si elle remarquait pour la première fois l'absence de sa fille. Deux heures s'étaient écoulées depuis la fin du déjeuner, auquel on avait convié Kate, trop heureuse d'accepter. Alison avait fait acte de présence, mais avait à peine touché au premier plat. Au bout de quelques minutes, elle était montée se coucher en s'excusant.

— Veux-tu aller voir comment elle va, Patrick, mon chéri? Il faudrait qu'elle mange quelque chose.

Kate et Diana avaient fini la vaisselle ensemble et l'eau sifflait dans la bouilloire sur le fourneau.

— Je suis ridicule de m'inquiéter, mais c'est plus fort que moi. Elle ne va pas encore bien.

— Ne pensez-vous pas qu'elle devrait voir un médecin? demanda Kate en finissant d'aligner cinq tasses sur la table.

Diana allait répondre quand un cri de Patrick lui coupa la parole :

— M'man, elle n'est pas ici ! J'ai regardé partout.

Roger, qui somnolait au coin du feu, repoussa les chats étendus sur ses genoux et se leva.

— Elle doit être quelque part. La maison n'est pas bien grande, dit-il en dissimulant mal l'anxiété dans sa voix.

— Elle est partie ! s'exclama Diana en jetant par terre le gant isolant qu'elle avait mis pour prendre la bouilloire. Elle est retournée à cette maudite tombe.

— Non…

Le murmure de Kate se perdit dans le froissement du journal que Roger repoussait.

— C'est impossible. Elle ne peut être aussi stupide. Bon Dieu ! Il va faire noir dans une heure à peine, dit-il en se dirigeant vers la porte.

— Regarde si sa veste est là, chéri.

Diana restait comme paralysée au milieu de la pièce. Roger fouilla parmi les manteaux et les imperméables pendus à côté de l'entrée.

— Elle n'est pas là, et ses bottes non plus.

Greg, qui avait disparu dans le bureau avec sa tasse de café après le repas, passa la tête dans l'entrebâillement de la porte.

— Qu'est-ce qui se passe ?

— C'est ta sœur. Il semble qu'elle soit partie.

Les yeux de Greg cherchèrent ceux de Kate. Son visage devint subitement très sombre.

— Kate et moi allons la chercher. Nous prendrons la Land Rover. Ne t'inquiète pas, m'man. Elle ne court aucun risque. Elle n'est pas folle. Si elle a pris son manteau et ses bottes, elle ne souffrira pas du froid. Cela montre qu'elle a toute sa tête.

— Je vais aller avec vous, dit Roger.

Il tendit la main vers son manteau, mais Greg le retint avec autorité.

— Non, papa. C'est inutile. Kate et moi la retrouverons. Reste ici avec maman. On ne sait jamais :

elle pourrait simplement être allée faire un tour dans le jardin. Nous paniquons peut-être pour rien.

Il sourit dans le silence général. Son optimisme de commandé ne rassurait personne.

Il faisait froid dans la Land Rover. Kate s'installa sur le siège du passager et enfouit les mains dans ses poches en attendant que Greg fasse le tour et ouvre la portière. Il grimpa à l'intérieur et tendit la main vers la clé de contact en jetant un regard vers la jeune femme.

— Depuis combien de temps croyez-vous qu'elle soit partie ?

— Depuis des heures, peut-être. L'aurions-nous remarquée, si elle était sortie pendant le repas ?

— Il faut traverser le salon pour atteindre la porte d'entrée, mais nous parlions tous si fort que nous ne l'aurions pas entendue même si elle avait crié, dit-il en haussant les épaules.

Il fit jouer le levier de vitesse d'un geste brusque et le véhicule s'éloigna de la maison.

— Avez-vous pris des couvertures ?

Kate fit signe que oui. A l'intérieur d'elle-même, elle frissonnait.

— Quelque chose l'a appelée là-bas.

— Eh bien, qu'ils appellent. Ils ne l'auront pas.

Le véhicule se mit à déraper dans la boue et ils prirent abruptement conscience que la nuit allait bientôt tomber. Sous les pins et les mélèzes, les ombres grandissaient et au loin, le bois était obscur. Les phares lançaient leurs cônes de lumière parmi les buissons, en faisant briller les taches jaunes des chatons de saule annonciateurs du printemps.

— Ne croyez-vous pas que nous devrions chercher des traces de pas, pour nous assurer qu'elle est bien passée par ici ? demanda Kate en agrippant la portière pour éviter de tomber.

— Nous savons pertinemment qu'elle est passée par ici, répondit Greg en lui adressant un regard rapide. Bouclez donc votre ceinture ; vous ne serez pas éjectée si l'auto se renverse. Le chemin sera inutilisable si le mauvais temps continue.

Il fit tourner le volant alors que la Land Rover glissait de côté dans un nid-de-poule.

— Peut-être qu'en allant moins vite…

— Nous devons y arriver avant elle. Merde !

Greg tira le levier de vitesse et força le véhicule à revenir sur le chemin. Des gouttes de pluie s'écrasèrent contre le pare-brise lorsqu'ils foncèrent dans des clématites aux branches déjà ornées de petits bourgeons. Devant eux, sur le chemin, quelque chose bougea. Greg ralentit et tous deux tendirent le cou pour mieux voir.

— Qu'est-ce que c'est ? Est-ce Allie ? demanda anxieusement Kate.

— Ce n'est qu'un daim, fit Greg d'un air sombre. Bon Dieu, jusqu'où s'est-elle rendue ?

— Y a-t-il un autre chemin ? Aurait-elle pu prendre un raccourci ?

— C'est le chemin le plus direct. Elle ne peut en avoir pris un autre.

L'inquiétude se lisait clairement sur son visage. L'obscurité grandissante accentuait les rides entre ses sourcils froncés. De toute évidence, il aimait profondément sa sœur, malgré leurs disputes constantes. Kate se sentit gagnée par quelque chose qui ressemblait à de l'affection pour lui.

— Ne vous en faites pas. Nous la trouverons.

— Oui, nous allons sûrement la trouver, répondit-il d'un ton lugubre.

Ils continuèrent en silence durant plusieurs minutes, puis Kate poussa un cri :

— La voilà ! Regardez. Là-bas !

Greg dirigea brusquement la Land Rover vers la silhouette tapie derrière un arbre. Ils s'étaient arrêtés à sa hauteur et Greg avait déjà ouvert la portière quand ils réalisèrent qu'il ne s'agissait pas d'Allie. La personne qui s'avançait vers eux en titubant était un homme. Soudain, Kate le reconnut.

— Bill! s'exclama-t-elle en sautant du véhicule.

— Faites attention, il est blessé.

Greg la retint par le bras. Dans la lumière des phares, ils aperçurent un filet de sang qui coulait sur son visage. Kate sentit son estomac se nouer de peur.

— Bill? dit-elle en posant la main sur son bras. Bill, ça va? C'est Kate.

Le regard qu'il posa sur eux était complètement vide. Greg courut vers la Land Rover et revint entourer les épaules de Bill d'une couverture.

— Pouvez-vous marcher, mon vieux? Allez, quelques pas à peine. Kate, aidez-moi à le faire monter. Bon Dieu, que lui est-il arrivé?

Bill était corpulent et ses membres semblaient avoir perdu leur coordination. Kate le sentait frissonner sous la couverture épaisse. En grimpant à ses côtés, elle chercha sa main et se mit à la frotter doucement, épouvantée par la froideur de sa peau.

— Il faut l'emmener à l'hôpital, Greg, dit-elle dans un murmure.

— Oui, dès que nous aurons trouvé Allie. A-t-il fait une chute? Attendez, je vais prendre la lampe de poche et la trousse de premiers soins.

Tandis qu'il cherchait dans une boîte à ses pieds, Kate examina le visage de Bill. Cet air terrifié, les yeux fixes, les pupilles dilatées, la peau glacée: il présentait les mêmes symptômes qu'Alison. Elle regarda Greg.

— C'est exactement dans cet état que j'ai trouvé Allie.

Un léger spasme agita les membres de Bill.

— Bon Dieu! fit Greg en se mordant la lèvre. Ecoutez, ça ira à l'arrière? Nous devons aller la chercher.

— Oui, ça ira. Il est déjà moins froid.

Elle entendait pourtant ses dents claquer. En se penchant, Kate entreprit de fouiller maladroitement dans la trousse de secours, à la lumière instable de la lampe de poche. Elle réussit à trouver de l'antiseptique et un bandage. Aussi délicatement que possible, elle essuya le sang sur son front, en grimaçant devant les blessures du cuir chevelu. Bill restait immobile, apparemment inconscient de ce qu'elle faisait, et parut n'éprouver de la douleur qu'une fois ou deux. Elle enroula un pansement autour de sa tête et commençait à essuyer le sang qui avait coulé le long de sa joue quand il agrippa sa main avec une force étonnante.

— Alison! cria-t-il d'une voix effrayée.

— L'as-tu vue? demanda Kate.

La peur grandit au creux de son estomac. Elle laissa sa main dans celle de Bill. Ses doigts la serraient très fort, mais ils étaient encore glacés.

Bill secoua la tête, l'air désorienté. Il porta la main à sa tempe et examina ses doigts, comme s'il s'attendait à voir du sang. Il ne paraissait pas se rendre compte qu'un bandage entourait ses blessures.

— Elle m'a frappé.

Greg, qui avait repris sa place au volant, se tourna en posant un coude sur le dossier de son siège.

— Alison vous a frappé?

— J'ai essayé de la retenir. Il y avait quelqu'un avec elle. La femme que j'ai vue sur la plage.

Avec horreur, Kate vit les yeux de Bill s'emplir de larmes.

— Je voulais qu'elle vienne avec moi, poursuivit-il en balbutiant. J'ai essayé de l'arrêter. Je l'ai prise par le bras et elle s'est retournée vers moi. Son expression était… féroce, dit-il en secouant la tête. Elle a saisi une branche. Une branche énorme. Elle l'a soulevée et l'a écrasée sur ma tête. J'ai dû perdre conscience. Je me souviens seulement que vous m'avez trouvé.

— Vous délirez, dit Greg, horrifié. Allie n'aurait jamais fait une telle chose. Jamais elle n'aurait pu.

— Qui était la femme avec elle, Bill? demanda Kate.

— Je l'ai vue de loin sur la plage. Elle était

227

grande et mince. J'ai cru que c'était toi. Elle était enveloppée dans un grand manteau. Ses cheveux étaient longs, et en désordre. Elle était furieuse. Je pouvais voir sa colère.

Greg regardait Bill et Kate tour à tour, se demandant s'il avait l'air aussi estomaqué et effrayé qu'elle. Kate vit son regard.

— Vous feriez mieux de conduire, Greg, dit-elle d'une voix étouffée.

Il hésita un moment, puis se tourna vers le volant.

Kate passa un bras autour des épaules de Bill tandis que la Land Rover bondissait de nouveau sur le chemin. Elle sentit la masse de Bill s'incliner contre elle en frissonnant. Aussi calmement que possible, elle tira une autre couverture de la pile que Greg avait jetée sur le plancher devant elle et en enveloppa Bill. Puis elle chercha à nouveau sa main et la tint fermement.

Il fallut encore dix minutes pour atteindre le cottage. Greg arrêta la Land Rover sur la pelouse en dirigeant la lumière des phares vers la plage, au-delà de la maisonnette.

— Je ne la vois pas, dit Kate.

Greg prit la lampe de poche et descendit.

— Restez ici, ordonna-t-il. Je vais descendre à la tombe.

— J'y vais avec vous.

— Non, répliqua-t-il sèchement.

Mais il se radoucit immédiatement et contourna le véhicule pour lui ouvrir la porte. Pendant un instant il regarda Kate dans les yeux et tendit la main pour l'aider à sortir. Elle sentit la pression de ses doigts.

— Restez avec Bill. Emmenez-le au cottage et faites chauffer de l'eau. Je ne serai pas long.

— Soyez prudent, Greg.

— Ne craignez rien.

Il regarda attentivement son visage, puis se pencha vers elle et déposa un baiser furtif sur ses lèvres.

Kate regarda la lumière de la lampe de poche s'éloigner en dansant dans l'obscurité, puis disparaître. Tout était silencieux, à part le moteur de la Land Rover qui laissait entendre un léger cliquetis en se refroidissant. Kate hésita un long moment, puis elle fouilla dans ses poches et prit les clés. De la fenêtre de droite sortait la faible lueur de la lampe qu'elle avait laissée allumée.

— Où vas-tu? demanda Bill en se réveillant brusquement.

— Nous sommes au cottage. Tu y seras au chaud. Peux-tu marcher?

— Où est Greg?

Pour la première fois, il semblait réaliser qu'il était parti.

— Il est allé chercher Allie.

— Seul?

En entendant la peur dans sa voix, Kate eut la chair de poule.

— Ne crains rien. Greg est capable de se défendre et il sera sur ses gardes maintenant. Préfères-tu que j'aille d'abord ouvrir et que je revienne te chercher?

— Non, dit Bill en serrant ses poignets. Je vais avec toi.

Au grand soulagement de Kate, la maison était encore chaude. Elle appuya Bill contre le mur, alluma les lumières du rez-de-chaussée et tira les rideaux. Elle put ensuite examiner son ami. Le visage de Bill était couvert d'ecchymoses et son cuir chevelu portait des lacérations qu'elle n'avait pas remarquées à la lumière de la lampe de poche. Son chandail et son anorak étaient déchirés et tachés de sang. Kate s'efforça de sourire.

— Bill, tu dois t'étendre.

— Non, non, je préfère rester debout un moment, protesta-t-il en s'éloignant un peu du mur. Puis-je avoir quelque chose de chaud à boire? J'ai tellement froid.

— Bien sûr.

Elle le prit par le bras et le mena à la cuisine. Elle l'aida à s'asseoir sur le tabouret et saisit la bouilloire, s'efforçant à chaque instant de percevoir les bruits de l'extérieur. La porte était fermée à clé et le verrou poussé.

— Je ferais bien de mieux nettoyer ces blessures, dit-elle en prenant deux tasses dans l'armoire.

— Non, laisse. Je vais bien.

Malgré les ecchymoses, le teint de Bill avait repris une couleur plus normale. Ses mains, par contre, tremblaient encore quand il prit la tasse de café.

— Peux-tu m'en dire davantage sur cette femme, Bill? A-t-elle dit quelque chose?

— Pas un mot. Son visage était impassible, indifférent. Elle ne semblait pas s'intéresser à ce que faisait Allie.

Sa voix s'était remise à trembler.

Kate se pencha vers lui et toucha sa main dans un geste rassurant.

— Allie n'est pas elle-même. Elle a eu une espèce d'accident sur la plage... Je ne pense pas qu'elle savait ce qu'elle faisait. Pour ce qui est de cette femme... Dieu seul sait qui elle est. Qu'y a-t-il?

Elle s'était aperçue tout d'un coup que Bill regardait fixement en direction de la fenêtre aux rideaux tirés.

— J'ai cru entendre quelque chose; un cri, je ne sais pas.

Il porta les mains à sa tête.

— Veux-tu que j'aille voir?

Il n'y avait rien qu'elle désirât moins que d'ouvrir la porte, mais Greg était là-bas, tout seul. Bill secoua la tête.

— Tu ne peux rien pour lui. Personne ne peut rien pour lui.

— Que veux-tu dire? demanda-t-elle en le dévisageant, les yeux agrandis par la peur.

Bill haussa les épaules. Brusquement, il se mit à rire, mais une larme roula sur sa joue.

— J'étais venu t'inviter à dîner. J'avais acheté du vin et un repas nous attendait chez moi.

Elle se pencha et prit sa tasse pour la remplir à nouveau.

— C'est gentil. Je viendrai avec plaisir.

— Mais maintenant, tout est changé.

On aurait dit un enfant geignant à voix basse parce que le pique-nique prévu n'aurait pas lieu. Kate eut peur. Bill s'était toujours montré fort, fiable. Elle avait toujours pu s'appuyer sur lui. Ce pauvre homme tremblant n'était pas le Bill qu'elle connaissait.

— Je viendrai demain, alors, répondit-elle d'une voix qu'elle voulait enthousiaste. Pour déjeuner, peut-être. J'adorerais cela.

— Oui, pour déjeuner.

Il porta de nouveau les mains à sa tête.

— Je suis fatigué, Kate.

— Pourquoi ne t'étends-tu pas sur le canapé ? Je vais rester avec toi pour te tenir compagnie, dit-elle en lui prenant la main.

Il la suivit au salon et se coucha docilement. Ses longues jambes dépassaient par-dessus le bras du canapé. Elle étendit une couverture sur lui et glissa doucement un oreiller sous sa tête. Ce n'était pas très confortable, mais Bill se recroquevilla sur le côté et ferma les yeux sans dire un mot. Kate s'assit devant lui et le regarda, mal à l'aise. Il souffrait certainement d'une commotion, peut-être même d'une fracture du crâne, mais elle ne pouvait rien faire pour lui. Il fallait aller à l'hôpital.

La maison était silencieuse. Kate s'efforçait de capter le moindre son susceptible de traverser les murs, mais elle n'entendit que le frôlement du rosier grimpant contre la fenêtre qui donnait sur la mer. Où était Greg ? Pourquoi mettait-il tant de temps ?

37

Greg dirigea le faisceau de sa lampe devant lui, à travers la neige fondante, sans rien voir d'autre que les aiguilles argentées qui tombaient en diagonale sur un fond de ténèbres. Par-dessus les hurlements du vent, la mer grondait. Tout semblait immatériel, mouvant. Le sable, les galets, l'eau, l'herbe, tout oscillait, se balançait, sans forme, dans la lumière de la lampe.

— Allie !

Son cri parut bien faible contre le rugissement des éléments.

Pourquoi ne l'avaient-ils pas questionnée davantage ? Ils auraient dû tenter de savoir pourquoi elle était sortie à l'aube, dans le froid, pour venir ici toute seule. Il frissonna violemment. Qu'est-ce qui l'avait poussée à agresser Bill, qu'elle connaissait depuis longtemps ? Ne l'avait-elle pas reconnu ? L'attaque était-elle venue de quelqu'un d'autre ? De la femme qui était avec elle ? Et qui était cette femme ? Ô mon Dieu, faites que rien ne lui soit arrivé !

Il avançait en glissant sur les galets humides, balayant l'espace devant lui de la lumière de sa lampe. Rien. Il n'y avait rien.

Dans l'obscurité pleine de bruits assourdissants, il pouvait apercevoir les brisants se jetant sur le sable et cédant devant le vent avec un bruit de succion. Sous ses pieds, le sol semblait trembler.

— Allie !

Sa peur, qu'il avait maîtrisée devant Kate, grandissait à chaque seconde. Il avait parcouru cette plage des milliers de fois par toutes sortes de temps, de jour comme de nuit, mais jamais encore elle ne lui avait semblé aussi terrifiante.

Greg ralentit en approchant de la tombe. Son

cœur battait à se rompre. Il avait froid et se sentait malade. La lampe de poche glissait dans sa main tendue. Enfin, il aperçut le bord de l'excavation.

— Allie ? cria-t-il d'une voix enrouée. Où es-tu, idiote ?

Le fond de la dépression restait obscur malgré le rayon de sa lampe. La pluie, poussée par le vent, semblait sauter par-dessus le trou et éviter l'ouverture ténébreuse.

Glissant sur le sable mouillé, il s'approcha du bord et plongea le rayon de sa lampe de poche au fond. Pendant un instant, son cœur cessa de battre : un gouffre noir semblait s'ouvrir sous ses pieds et descendre jusqu'au centre de la terre. Greg resta immobile pendant quelques secondes, puis se contraignit à avancer et constata qu'il avait été victime d'une illusion d'optique. Ce n'était qu'une arête de sable qui créait cette ombre impénétrable. Maintenant, il pouvait voir le varech et les coquillages. L'excavation était vide. Greg éprouva en même temps soulagement et déception. Il s'était attendu à trouver sa sœur agenouillée là, comme l'avait vue Kate. Il sauta au fond du trou. La lumière révéla l'impact des gouttes de pluie sur le sable, mais aucune trace de pas.

Il s'accroupit pour échapper au vent et scruta les parois en faisant jouer le rayon de sa lampe de poche sur les strates. Tout était lisse, compact et humide. Il n'y avait aucun ossement, aucune main sortant du sable, aucun doigt recroquevillé lançant un appel suppliant. Son corps fut secoué d'un frisson interminable. Il se leva et promena sa lampe de poche autour de lui. Où était Allie ?

Cette maudite tombe ! Si elle ne l'avait pas découverte, rien de tout cela ne serait arrivé. Il donna un violent coup de pied à la paroi et vit avec un vif plaisir une large section de sable s'effondrer. Il donna encore un coup. Il ne faudrait que quelques minutes tellement la dune était instable. Tout le monde croirait que c'était la mer. Derrière lui, l'assaut de la marée progressait sans relâche. En serrant les dents, il reculait à nouveau son pied lorsqu'il entendit un bruit dans son dos. Il pivota en tenant la lampe de poche devant lui comme une arme.

— Allie! cria-t-il d'une voix rauque, en grimpant hors de l'excavation.

Il se retrouva dans le vent. La lampe de poche faiblissait. Il la secoua et la frappa avec colère. Ses mains étaient glacées et ses doigts s'engourdissaient.

Autour de lui s'étendait un désert de ténèbres. Elle pouvait être n'importe où; sur la plage, dans le marais. N'importe où. Désemparé, il pivota lentement sur lui-même, fouillant l'obscurité du regard. De l'eau glacée pénétrait par son col et descendait le long de son dos. Le vent sifflait violemment à ses oreilles.

Peut-être était-elle au cottage, maintenant? Sa main se resserra autour de la lampe de poche. Si elle s'était terrée dans la remise ou parmi les arbres pour attendre le retour de Kate? Greg tourna le dos à la mer et se mit en route.

C'est alors qu'il crut apercevoir une forme humaine à l'intérieur du faisceau de lumière.

C'était un homme.

Alors que la silhouette se retirait précipitamment, le faible rayon de la lampe de poche fit luire ce qui parut être la lame d'un couteau.

38

— Bill?

Le murmure de Kate parut étrangement fort dans la solitude de la pièce.

Il était toujours étendu sur le côté, enveloppé dans la couverture, sa tête reposant sur l'oreiller. Une des coupures s'était rouverte sur sa tempe. Un mince filet de sang noir sortait du pansement et tachait la taie fleurie, ajoutant aux pavots et aux centaurées entrelacés une décoration obscène.

— Bill?

Elle s'agenouilla près de lui. Ce sommeil lui faisait peur. Il était trop profond, trop soudain, et elle ne savait que faire.

Elle consulta sa montre. Dix-neuf heures. Que faisait Greg? Elle regarda la fenêtre et tendit l'oreille. Tout le cottage était rempli du bruit du vent et de la mer. Les murs semblaient vibrer sous leurs assauts combinés. Des courants d'air faisaient bouger lentement les rideaux, excitant les flammes du poêle et jouant avec la frange d'un des coussins du fauteuil.

Kate prit une des mains de Bill dans les siennes et la caressa doucement, atterrée par sa froideur. Elle chercha son pouls, mais il était terriblement faible. Effrayée, elle replaça la main sous la couverture et se leva. La pierre dont elle s'était servie pour réchauffer Alison était encore dans la cheminée. Elle la souleva et la posa sur le poêle, dans lequel elle ajouta une bûche. La cassette du *Requiem* était encore dans son magnétophone. Tandis que la musique emplissait la pièce, elle se tourna vers Bill.

Il y avait longtemps qu'elle n'avait pas prié. Pas depuis sa petite enfance, quand elle s'était agenouillée près de son lit, les mains jointes avec ferveur sous son menton, pour demander un poney. Son souhait ne s'était jamais matérialisé et sa foi, qui avait connu un sommet pendant un court intervalle, s'était flétrie dans la déception avant de mourir. Aujourd'hui, elle n'était plus sûre de savoir comment faire. «Notre-Père, qui êtes aux cieux. Sauvez Bill. Je Vous en prie, sauvez Bill et protégez-nous. Délivrez-nous du mal.»

Derrière elle, sur le rebord de la fenêtre, la flaque d'eau s'était étendue. Une goutte s'en échappa et tomba sur le parquet, puis une autre.

Le *Pie Jesu* prit fin. Le silence reprit possession de la pièce, interrompu seulement par le bruit que fit le magnétophone en s'arrêtant. Même le vent semblait s'être temporairement calmé. Kate se leva, alla chercher une serviette dans la salle de bains et en enveloppa la pierre chaude.

— Bill? murmura-t-elle. Dors-tu?

Son visage paraissait lointain, pâle et tout à fait serein. La blessure sur sa tempe avait cessé de saigner et le sang avait formé une mince croûte sur sa peau.

— Je vais mettre cette pierre sous tes pieds. Elle te tiendra chaud.

Comme ses pieds dépassaient du bord du canapé, elle souleva la couverture et entreprit d'insérer la pierre sous ses genoux. Son pantalon était mouillé. Il fallait peut-être essayer de le lui enlever. L'odeur âcre qui monta à ses narines lui fit tout de suite comprendre. De l'urine. Kate ferma les yeux et replaça doucement la couverture.

Elle n'avait jamais pris le pouls de quelqu'un par la carotide auparavant, mais elle ne s'attendait pas vraiment à le trouver. Bill était mort. Kate se détourna et s'assit par terre devant le feu. Elle entoura ses genoux de ses bras et laissa les larmes couler le long de ses joues.

39

Il s'était dissimulé à plat ventre parmi les roseaux. D'où il était, il avait très bien pu suivre la cérémonie. Il avait vu l'hydromel couler le long du menton de Nion, s'accumuler dans le creux de sa clavicule et descendre jusqu'à sa poitrine. Alors que le garrot serrait la gorge du jeune homme, il s'était levé lentement, se découvrant tout à fait, les mains sur les hanches.

Nion avait ouvert les yeux. En réalisant ce qui se passait, il avait porté les mains à sa gorge pour essayer d'enlever le garrot. Marcus avait éclaté de rire.

— Ce ne sont pas les dieux qui ont ordonné ta mort, Nion, prince des Trinobantes! cria-t-il dans l'aurore. J'ai soudoyé les prêtres. Je venge mon honneur aux dépens du tien.

Il vit le cou de Nion se gonfler autour de la corde. Il vit le sang perler alors que Nion se débattait de plus en plus désespérément.

— Tu as couché avec ma femme, mais tu ne pourras pas t'en vanter. Aucun dieu ne t'accueillera pour te conduire à l'autre rivage du Styx. Tu meurs déshonoré.

— Marcus!

Le cri résonnant de l'autre côté du lieu sacré ressemblait à celui d'un animal sauvage. Il se retourna, interdit, juste au moment où le prêtre plongeait son couteau dans le dos de Nion. L'espace d'un instant, Marcus fut ébloui par la beauté de sa femme, éclairée par les premières lueurs du soleil levant, mais aussitôt sa haine le submergea de nouveau et une expression de mépris s'installa sur son visage.

Nion se redressa, ses yeux agonisants fixés sur le soleil. Ses mains glissèrent, ses jambes faiblirent et il s'écroula dans la boue.

Claudia s'avança parmi les roseaux, dans l'eau jusqu'aux genoux. Les plis mouillés de sa robe bleue moulaient son corps. Ses cheveux défaits pendaient sur ses épaules et la folie se lisait sur son visage.

— Puissent les dieux te maudire, Marcus Severus, et punir ton corps putréfié et ton âme corrompue pour ce que tu as fait aujourd'hui!

Comme son cri retentissait dans le marais, une volée de canards s'éleva des roseaux et passa loin au-dessus de leurs têtes. Ils se dirigèrent vers l'est, leurs plumes vert et doré brillant dans les feux du jour naissant.

Greg courait. L'air froid lui brûlait les poumons pendant que ses pieds s'enfonçaient dans le sable mou. La lumière vacillante de sa lampe de poche se balançait follement devant lui.

— Allie, pour l'amour de Dieu, où es-tu ?

La mer approchait et ses pieds étaient trempés. Du varech restait accroché à l'une de ses chaussures. Il sentit l'eau glaciale lui monter jusqu'aux genoux, puis se retirer en laissant une sensation de brûlure sur sa peau mouillée.

— Allie !

Greg se détourna de la mer et sentit à nouveau un sol plus ferme sous ses pieds.

— Allie !

L'homme avait de nouveau disparu ! A deux reprises, il l'avait aperçu, une ombre dans l'obscurité, et chaque fois sa lampe de poche avait fait luire la lame d'un couteau.

Il s'arrêta en trébuchant et regarda autour de lui. L'horizon semblait tout d'un coup s'être élargi. L'obscurité n'était plus absolue et il put apercevoir la phosphorescence de l'écume contre la masse sombre de la mer. Le sable mouillé luisait faiblement et au loin, des nuages sombres s'avançaient partout au-dessus des eaux. Greg se sentait de plus en plus étourdi et sa tête le faisait souffrir, quand, soudain, il aperçut l'homme, à quelques mètres de lui seulement. Il le voyait maintenant avec netteté : un long visage de patricien, les cheveux plaqués contre le crâne par la pluie, le lourd manteau taché de boue collé à son corps, l'avant-bras nu dans un vêtement plus sombre, et le poing serré sur la dague pointée vers lui.

COLÈRE
HAINE

Une rage sans bornes envahit Greg. Il recula. Un de ses pieds, empêtré dans un paquet d'algues gélatineuses, glissa et se retourna. La douleur aiguë qui monta de sa cheville le força à poser un genou au sol en hurlant.

L'ombre fut soudain penchée sur lui. Elle souriait et les orbites caverneuses de ses yeux, qui avaient d'abord semblé vides, s'emplirent d'une lumière terrifiante.

Greg sentit ses poumons se vider de leur air. Il essaya en vain de le retenir, mais son corps ne lui obéissait plus. Il fut pris de vertige et sa vision faiblit. La blancheur de la mer s'effaça. Seul restait le froid, un froid étrange et universel qui partait du plus profond de lui-même et progressait lentement vers la surface. Lorsque son cerveau serait atteint, Greg le sentit très bien, il mourrait comme étaient morts Alison et Bill. Il mourrait d'hypothermie sur la plage et personne ne le retrouverait jamais, car la mer emporterait son corps. Il leva les yeux vers l'homme penché sur lui, mais il était parti. La nuit était vide. Loin au-dessus des nuages obscurs, la lune attirait les eaux vers la terre.

40

Pleine d'appréhension, Kate prit son foulard, le noua autour de sa tête et mit sa lourde veste. Elle enfila ses gants en jetant un dernier regard chargé de tristesse à Bill, saisit la lampe de poche et ouvrit la porte. Il fallait trouver Greg.

Elle resta un moment à l'abri derrière le cottage, afin de rassembler ses forces, puis elle s'élança dans le vent en direction des dunes.

L'excavation était déserte. Debout au bord, Kate l'examina attentivement, à la recherche d'un indice quelconque. Un vent furieux soufflait dans son dos et l'humidité la transperçait. La paroi de sable s'était en partie effondrée. A la lumière de la lampe de poche, elle vit de grandes zones décolorées dans les strates exposées à l'air. Soudain, elle blêmit. Une forme humaine ressortait clairement dans la lumière blafarde de la lampe de poche. Elle était recroquevillée en position fœtale au milieu de la terre et de la tourbe, juste à l'endroit où le sable s'était écoulé. Pendant un instant, Kate ne put réagir, tant le choc était brutal. Elle essaya désespérément de stabiliser la lampe, qui tremblait entre ses doigts mouillés. Alison avait-elle vu cela? Le traumatisme avait-il été si grand qu'il l'avait poussée au meurtre? Kate dirigea vivement le faisceau lumineux de l'autre côté et chercha Greg des yeux, mais l'obscurité restait insondable. Sous ses pieds résonnait le fracas des eaux contre la plage. La marée était haute et arrivait à quelques mètres seulement de l'endroit où elle se trouvait. Les embruns mouillaient son dos. Jamais elle ne s'était sentie aussi seule.

— Greg!

Elle essuya du revers de la main les larmes qui brûlaient ses joues glacées. Où était-il? Quelle direction prendre? Les dunes, la plage et le marais s'étiraient sur des kilomètres des deux côtés. Avait-il suivi le bord de la mer à la recherche d'Allie, ou s'était-il dirigé vers le cottage, ou même vers le bois?

Elle se tourna de nouveau vers la dune. Le corps était toujours là, comme un bas-relief dans la tourbe humide. Sous lui, une petite flaque d'eau pleine d'écume et de varech grandissait lentement. Si la mer ne rebroussait pas chemin maintenant, la dune s'effondrerait complètement. Elle pouvait bien disparaître à tout jamais! Résolument, Kate lui tourna le dos et se mit à suivre le rivage vers le nord, en restant plus ou moins près des vagues. Si elle continuait dans cette direction pendant une quinzaine de minutes, puis tournait vers l'intérieur des terres sur une centaine de mètres, toujours en suivant la mer, elle éviterait de se perdre et pourrait rebrousser chemin. De toute manière, c'était plus sensé que d'errer sans but parmi les dunes. Kate éteignit sa lampe et la glissa dans sa poche. L'étrange luminosité qui semblait se dégager de la mer lui permettrait de ménager les piles jusqu'à ce qu'elle en ait vraiment besoin. Elle n'osa toutefois pas envisager dans quelle éventualité.

L'obscurité parut s'animer tout près d'elle. Kate s'arrêta et fouilla les ténèbres des yeux. Alison ? Ce n'était pas Greg, en tout cas, elle en était certaine. Son souffle devint plus court. Alison errait, invisible, quelque part aux alentours. Alison, qui avait tué un homme. Sa main se serra autour de la lampe de poche, mais Kate se contraignit à ne pas allumer. Lentement, elle se dirigea vers l'endroit où elle avait détecté un mouvement.

L'ombre s'était déplacée. Elle était maintenant à gauche de Kate, presque derrière elle, et lui faisait signe de s'approcher, de revenir à la tombe. Ce n'était pas Allie mais une femme plus grande, plus mince, qui portait un vêtement flottant et léger, malgré le froid, une sorte de longue robe. Kate sentit qu'elle tremblait de tous ses membres. Son souffle était rapide et rauque. Etait-ce la femme que Bill avait aperçue près d'Allie ?

— Claudia ?

Elle avait à peine chuchoté le nom. « Mon Dieu, faites que ce ne soit pas vrai. Faites qu'elle ne soit pas réelle. » Elle recula de quelques pas, mais la femme sembla la suivre. Kate fit alors glisser ses doigts le long de la lampe de poche, jusqu'à ce que son pouce arrive à l'interrupteur. Dans un même geste, elle la pointa vivement vers le visage de la femme et l'alluma. L'autre n'eut aucune réaction. Le rayon de lumière sembla la traverser comme si elle était de verre. Kate put voir les herbes courbées dans le vent et le sable tourbillonner derrière elle.

— A l'aide !

La voix était lointaine, presque noyée dans le vent.

— A l'aide, quelqu'un! Kate!

Kate recula en gardant les yeux rivés sur la femme, qui semblait vouloir la suivre. Elle avait l'air jeune et pâle dans la lumière de la lampe de poche. Ses pommettes étaient saillantes et ses cheveux défaits virevoltaient dans le vent. Malgré l'étrange phénomène de transparence, Kate pouvait distinguer le bleu clair de sa robe, tachée à l'avant, le roux de ses cheveux, le curieux fard doré autour de ses yeux.

— Qu'y a-t-il? Que voulez-vous? demanda Kate d'une voix tremblante.

Elle était cruellement consciente de l'appel qui montait dans l'obscurité, mais elle n'osait pas se tourner. L'apparition ne semblait pas la menacer, mais sa terreur était si grande qu'elle ne pouvait que reculer pas à pas. Lentement, l'ombre tendit les bras vers elle et sembla devenir évanescente, se confondre avec le sable derrière elle. Kate réalisa que sa lampe de poche faiblissait.

— Oh! non, ne me lâche pas!

Elle éteignit puis ralluma, mais l'apparition s'était évanouie. Kate se mit à courir en direction de la voix qu'elle avait entendue. Dans la lumière instable, elle aperçut Greg, assis par terre, presque dans l'eau.

— Greg. Oh! Greg! Dieu merci!

Elle se jeta à ses côtés, le renversant presque sur le sable. En larmes, elle ne cessait de répéter son nom et s'agrippait à sa veste.

— Là, là, Kate. Ça va. Calmez-vous, dit-il en l'attirant à lui.

— Je l'ai vu. J'ai vu le fantôme. Claudia. Elle était près de la tombe et il y a un corps là-bas, Greg. Un corps.

En sanglotant, elle pressa son visage contre sa manche. Il grelottait dans sa veste détrempée.

— Greg, Bill est mort.

Les paroles de Kate sonnèrent clairement, malgré le tumulte qui les entourait.

— Ô mon Dieu! dit-il en la serrant davantage

contre lui. Ecoutez, Kate, contrairement aux apparences, je ne suis pas venu ici pour une baignade. Je
me suis blessé à la cheville. Pouvez-vous y jeter un
coup d'œil ? C'est ça. Chaque fois que j'essaie de me
pencher, je me sens tout étourdi.

Kate approcha la lumière de sa cheville.

— Des lignes de pêche se sont entortillées autour
de votre pied. Un hameçon est entré dans votre
chaussure.

L'estomac de Kate se contracta à la vue du sang
sur le sable autour de sa jambe. Les lignes disparaissaient dans un paquet d'algues, elles-mêmes accro-
chées à un objet dépassant du sable. Elle tira sur les
lignes en prenant soin de ne pas déplacer le pied de
Greg, mais rien n'y fit ; les fils gardaient Greg ancré
sur la trajectoire des vagues.

Il s'appuya sur un coude.

— Pouvez-vous les couper ? J'ai un couteau dans
une de mes poches. A l'intérieur, je crois.

Il tenta de faire glisser la fermeture éclair de sa
veste, mais ses mains étaient mouillées et engourdies. A nouveau, la nausée et le vertige s'emparèrent
de lui.

— Je vais chercher.

Délaissant le pied du blessé, Kate s'approcha à
nouveau de lui.

— Attendez, il faut que j'enlève mes gants.

Elle lui passa la lampe de poche et les ôta en
tirant avec ses dents. Greg éteignit, car les piles s'af-
faiblissaient de plus en plus. Une vague plus forte
que les autres les éclaboussa d'embruns glacés. Elle
entreprit de faire glisser la fermeture éclair de la
veste de Greg. Greg sentit aussitôt l'air glacial le
pénétrer, puis les mains de Kate qui se mirent à pal-
per la doublure. En changeant légèrement de position, il s'appuya sur son autre coude et passa son
bras libre autour de la taille de la jeune femme pour
lui emprunter un peu de sa chaleur, mais son vêtement était complètement détrempé. Kate leva les

yeux vers lui. Son visage n'était qu'à quelques pouces du sien. Il la vit sourire d'un air sombre.

— Ne bougez pas, je vais y arriver. Il y a plus de poches là-dedans que dans l'uniforme d'un scout.

— Si j'étais plus en forme, croyez-moi, je saurais profiter de la situation, dit-il en souriant faiblement.

— Par ce froid, je serais bien capable de vous rendre la pareille.

Ses mains fouillaient méthodiquement chacune des poches. Une autre vague s'abattit sur eux. Sous le choc de l'eau glacée, Kate perdit le souffle. Le bras de Greg la serra plus fortement.

— La mer se rapproche, dit-il.

— Ce doit être la marée haute. L'eau atteignait la tombe.

— Oui, mais le vent souffle de l'est et la mer va monter davantage. Dieu merci, la lune n'est pas tout à fait pleine. Sinon, je ne serais plus de ce monde.

La douleur montait par pulsations le long de sa jambe. Il n'osait plus essayer de dégager son pied, car il s'était évanoui lors de sa dernière tentative. Mieux valait ne pas penser à ce que ce serait quand Kate le libérerait, si elle y parvenait. Peut-être s'évanouirait-il de nouveau. Heureusement, la nature avait prévu cette forme d'anesthésie. Il essaya de se concentrer sur le mouvement des mains fouillant dans ses poches. Son état n'était pas si grave qu'il fût incapable de réagir un tant soit peu aux mains d'une belle femme. Ses cheveux sentaient le feu de bois et ses vêtements dégageaient une légère odeur de laine mouillée, mais Greg pouvait également humer le parfum qu'elle avait mis ce matin, de même que cette senteur indéfinissable, perceptible uniquement par l'inconscient, qui nous pousse à aimer, à détester ou à considérer avec indifférence chacun des êtres humains que nous rencontrons. Dans le cas de Kate, en dépit de tous les ennuis qu'elle lui avait causés, Greg la trouvait attirante. Il s'inclina légèrement vers l'arrière pour ressayer de reposer son coude et frémit quand le mouvement produisit un élancement dans sa jambe.

— Oh, pardon! Vous ai-je fait mal?

— Pas vous, l'hameçon.

Kate sentit enfin le canif et le tira de la poche de Greg.

Un autre déluge glacé s'abattit sur eux. En théorie, la mer aurait dû commencer à se retirer une demi-heure auparavant, mais les éléments ne semblaient plus obéir aux lois de la nature.

— Je vais essayer de ne pas vous faire mal.

— Si je tombe dans les pommes, ne vous en occupez pas, dit Greg en s'efforçant de sourire. Coupez les lignes, retirez l'hameçon et essayez d'enrayer le saignement… N'essayez pas de me déplacer, par contre. Je suis trop lourd. Quand je reviendrai à moi, j'essayerai de m'éloigner en rampant. Alors, vous pourrez aller chercher de l'aide.

— D'accord, chef.

Elle posa sa main sur la sienne et la serra un instant, puis reprit la lampe de poche.

«Avant tout, ne pas perdre le canif.» Elle tenta d'ouvrir la lame avec ses doigts gourds, mais ils glissèrent sans qu'elle puisse les en empêcher. Kate lança un juron et essaya de nouveau en tremblant de tous ses membres. Derrière elle, Greg était allongé sur le sable. Dans la lumière de la lampe de poche son visage était maintenant décoloré. Elle souffla vigoureusement sur ses doigts, puis les enfouit sous sa veste pour les réchauffer contre la laine de son chandail. A la tentative suivante, la lame s'ouvrit sans difficulté. Avec un soupir de soulagement, elle s'avança jusqu'aux pieds de Greg. De toute évidence, la première chose à faire était de couper la ligne qui entourait la cheville. Elle inséra la lame du canif entre la chaussette de Greg et le fil de nylon, et tira doucement, sans succès. Elle se mit à tirer plus fort, mais Greg gémit.

— Je vais d'abord couper celles-là, en essayant de ne pas vous faire trop mal.

A tâtons, elle fouilla parmi les algues sous son pied. Une autre vague vint submerger ses mains et elle agrippa désespérément le canif en attendant que l'eau se retire. Comment les lignes avaient-elles pu s'emmêler ainsi? On aurait dit que quelqu'un les avait enroulées délibérément autour de la cheville de Greg. Elle se mit à creuser le sable. Au début, ses doigts gelés ne rencontrèrent que des coquillages et un vieux crabe mort, mais elle finit par sentir quelque chose de dur : l'extrémité d'un billot de bois complètement enterré. Les lignes semblaient sortir d'en dessous. Elle inséra sa lame entre une ligne et la pièce de bois, et tira de toutes ses forces. La ligne céda. Avec précaution, elle en chercha une autre. Ce fut plus facile, cette fois, comme pour la suivante. Mais les dernières étaient tendues à l'extrême. Ce devait être la conséquence de la lutte de Greg pour se libérer. Essuyant l'eau de ses yeux, Kate poursuivit ses efforts, ligne après ligne, jusqu'à ce que la dernière soit coupée. Greg gémit de nouveau, mais elle n'en tint pas compte. Doucement, elle tâta le contour de la chaussure. L'hameçon qui avait blessé le jeune homme était le plus gros de ceux qui étaient emmêlés dans les lignes. Recourbés et garnis de barbelures, ils luisaient à la lumière de la lampe, à l'exception d'un seul, qui disparaissait dans sa semelle. Elle l'examina un moment, perplexe, puis se tourna vers Greg en éclairant son visage.

— Ne devrais-je pas vous tirer loin des vagues avant toute chose? J'ai coupé les lignes qui vous retenaient.

— Je suis trop lourd pour vous, Kate. Aidez-moi simplement à ramper.

Il redressa sa bonne jambe, cala son talon dans le sable et se mit à pousser. De la sueur apparut instantanément sur son front. En serrant les dents, il répéta son geste et réussit à s'éloigner, petit à petit, du bord de l'eau. La douleur était insupportable. Kate le tirait, les mains passées sous ses aisselles. Encore un effort et il serait hors de portée des vagues. Une ligne de varech et de coquillages mouillés montrait, en effet, que la mer avait enfin commencé à se retirer. A nouveau une douleur fulgurante le transperça. Il étouffa un cri et s'évanouit.

— Greg! Greg? Est-ce que ça va? dit Kate en le recouchant doucement.

Ses yeux étaient fermés. Kate regarda désespérément autour d'elle, soudainement privée du réconfort que lui procurait la voix de son compagnon. Mais elle savait ce qu'il fallait faire : retirer l'hameçon immédiatement, pendant qu'il ne pouvait rien sentir. Elle coinça la lampe dans le sable en dirigeant la lumière sur le pied de Greg et fouilla dans ses poches à la recherche du canif. Les lacets de sa chaussure furent bien plus faciles à couper que les lignes de pêche. Elle parvint à dégager le pied noirci et enflé. La cheville était-elle brisée? Combattant la nausée qui la gagnait, elle souleva doucement ce qui restait de la chaussure et examina l'hameçon. Il avait traversé le pied de part en part. Pas question de tirer pour l'enlever : les barbelures au bout du crochet, à moitié sorties de la partie supérieure du pied, étaient logées entre deux tendons. Kate n'avait pas le choix. Elle coupa les derniers bouts de ligne qui pendaient après l'hameçon et entreprit de pousser le morceau de métal à travers la chair froide.

Quelle espèce de salaud avait laissé traîner de telles choses sur une plage, sans songer que n'importe qui, ou n'importe quoi, pouvait s'y prendre? La colère lui permit de venir à bout plus facilement de sa tâche. Du sang rouge sombre s'écoula des plaies. Kate enleva son foulard et fouilla dans ses poches à la recherche du petit paquet de mouchoirs en papier qu'elle y avait glissé quelques jours plus tôt. Elle en tira plusieurs, qu'elle plia soigneusement en deux coussinets, un pour chaque extrémité de la plaie. Elle enroula ensuite son foulard autour du pied, puis autour de la cheville, en serrant le plus possible, et termina par plusieurs nœuds. Son travail était à peine fini que la lampe de poche rendait l'âme. Kate s'assit sur le sable. Pendant un long moment, elle demeura incapable de faire un geste tellement elle tremblait, mais un gémissement de Greg la tira de sa torpeur. Elle lui prit la main en s'accroupissant à ses côtés.

— C'est fini. L'hameçon est retiré et j'ai redressé votre pied.

— C'est insupportable.

Il essaya de s'asseoir, mais en vain. Refermant les yeux, il lutta pour rester conscient.

— Que faisons-nous maintenant?

— Je suppose que je devrais aller chercher de l'aide. Vous n'êtes pas en état de vous déplacer, dit Kate d'un ton las.

Elle leva les yeux sans enthousiasme vers les ténèbres, derrière eux. La main de Greg serra la sienne.

— Je n'aime pas l'idée de vous voir toute seule dans la nuit. Laissez-moi récupérer un peu et je pourrai peut-être marcher.

— Impossible, dit Kate en souriant tristement, votre pied est dans un sale état.

Greg resta silencieux un moment.

— Si je pouvais m'appuyer sur quelque chose, un morceau de bois flotté, peut-être. Ce n'est pas ce qui manque sur cette plage. En y allant doucement, je pourrais me débrouiller pour regagner le cottage.

Ce dernier mot évoqua pour tous deux un souvenir lugubre. Kate tomba à genoux sur le sable et ses yeux s'emplirent à nouveau de larmes.

— Il y a Bill, là-bas.

— Je sais, dit-il en tendant le bras pour lui caresser le visage, mais il y a aussi la Land Rover. Vous devez nous ramener à la ferme. Avez-vous déjà conduit une quatre roues motrices?

Elle fit signe que non. Greg n'avait rien dit à propos d'Alison.

— Aucune importance, c'est très facile. Je me demandais jusqu'où vous pourriez l'amener en direction de la plage.

« Mais non, cela n'en vaut pas la peine. Il y a trop de boue et de fondrières. Si vous vous enlisiez, notre dernière chance serait foutue. La seule façon d'en sortir, c'est de trouver une béquille, conclut-il en s'efforçant de mettre un certain élan dans sa voix.

— Je vais suivre la ligne de la marée, dit Kate en s'essuyant le nez avec sa manche («comme une enfant», pensa affectueusement Greg). Je n'irai pas loin. Je ne vous perdrai pas de vue, ajouta-t-elle pour rassurer Greg autant qu'elle-même.

— Pas besoin d'aller loin. C'est étonnant comme on parvient à distinguer les choses quand les yeux s'habituent à l'obscurité. Il y a beaucoup de débris aux alentours. Mais pour l'amour de Dieu, prenez garde où vous mettez les pieds, Kate. Je ne veux pas que vous marchiez sur un de ces satanés hameçons.

Il la surveilla tandis qu'elle descendait lentement. Dans sa tête, les événements récents demeuraient enveloppés dans une sorte de brouillard, comme un cauchemar dont on ne se souvient que par à-coups. Son pied avait glissé sur quelque chose, sa jambe s'était dérobée sous lui et il avait mis un genou dans l'eau glacée. Ce qui était arrivé auparavant était moins clair. Il avait essayé d'échapper à quelque chose. Ou à quelqu'un. Greg fronça les sourcils, en s'efforçant de retrouver la mémoire.

Kate s'éloignait lentement, fouillant parmi les débris laissés par la marée. Elle trouva d'abord une vieille branche d'arbre qu'elle souleva triomphalement mais qui se rompit dès qu'elle s'y appuya. Elle jeta les morceaux au loin.

Greg se redressa un peu pour la suivre du regard. Sa silhouette n'était plus qu'une tache sombre contre la mer agitée. De temps en temps, elle se relevait pour regarder aux alentours, et son visage paraissait plus clair sous ses cheveux en désordre. Il finit par la perdre de vue, puis la revit beaucoup plus loin que l'endroit où elle se trouvait auparavant. Elle était maintenant debout et regardait vers la mer. Etrange. Elle semblait plus grande. Plus grande, plus large d'épaules aussi, et quelque chose était arrivé à ses cheveux. Il regarda de nouveau l'endroit où elle avait disparu et son cœur bondit dans sa poitrine. Elle y était encore. Elle avait dû s'accroupir près de l'eau et se redresser lorsqu'une vague était venue s'écraser sur la plage. Il y avait quelque chose dans sa main gauche. Greg tourna la tête. L'autre silhouette avançait dans sa direction en surveillant ses moindres gestes. L'homme au couteau.

— Kate! Attention! hurla Greg. Derrière vous!

Elle ne pouvait pas l'entendre. Elle lui tournait le dos et seule une sirène de brume aurait pu dominer les rugissements du vent et de la mer. Désespérément, Greg tenta de se mettre à genoux.

— Kate!

Ce salaud s'était encore rapproché. Il avançait sans effort vers elle. Dans un moment il serait juste derrière.

— Kate! cria-t-il d'une voix angoissée. Kate, pour l'amour de Dieu, courez!

Il se leva à moitié pour s'élancer et, oubliant toute précaution, posa son pied blessé par terre. Dans un cri de désespoir, il s'écroula, perdant connaissance avant même de toucher le sol.

41

Diana remuait avec apathie le ragoût qu'elle avait préparé en ajoutant aux restes du déjeuner des oignons frits, des fines herbes, des pommes de terre, des carottes et des champignons. Une odeur appétissante emplissait la cuisine et les deux chats étaient venus s'asseoir à ses pieds pour observer chacun de ses gestes. Leur attitude quasi respectueuse semblait exprimer de l'admiration pour l'habileté de la cuisinière.

Patrick était assis à table, derrière sa mère. Du bout des doigts, il tambourinait lentement ce qui ressemblait à une marche funèbre.

— Arrête ça, Paddy! dit-elle avec irritation.

Patrick la regarda, puis baissa les yeux vers sa main comme s'il prenait subitement conscience de ce qu'il faisait.

— Désolé.

— Ils devraient être de retour depuis longtemps, murmura-t-elle. Ils auraient dû la trouver.

— Le temps est très mauvais, m'man. Peut-être que la Land Rover s'est embourbée, ou qu'ils ont décidé de rester au cottage.

— Peut-être qu'ils ne l'ont pas trouvée.

Diana se tourna vers son mari, qui venait d'entrer dans la cuisine.

— Le téléphone fonctionne-t-il?

Il fit signe que non. Ses traits étaient tirés et Diana le vit furtivement porter la main à sa poitrine, sous sa veste.

Délaissant le fourneau, elle entoura son mari de ses bras.

— Repose-toi. Tu vas t'épuiser.

— Je devrais être avec eux, jeta-t-il amèrement, pendant que sa femme l'entraînait vers la cheminée.

— Je vais y aller, dit Patrick en leur emboîtant le pas. Je vais prendre ma bicyclette et voir ce qui se passe.

— Non, fit Diana avec autorité. Reste ici avec nous.

— Laisse-le, dit Roger en se laissant tomber dans un fauteuil et en fermant les yeux. Il peut aller au cottage et voir s'ils y sont.

— Non, gémit Diana. Je ne veux pas voir mes enfants s'égarer chacun à leur tour.

Diana s'assit brusquement, essayant de contenir ses larmes.

— Je ne me perdrai pas, m'man. Je connais le chemin comme le fond de ma poche.

— Mais la tempête…

— S'il est arrivé quelque chose… je veux dire, si la Land Rover est en panne ou si le chemin est bloqué, ils n'ont aucun moyen de nous en avertir. Je serai de retour dans une demi-heure.

— Il a raison, Di, fit Roger en gardant les yeux fermés. Il n'y a aucun danger.

Patrick posa la main sur l'épaule de sa mère et se dirigea vers la porte.

— Ne cours aucun risque, Paddy, dit Roger en ouvrant les yeux. Si tu vois quelque chose de bizarre, tu reviens immédiatement, compris ? Ne va pas jouer au héros.

Patrick sourit.

— Ce n'est pas mon genre, papa. Rassurez-vous, ça ne sera pas long.

Il sortit dans le vestibule et revint avec son imperméable.

— Avons-nous une bonne lampe de poche ?

— Je vais la chercher, fit Diana en retournant à la cuisine.

Elle se mit à fouiller dans un tiroir. Patrick vint la rejoindre.

— Ne laisse pas papa sortir, murmura-t-il. Il est affreusement pâle.

— Ne t'inquiète pas. (Allumant la lampe de poche, elle poursuivit :) Celle-ci a des piles. Paddy, je sais que c'est absurde, mais il s'est passé des choses étranges au cottage. Sois prudent.

Il l'embrassa, mit la lampe dans sa poche et sortit sous la pluie glacée.

Dans le froid intense, le vent semblait inciser la

peau de son visage. Il enfila ses gants et se dirigea vers la grange pour y prendre sa bicyclette.

Le faisceau étroit de son phare éclaira d'abord les arbres inclinés au-dessus du chemin, puis le chemin lui-même, tandis que la bicyclette avançait dans la boue et les nids-de-poule. Les traces de pneus de la Land Rover n'avaient pas encore été effacées par la pluie. Patrick redoubla de prudence pour ne pas se retrouver dans les buissons. Son courage s'était envolé, maintenant qu'il se retrouvait seul au milieu du bois. Ses pensées revenaient constamment à Alison et à son regard affolé, au cottage de Kate (pour lui, il ne s'agissait plus du cottage de son frère), et à ce qui s'y était passé récemment. Quelqu'un — un détraqué quelconque — se terrait-il dans le bois ? Y avait-il vraiment quelqu'un ou quelque chose là-bas, dans la tombe ?

Une glissade dans la boue le força à s'arrêter et à poser le pied sur une racine pour reprendre son souffle. Les muscles frémissants, il regarda autour de lui. Le bois semblait terriblement obscur. Le vent qui soufflait entre les arbres ressemblait tantôt à un hurlement sinistre, tantôt à un gémissement. Patrick agrippa les poignées de son vélo et s'élança de nouveau.

Ce fut avec un immense soulagement qu'il aperçut enfin la silhouette de la Land Rover garée devant le cottage, éclairée par la lumière sortant d'une des fenêtres. Il appuya sa bicyclette contre le mur et frappa à la porte. Pas de réponse. Il attendit, se frottant le nez avec son poignet et repoussant ses cheveux mouillés de ses yeux, puis frappa de nouveau. Aucun signe de vie.

— Kate ! Greg ! Eh, laissez-moi entrer !

Enfin, un bruit lui parvint. Quelque part dans le cottage, une porte avait claqué.

— Kate ! Greg ! Grouillez-vous. Il fait rudement froid ici !

En reniflant, il se tut et tendit l'oreille. A l'intérieur du cottage, le silence était absolu. Subitement, Patrick prit peur.

— Kate! Greg! Pourquoi n'ouvrez-vous pas? cria-t-il à nouveau, en se mettant à marteler la porte de ses deux poings. Laissez-moi entrer, je vous en prie.

Sa voix se brisa et passa tout d'un coup à l'alto, ce qui l'aurait terriblement embarrassé en temps normal. Cette fois, pourtant, il ne le remarqua même pas. Ses yeux commençaient à lui picoter, sous l'effet des larmes mal contenues. Il courut vers la fenêtre éclairée et frappa en pressant son visage contre la vitre, mais les rideaux fleuris, décolorés par le soleil, dérobaient l'intérieur du cottage à sa vue. Il courut vers les autres fenêtres, sur le côté. Celle de la salle de bains était entrebâillée. Patrick réussit à passer son bras à l'intérieur et put l'ouvrir assez pour se risquer à passer. Il se pencha à l'intérieur, mais son imperméable était trop volumineux. En jurant, il l'enleva, le roula en boule et le jeta dedans. Grimpant sur le rebord, il réussit à entrer et se laissa tomber maladroitement sur le sol. La pièce était plongée dans l'obscurité. A tâtons, il chercha l'interrupteur et alluma. A la lumière, il vit que le fond de la baignoire était tapissé de terre humide. L'eau du robinet s'échappant goutte à goutte y avait creusé un sillon étroit. Patrick fronça les sourcils. Kate était plutôt le genre de personne à laver méticuleusement la baignoire après s'en être servie.

Silencieusement, il entrouvrit la porte et examina le vestibule. Tout était noir. Seul un mince rayon de lumière sortait du salon. Il ouvrit la porte davantage et regarda en haut des escaliers. Là aussi régnaient l'obscurité et le silence.

Tout d'un coup, Patrick se sentit honteux d'être entré ainsi sans permission chez autrui. Il s'éclaircit la gorge bruyamment et, réalisant à quel point Kate devait être terrifiée si elle se terrait quelque part dans la maison, toute seule, il cria nerveusement: «Kate, c'est Patrick!»

Lentement, il gagna l'extrémité du couloir et poussa la porte du salon. La pièce était vide, à l'exception d'une silhouette étendue sur le canapé. Patrick poussa un soupir de soulagement. Elle dormait, voilà qui expliquait tout. Pourtant, en entrant dans la pièce il s'aperçut que les pieds et les jambes qui pendaient par-dessus le bras du canapé appartenaient à un homme.

— Greg?

Il s'approcha davantage. Une odeur désagréable flottait dans l'air confiné de la pièce et il faisait vraiment chaud. Patrick jeta un coup d'œil au poêle et vit qu'il chauffait au maximum.

— Greg?

Il retira la couverture qui cachait le visage de l'homme et recula en poussant un léger cri. La peau de Bill était gonflée et décolorée. Sous ses paupières entrouvertes, ses yeux étaient vitreux et fixes. Un filet de bave s'était échappé du coin de sa bouche et avait coulé jusqu'à sur l'oreiller, au milieu du sang séché et noirci. Sans l'ombre d'un doute, il était mort. Patrick pivota brusquement sur lui-même et vomit par terre. «Ô mon Dieu! Mon Dieu! Mon Dieu!» Il se plia en deux et vomit encore. Il chercha dans les poches de son jean quelque chose pour s'essuyer la bouche et ses doigts rencontrèrent un bout du chiffon qu'il avait utilisé pour vérifier le niveau d'huile de la Volvo de son père. Il s'en frotta les lèvres, le front et les paupières, laissant partout de longues traces noirâtres. Sans quitter le cadavre des yeux, il recula lentement vers le vestibule. Où était Kate? Il s'échappa dans le couloir, referma brusquement la porte et s'appuya contre elle. Il avait froid et frissonnait malgré la chaleur intense. Ses jambes flageolaient sous lui, au point qu'il crut qu'il allait s'écrouler. S'asseyant au bas de l'escalier, il tenta de se reprendre, puis tourna la tête et regarda en direction du palier.

— Kate? Kate, êtes-vous là-haut? demanda-t-il d'une voix rauque et presque réduite à un murmure.

Il réussit à se lever et commença à monter. En haut, une porte claqua violemment.

— Kate? Kate, c'est Patrick...

Sa voix s'étrangla.

On entendait le vent plus clairement, ici. Il hurlait de l'autre côté des vitres, dominant le grondement sourd et régulier de la mer. Patrick atteignit le palier et alluma. Les portes des deux chambres étaient grandes ouvertes. L'air, ici, semblait glacial, en comparaison de la température étouffante du rez-de-chaussée. Le jeune homme fronça les sourcils. La chaleur était censée monter. Logiquement, il aurait dû faire encore plus chaud à l'étage, à moins qu'une fenêtre ne soit ouverte quelque part.

— Kate?

Il avança lentement vers la porte de sa chambre et s'immobilisa. A mesure que se dissipait le choc que lui avait causé sa macabre découverte, au rez-de-chaussée, la capacité de réflexion du jeune homme reprenait le dessus. Une chute ne pouvait avoir causé les contusions de Bill. On l'avait battu à mort. Bill avait été tué et son meurtrier était encore quelque part dans les environs, voire dans le cottage. Il réfléchit au bruit qu'il venait d'entendre. Les deux portes de l'étage étaient ouvertes. Il sentit le goût amer de la bile dans sa gorge. Kate. Qu'était-il advenu de Kate?

Patrick ouvrit la porte de la chambre à toute volée et examina la pièce. On avait enlevé les couvertures du lit, mais autrement tout semblait normal, tranquille. Dans l'air flottait un parfum inconnu, qui n'était pas celui de Kate. Patrick huma l'air, étonné. L'odeur était agréable, mais elle lui donnait la chair de poule. L'autre pièce ne contenait que des boîtes en carton et quelques valises empilées près de la fenêtre. Aucune trace de Kate. Patrick prit soudain conscience que les fenêtres des deux pièces étaient fermées. Alors, pourquoi ce froid, et quelle porte avait-il entendue claquer ? Il frémit.

La cuisine. Il avait oublié la cuisine.

— Kate ! Kate, où êtes-vous ?

Il se précipita en bas de l'escalier et ouvrit la porte de la cuisine. Elle était vide. Sur la table, au milieu de la pièce, il remarqua la bouteille de scotch que ses parents avaient donnée à Kate. Elle gisait sur le côté. Le bouchon traînait sur le plancher, au milieu d'un autre tas de terre imbibé d'alcool.

— Ô mon Dieu ! Kate ! Greg !

Il courut vers la porte d'entrée et l'ouvrit précipitamment. Tout ce qu'il avait maintenant en tête, c'était de rentrer chez lui le plus vite possible. Papa saurait quoi faire. Papa ferait revenir les choses à la normale.

Dehors, l'obscurité était opaque et humide comme le fond de l'océan. Patrick cherchait sa bicyclette des yeux quand il entendit la porte claquer derrière lui. Paniqué, il se retourna. La bicyclette n'était nulle part, il ne pouvait pas la trouver. Elle avait disparu.

Dans un moment de terreur aveugle, il pensa prendre la Land Rover. Il l'avait déjà conduite auparavant, sur le chemin. Il courut vers elle et ouvrit péniblement la portière. Les clés n'étaient pas sur le tableau de bord. Avec un sanglot, il referma et regarda autour de lui.

Où était son vélo ? Il devait se trouver par ici. Avec l'énergie du désespoir, il courut vers le chemin et l'aperçut par terre, juste devant lui. Incapable de s'arrêter à temps, il trébucha dessus et s'érafla la jambe. Un filet de sang commença à couler, mais il n'en tint aucun compte. Il redressa sa bicyclette et l'enfourcha. Ce fut seulement quelques minutes plus tard qu'il se rendit compte que son imperméable était resté dans la salle de bains.

42

A mi-chemin de la ferme, un pneu de la bicyclette creva et la roue s'enfonça profondément dans la boue. Pantelant, Patrick descendit en lançant un chapelet de jurons. Impossible de continuer dans de telles conditions. Il était presque en larmes. Le bois semblait vouloir se refermer sur lui. Il retira précipitamment le phare du guidon de sa bicyclette et fit décrire un cercle à la lumière. Les arbres inclinaient leurs longs doigts décharnés au-dessus de lui et les troncs tordus paraissaient le regarder d'un air menaçant. Tout là-haut, les branches laissaient tomber des gouttes de pluie glacée qui s'écrasaient sur lui comme des projectiles.

Dans un sanglot, il lança son vélo hors du chemin et se mit à courir. Ses bottes glissaient dans la boue et il était en nage. Le phare qu'il tenait devant lui illuminait les flaques d'eau, créant des taches lumineuses au milieu de la boue obscure et faisant briller les flocons de neige accrochés aux branches. Après quelques minutes, Patrick dut s'arrêter, à bout de souffle. La douleur au côté était intolérable. Plié en deux, il cherchait à reprendre haleine lorsqu'il aperçut une forme humaine dans l'ombre.

Oubliant sa douleur, il se redressa lentement en luttant contre le désir d'éteindre le phare. De toute façon, l'autre l'avait sûrement vu. En retenant son souffle, il dirigea lentement le rayon lumineux vers l'endroit où il avait perçu un mouvement. Les ombres fuyaient devant la lumière pour se regrouper juste après son passage. S'il s'était agi de Kate ou Greg, ils se seraient avancés dès qu'ils l'auraient reconnu. Le souvenir du visage tuméfié de Bill lui revint à l'esprit et il crut un moment qu'il allait s'évanouir. Il recula de plusieurs pas. Des branches et des épines s'agrippèrent à son chandail, mais il se sentit plus en sécurité le dos appuyé au tronc mince d'une épinette. Ainsi, au moins, personne ne pourrait le surprendre par-derrière. Les branches dégageaient une odeur vivifiante de résine qui lui permit de se ressaisir un peu. Il n'y avait personne. Patrick s'accroupit, essayant de calmer sa respiration.

Combien de temps resta-t-il ainsi? Cinq minutes, peut-être davantage, jusqu'à ce qu'il s'aperçoive qu'il tremblait de tous ses membres. La pluie glaciale imprégnait son chandail. On ne voyait plus aucun mouvement entre les arbres. L'autre devait être parti depuis longtemps. Prudemment, Patrick sortit de sa cachette et se redressa. Une inspection rapide du chemin à la lumière déclinante du phare ne révéla rien de suspect, mais en regardant à gauche et à droite, la terreur l'envahit. De quel côté était la maison? La peur lui avait fait perdre tout sens de l'orientation. Patrick ferma les yeux. «Idiot. Imbécile. Reste calme!» Le chemin lui était parfaitement familier, il suffisait de trouver un point de repère. Il s'était souvent vanté de connaître chacun des arbres des environs.

Il regarda de nouveau autour de lui avec attention mais l'obscurité transformait les choses, les rendait sinistres. Il craignit un instant de se mettre à pleurer. Heureusement, il finit par repérer un pin solitaire, un arbre que toute la famille connaissait bien. C'était un ancien pin écossais dont la forme distinctive lui avait d'abord échappé. Il n'était qu'à dix minutes à peine de chez lui. Avec un sourire confus, il se remit en route.

Comme il arrivait enfin à destination, il aperçut quelqu'un accroupi contre le mur de la grange. Patrick s'arrêta net. La forme restait immobile. Il regarda brièvement la maison et fut rassuré par la lumière qui sortait des fenêtres du rez-de-chaussée, puis se tourna de nouveau vers la grange. Son phare

suffisait à peine pour éclairer ses pas, mais il le dirigea quand même vers le mur.

— Allie? Allie, que se passe-t-il? Que fais-tu ici?

Il courut vers sa sœur et la releva. Alison tourna
vers lui un regard dénué d'expression. Une longue
éraflure meurtrissait sa tempe et ses mains étaient
ensanglantées.

— Viens, Allie, rentrons, dit Patrick d'un ton
inquiet. Vite.

Il jeta un coup d'œil par-dessus son épaule. Un
meurtrier se cachait dans le bois et s'en était pris à
sa sœur.

Il poussa la porte de la maison et entra en soute-
nant Alison.

— M'man! M'man! cria-t-il en arrivant en trombe
dans le salon.

Diana s'élança vers eux.

— Mon Dieu! Alison! Que lui est-il arrivé?

Patrick secoua la tête, incapable de parler. Diana
mena sa fille à un fauteuil près du feu et s'agenouilla à côté d'elle en lui frottant les mains.

Dans la cuisine, Roger quitta la table où s'étalaient les mots croisés du *Times*, qu'il fixait sans les
voir depuis quarante minutes. Après un regard horrifié à sa fille, il se tourna vers Patrick. L'expression
qu'il lut sur son visage le consterna. Il l'entraîna
vers la cuisine, fouilla dans l'armoire et en tira une
bouteille de brandy.

— Bois d'abord, tu me raconteras ensuite, dit-il
en lui mettant un verre dans la main.

Patrick but une gorgée et des larmes se mirent à
couler sur ses joues.

— C'est le brandy. C'est rudement fort.

Roger posa la main sur son épaule.

— Ça va, mon garçon, ça va. Prends ton temps.

Dans le salon, sa femme enveloppait les jambes
d'Alison dans une couverture.

— Donne-lui du brandy, Di, conseilla Roger.

Diana leva les yeux vers son mari. Son visage était livide.

— Que leur est-il arrivé, Roger ? Au nom du ciel, que leur est-il arrivé ?

Patrick serrait son verre si fort que ses jointures étaient blanches.

— Bill Norcross est mort. Je l'ai trouvé au cottage. On l'a tué.

Ses yeux s'emplirent à nouveau de larmes, mais cette fois il ne fit aucun effort pour les contenir.

— Sa tête et son visage étaient meurtris, et...

Il but encore, mais le verre tremblait si fort entre ses mains que ses parents l'entendirent heurter ses dents.

— Je n'ai pas trouvé Kate ni Greg. Le cottage était vide. En revenant, mon pneu a crevé et j'ai aperçu quelqu'un qui se cachait dans le bois...

Roger se laissa tomber sur une chaise. Son visage avait pris une teinte cireuse.

— Essaie le téléphone, Di. C'est peut-être réparé maintenant.

Diana resta immobile quelques secondes, puis courut vers le bureau. Alison la regarda passer de ses yeux vides.

— La vérité doit être connue, énonça-t-elle lentement.

Elle repoussa la couverture et se leva avec difficulté. Sa mère s'arrêta brusquement dans l'embrasure de la porte.

— Allie ? As-tu vu ce qui est arrivé ?

Alison sourit.

— C'est Marcus. Elle m'a tout dit. C'est Marcus. Il les a tous tués.

Elle se pencha vers Smith, qui dormait sur le canapé, et le prit dans ses bras.

— Il les a tous tués ? murmura Diana, épouvantée. Mais qui ?

Alison sourit à nouveau et embrassa le chat sur le sommet de la tête.

— Tous. Tous dans la même tombe.

— Qui ?

Roger s'approcha, prit sa fille par le bras et la retourna brusquement vers lui. Le chat miaula et se débattit pour s'enfuir, laissant sur le bras d'Alison une longue estafilade qu'elle ne sembla pas remarquer.

— Alison ! Réponds-moi. Qui a été tué ? Où est ton frère ?

La plainte désespérée de Diana se perdit dans les cris de son mari.

— Alison ! M'entends-tu ? Qui a été tué ?

— Tous, répondit-elle en souriant vaguement. Croyez-vous qu'il les aurait laissés vivre ?

Roger se tourna anxieusement vers son fils.

— Que veut-elle dire ? As-tu vu la Land Rover ?

— Elle était garée devant le cottage.

— Alors, il doit avoir vu le... Il doit avoir vu Bill, là-bas.

— Je suppose, dit Patrick en soupirant. Il était étendu sur le canapé et quelqu'un avait commencé à soigner ses blessures. On s'était occupé de lui.

— Greg et Kate, peut-être, suggéra Diana en s'accrochant à cet espoir.

— Il faut prévenir la police, dit Roger d'un air sombre.

Il se dirigea vers le bureau et en revint, trente secondes plus tard, l'air toujours aussi préoccupé.

— La ligne n'est pas rétablie. Je vais prendre la voiture et aller chez Joe.

Il regarda Patrick, assis à table, qui fixait le fond de son verre.

— Paddy !

Patrick sursauta et leva vers son père un regard éperdu.

— Verrouille la porte derrière moi et ne laisse entrer personne, compris ? Personne.

— P'pa, tu ne peux pas y aller...

Patrick se frotta le visage de la manche de son

262

chandail. Il tremblait de froid dans ses vêtements mouillés.

— Laisse-moi prendre la Volvo. Je sais la conduire.

— Il a raison, Roger, intervint Diana. Tu n'es pas bien. Je vais y aller, moi.

— Non, dit Roger d'un ton catégorique. Alison a besoin de toi.

— Je peux le faire, p'pa, insista doucement Patrick.

— Pas par ce temps, c'est trop dangereux. D'ailleurs, je pourrai laisser la Volvo chez Joe et lui demander de me ramener.

Il vit passer une étrange gamme d'émotions sur le visage de son fils : le soulagement de ne pas avoir à sortir de nouveau, l'inquiétude à propos de son père, l'indignation et l'humiliation de ne pas être jugé assez vieux pour être utile.

— Va sortir la voiture de la grange, tu seras gentil, dit Roger d'un air las. Je vais chercher mon manteau.

Lorsque Diana se fut éloignée, il prit son fils à part.

— Tu seras plus utile ici, mon gars, si jamais il se passe quelque chose. Tu es plus fort que moi. Tu sauras mieux les protéger. Je veux que tu charges la carabine et que tu la gardes près de toi.

Patrick acquiesça d'un signe de la tête.

— Je vais chercher la voiture.

Il prit les clés, ouvrit la porte et s'arrêta sur le seuil. Dehors, le monde était devenu hostile, effrayant. Les choses avaient perdu la tranquillité et le charme qu'il leur avait toujours connus : la beauté du ciel nocturne semé d'étoiles, la course des nuages, même la neige et la pluie. Auparavant, il aimait la pureté de l'air, la nuit, la quiétude qui enveloppait la campagne, neutralisant la folie de la vie moderne.

Néanmoins, Patrick referma la porte derrière lui et courut vers la grange. Il alluma, inondant les recoins sombres du bâtiment d'une forte lumière bleutée. Un bruissement inquiet descendit des poutres et un cri aigu retentit : un oiseau quelconque, venu s'abriter du vent, protestait contre cette intrusion.

Patrick s'installa derrière le volant de la Volvo et verrouilla toutes les portières. Il régnait un froid extrême dans la grange et son haleine faisait de la buée sur le pare-brise. La vieille voiture démarra du premier coup et Patrick appuya légèrement sur l'accélérateur pour réchauffer le moteur. Au bout d'un moment, il fit marche arrière à travers un nuage de gaz d'échappement et se dirigea vers la maison. Mission accomplie.

En descendant, il hésita un moment puis coupa le contact, verrouilla la portière et rentra. Inutile de laisser le moteur tourner.

Il regarda son père mettre son manteau et son écharpe, mais se détourna pudiquement pour ne pas le voir mettre un flacon de comprimés dans sa poche. Ses traits tirés et la pâleur de sa peau exprimaient sa souffrance de façon éloquente.

— Tiens, dit Roger, en tendant une clé à son fils. C'est celle de l'armoire où je garde la carabine. Je suis sérieux, Paddy. Charge-la et garde-la près de toi. Après mon départ, vérifie si toutes les portes et les fenêtres sont fermées. Je reviens le plus vite possible.

— Je ne devrais pas te laisser partir ainsi ! s'exclama Diana en étreignant son mari. Oh, chéri, sois prudent !

— Ne t'inquiète pas, je ferai attention, répondit-il en souriant tristement.

Il se tourna pour ouvrir la porte. Durant les quelques minutes que Patrick avait passées dehors, la pluie verglaçante s'était transformée en véritable neige qui tourbillonnait dans l'air et commençait à s'entasser sur le sol. Roger fronça les sourcils en regardant à l'extérieur et se tourna vers son fils.

— Où as-tu laissé la voiture ?

— Juste là, dit Patrick en esquissant un geste.

Il jeta un coup d'œil par-dessus l'épaule de son père. La voiture avait disparu! La mâchoire de Patrick tomba, sous l'effet de la surprise. Il regarda son père sans comprendre.

— Mais je l'ai laissée là, juste là.

Il s'avança vers l'endroit qu'il désignait du doigt. On distinguait nettement un rectangle plus foncé dans la neige. Patrick regarda son père d'un air affolé.

— Tu n'as pas serré le frein à main, dit Roger doucement, refusant de voir qu'à cet endroit, le sol était parfaitement plat.

— Mais si. Et les portières étaient verrouillées. On l'a volée. Il devait être juste là, à m'épier pendant tout ce temps.

Patrick en avait la chair de poule.

— Il a dû briser une vitre et trafiquer l'allumage.

— Il ne s'est écoulé que trois minutes entre le moment où tu es revenu et celui où j'ai ouvert la porte, Patrick. Il aurait fallu une masse et nous aurions entendu le bruit. Non, c'est le frein à main qui n'était pas mis.

Il regardait le sol d'un air incrédule. La mince couche de neige ne révélait aucune trace de pneus.

43

Marcus regarda durement son épouse. Jamais elle ne lui avait paru aussi belle. Sa chevelure défaite volait au vent et ses yeux brillaient de colère tandis qu'elle courait vers lui. Il sourit froidement, les bras croisés sur sa poitrine. Derrière lui, les prêtres reculaient. Le corps de Nion s'enfonçait inexorablement dans la vase du marais. Le lever de soleil rouge sang se reflétait dans les eaux calmes tout autour. Claudia

*courait, mais comme au ralenti. Quand elle arriva
sur lui, les ongles tendus comme des griffes vers son
visage, elle glissa prestement la main sous le bras
qu'il levait pour se protéger et saisit l'épée qui pendait
à sa ceinture. Il recula vivement et Claudia éclata
d'un rire qui lui glaça le sang.*

*— Maudit sois-tu, Marcus. Maudit sois-tu. Tu ne
m'empêcheras pas d'être à lui.*

*La pointe de l'épée sembla retenue un moment par
le mince tissu de la robe, puis elle s'enfonça profondément dans son ventre. Claudia resta un moment
bien droite, sans pousser un cri, les poings serrés sur
la garde, fière et forte comme une digne fille de Rome,
puis ses genoux faiblirent tandis que le sang écla-
boussait son vêtement.*

Kate se retourna pour sonder l'obscurité du
regard. Elle sentait une présence près d'elle.

— Greg?

Paniquée, elle le chercha des yeux sans l'apercevoir : elle devait avoir marché plus loin qu'elle ne
l'avait cru. Son cœur se mit à battre à se rompre,
comme si elle avait couru. Elle serra les mains sur
le morceau de bois froid et humide qu'elle avait
trouvé au bord de l'eau et entreprit de retourner
vers Greg en écarquillant les yeux dans la nuit. Seigneur, où était-il? Des frissons couraient le long de
son dos. Il ne pouvait pas l'avoir laissée seule. Il
devait être quelque part. En essuyant l'eau glacée
qui tombait dans ses yeux, elle se rendit compte
que la pluie s'était transformée en une neige légère
et duveteuse, qui caressait sa peau.

Encore cette hallucinante conviction qu'il y avait
quelqu'un tout près d'elle, si près qu'elle pouvait
sentir sa masse et la chaleur de son corps. «Idiote!»
Dans sa peur, Kate avait parlé à voix haute. Une
vague vint s'échouer à ses pieds, éclaboussant ses
bottes. En reculant pour se mettre hors de portée de

la vague suivante, elle eut à nouveau la conviction absolue qu'un homme se tenait dans son dos. Kate s'immobilisa et scruta l'obscurité autour d'elle. Il n'y avait personne. Ce devait être un tour que lui jouaient le vent et l'air humide.

Kate coinça le morceau de bois sous son bras et mit ses mains en porte-voix.

— Greg! Où êtes-vous?

Elle continua d'avancer pesamment et prit soudain conscience qu'elle était revenue vers la mer. Elle avait tourné en rond, désorientée par le vacarme des éléments. Soudain, elle aperçut une vague gigantesque qui fonçait sur elle. «Une lame de fond». Le terme traversa son esprit en un éclair. Elle essaya désespérément de fuir mais semblait clouée au sol. On aurait dit qu'on l'empêchait de bouger, qu'on la forçait à regarder la masse qui fondait sur elle. Kate pouvait presque sentir qu'on agrippait ses bras et qu'on la poussait dans le dos.

— Greg!

Son appel se transforma en cri au moment où la vague allait s'abattre sur elle.

Avant d'être submergée, elle eut le temps d'entendre un rire cruel qui dominait le rugissement des eaux.

En rouvrant les yeux, elle aperçut Greg penché sur elle.

— Le ciel soit loué, vous êtes vivante! Bon Dieu, je ne sais pas ce qui se passe.

Il était étendu près d'elle, protégeant son corps avec le sien. Un de ses bras était posé sur son ventre comme s'ils venaient de faire l'amour. Il avait sans doute rampé vers elle sur les galets, traînant son pied blessé derrière lui.

— J'ai vu la vague vous emporter. J'ai cru que vous étiez morte. Je l'ai vu vous pousser.

Kate fit un effort désespéré pour recouvrer ses esprits.

— Qui m'a poussée?

— Marcus. C'était Marcus, Kate. J'ai vu sa toge, son manteau, son épée. Il se tenait derrière vous et vous poussait vers la mer, et j'ai vu cette vague énorme s'élever…

Il se pencha sur elle et posa la tête sur sa poitrine. Elle en éprouva un réconfort étrange, dépourvu de tout caractère sexuel. Elle se redressa et lui caressa les cheveux.

— Marcus n'existe pas, Greg. Il n'est pas réel. Ce n'est qu'un produit de notre imagination.

— Il n'avait rien d'imaginaire. Je l'ai vu vous pousser. Vous avez été propulsée vers cette vague. Marcus a essayé de s'emparer de mon esprit, à plusieurs reprises, même, et chaque fois je l'ai repoussé, sans toutefois comprendre ce qui m'arrivait. Mais maintenant, j'ai la conviction qu'il veut nous tuer, tous les deux.

Elle s'étendit à nouveau et regarda le ciel, les paupières mi-closes à cause de la neige. Les flocons se faisaient plus denses, tourbillonnaient sur la plage et s'amoncelaient sur le sol, là où les vagues ne pouvaient les atteindre.

— Mais pourquoi ? Pourquoi veut-il nous tuer ?

— Je l'ignore, mais il y a sans doute un rapport avec cette maudite tombe. Nous l'avons dérangé.

— Pourtant, ce n'est pas la sienne. On l'a inhumé près de Colchester.

Kate se dégagea doucement.

— Pouvez-vous vous retourner ? Je vais vous aider à vous asseoir. Il faut trouver un endroit où nous abriter.

Où donc était le morceau de bois qu'elle avait si longtemps cherché ? Kate regarda en vain autour d'elle. La mer l'avait sans doute emporté. Elle entreprit de se mettre debout en gémissant. Tout son corps était douloureux et elle était trempée jusqu'aux os. Le froid la gagnait et s'ils n'agissaient pas rapidement, ils mourraient d'hypothermie.

En exhalant un léger soupir, Greg s'était mis

sur le dos et avait fermé les yeux. L'espace d'une seconde, Kate s'affola.

— Greg! cria-t-elle avec désespoir.

Il ouvrit les yeux et sourit.

— Vous avez un plan?

Le soulagement qu'elle éprouva fut si grand qu'elle faillit l'embrasser.

— Il ne faut pas rester immobile, même si c'est douloureux pour vous. Au diable Marcus! S'il revient nous attaquer, nous prierons. N'est-ce pas censé chasser les revenants? Nous ferons le signe de croix. C'est toujours ce qu'on fait dans les vieux romans historiques, et ça marche à tous les coups.

Le sourire de Greg s'élargit.

— Et quel est le signe contre le mauvais œil?

Il semblait heureux d'être étendu là. Comme elle un instant auparavant, il ressentait une grande paix, sous les doux flocons de neige.

— Je trouverai bien. Allez, Greg, il faut bouger. Essayez de vous tourner. En rampant, vous réussirez à ne pas mettre de poids sur votre pied blessé. Allez. Vous ne devez pas abandonner.

En gémissant, il obéit à ses objurgations et se retourna à plat ventre. Un spasme douloureux le traversa et la sueur inonda son corps transi. Avec un grognement, il enfonça ses coudes dans le sol et se traîna sur quelques mètres avant de retomber, le visage contre le sable.

— A ce rythme-là, je vais y mettre le temps!

— Toute la nuit, s'il le faut, mais nous devons y arriver, dit Kate d'un ton décidé. Si vous n'y parvenez pas ainsi, levez-vous et appuyez-vous sur moi.

— L'offre est tentante, mais je crois que si j'essaie de me lever, je vais encore tourner de l'œil.

Dans un effort surhumain, il reprit sa reptation, mais s'effondra de nouveau au bout de quelques minutes.

— Inutile, je n'y arriverai pas. Allez chercher

la Land Rover. Nous ne devons plus être loin du cottage.

Il souleva péniblement la tête et scruta l'obscurité à travers les tourbillons de neige.

— Je ne peux pas vous laisser, Greg, dit Kate en s'agenouillant près de lui.

— Il le faut, sinon c'est la mort qui nous attend. Je vais continuer d'avancer parallèlement à la mer. Surtout, n'allez pas du côté des dunes, restez sur le sol ferme mais approchez-vous le plus possible avec la Land Rover. Je suis à bout et vous êtes frigorifiée. Même si le véhicule s'enlise, nous aurons un abri et l'on pourra nous trouver plus facilement. Allez-y, Kate.

Il fouilla péniblement dans sa veste de ses doigts gourds et laissa tomber les clés dans la paume de la main de la jeune femme en s'efforçant de sourire.

Kate les prit, non sans lancer à Greg un regard désespéré. Mais il avait raison : il ne pourrait y arriver par ses propres moyens. Elle se leva et commença à enlever sa veste.

— Ne soyez pas stupide, lança-t-il avec colère. Vous en avez besoin autant que moi. Le moindre mouvement me met en nage. Je vais très bien m'en tirer. Gardez-la et revenez aussi vite que possible.

La mort dans l'âme, Kate obéit. Après encore un instant d'hésitation, elle se mit à courir le long de la plage. Le vent était maintenant dans son dos et elle avançait plus facilement.

Il fallait arriver au cottage et trouver la Land Rover. Les vagues continuaient de s'écraser bruyamment sur le rivage, reculant imperceptiblement chaque fois qu'elles revenaient à l'attaque, comme un animal abandonnant sa proie à contrecœur. En gardant toujours la mer à sa gauche, elle ne pouvait se perdre, pourtant, lorsqu'elle regarda vers l'intérieur des terres, elle sentit la panique s'emparer d'elle. Où était le cottage ? Elle aurait dû en apercevoir la lumière depuis longtemps. Elle avait laissé allumé parce qu'elle ne pouvait supporter que ce pauvre Bill reste plongé dans l'obscurité.

Elle s'arrêta, pliée en deux, et chercha péniblement son souffle sans oser regarder autour d'elle. Puis, subitement, elle l'aperçut : derrière les hautes courbes des dunes, plus pâles que le fond obscur des arbres au loin, se profilait le triangle noir du toit. Aucune lumière ne sortait des fenêtres de l'étage.

Kate chercha le sentier qui traversait les dunes. La Land Rover était encore là où ils l'avaient laissée. Soulagée, Kate ferma les yeux, prenant conscience que, durant tout le trajet, elle s'était attendue à sa disparition. Elle se dirigea vers le véhicule, mais s'arrêta brusquement à mi-chemin. La porte du cottage était grande ouverte.

— Bill !

Un poids tomba au creux de son estomac et ses jambes vacillèrent, mais elle réussit cependant à atteindre le seuil. De la lumière sortait du vestibule, découpant un long rectangle de neige blanche sans aucune trace de pas.

Kate se glissa à l'intérieur. Par la porte ouverte du salon, elle vit les rideaux qu'un courant d'air poussait contre les fenêtres. Une odeur de vomissure s'était répandue dans tout le cottage.

— Allie ? appela-t-elle doucement. Allie ? Es-tu là ?

Il lui fallut un énorme effort de volonté pour pénétrer dans la pièce. Le corps de Bill reposait toujours sur le canapé et le poêle avait fini d'émettre sa lueur accueillante. Le salon était d'ailleurs nettement plus froid. Elle entra plus avant dans la pièce en pressant sa main contre sa bouche et son nez pour combattre la puanteur et s'arrêta brusquement, envahie de terreur et de dégoût. La couverture qu'elle avait tirée sur la tête de Bill était descendue, révélant son visage cyanosé et bouffi. Il était tourné vers elle et ses yeux à demi clos semblaient la fixer. A côté de son cadavre s'étendait une flaque de vomissure.

Kate partit en flèche vers la porte d'entrée, en

essayant désespérément de lutter contre sa propre nausée. Elle courut, pliée en deux, vers la Land Rover, une main plaquée contre sa bouche et l'autre contre son ventre. Pendant une minute, elle resta appuyée sur le capot, les jambes tremblantes, tentant de calmer ses haut-le-cœur. Parvenant enfin à se ressaisir, elle chercha en tremblant la clé de la portière, puis s'aperçut que la Land Rover n'était même pas verrouillée. Une fois installée derrière le volant, elle se mit à pleurer à gros sanglots.

Ses lunettes ! Elle avait perdu ses lunettes ! Kate tâta fiévreusement sa veste de ses mains engourdies jusqu'à ce qu'elle les sente au fond d'une poche intérieure. Elle les posa sur son nez, mit le contact, s'escrima sur le levier de vitesse et trouva enfin la première. Le lourd véhicule s'ébranla en direction de la mer.

— Et surtout, ne va pas t'enliser, sale vieux tacot, marmonna-t-elle en sondant du regard l'obscurité et la neige de l'autre côté du pare-brise maculé de boue.

La Land Rover traversa la pelouse en tressautant et se mit à rouler sur le sable. Les pneus manquaient d'adhérence sur la surface mouillée et inégale de la plage, mais Kate réussit à conserver la maîtrise de son véhicule, qui continua d'avancer à la vitesse d'un escargot à travers les dunes. La lumière des phares révélait un mur tourbillonnant de sable, de neige et de pluie. Enfin, Kate aperçut la mer, une immense barre blanchâtre qui s'élançait furieusement à l'assaut de la plage. Nerveusement, elle tourna le volant et dirigea la Land Rover vers le nord. Chacun de ses muscles était tendu et elle adressait des vœux fervents au ciel pour que les roues ne s'enlisent pas. Où était-il ? « Ô mon Dieu, faites que je le trouve ! » Son regard fouillait chaque repli du terrain à la recherche de Greg. Etait-il trop tard ? Elle se maudit d'avoir perdu de si précieuses minutes à larmoyer comme une idiote. Alors qu'elle cherchait à éloigner un peu son véhicule de la mer, une des roues plongea soudain dans une profonde flaque remplie de goémon et la Land Rover s'immobilisa.

— Oh non !

Kate fit jouer la pédale d'embrayage et l'accélérateur en essayant désespérément de ne pas s'enfoncer davantage.

— Allez, sors de là !

Elle tira et poussa le levier de vitesse. La Land Rover eut un soubresaut, mais ses roues se mirent à tourner follement dans le sable sans avancer.

— Saleté ! s'exclama-t-elle en frappant le volant du plat de la main. Vas-tu repartir ?

Dans la lumière crue des phares, la plage semblait absolument déserte. La neige continuait de tourbillonner dans le vent et les grains de sable brillaient froidement. Malgré le bruit du moteur, Kate pouvait entendre les coups de boutoir de la mer. Se concentrant au maximum, elle manœuvra encore le levier de vitesse. Tout d'un coup, par miracle, le vieil engin sortit du creux où il menaçait de s'enliser, comme un gros hippopotame s'extrayant de la mare de boue où il s'était vautré.

— Fais attention, se dit Kate à voix haute. Fais attention, espèce de gourde. La prochaine fois, tu ne t'en tireras pas.

Elle agrippa à nouveau le volant et s'approcha du pare-brise, scrutant la plage à la limite de la lumière des phares.

Minuit. L'heure fatale, l'heure des sortilèges dans ce lieu désolé, abandonné de tous.

Où donc était-il ?

44

— Allie ? murmura Diana, penchée au-dessus de sa fille. Allie, est-ce que tu m'entends, ma petite ?

Après ses dernières paroles, elle n'avait plus prononcé un mot pendant que sa mère l'avait menée en haut et l'avait aidée à se déshabiller devant la baignoire où coulait l'eau chaude. En temps normal, Allie aurait violemment protesté si Diana avait seulement tenté d'entrer dans la salle de bains pendant qu'elle se lavait. Mais cette fois, elle resta silencieuse alors que sa mère lui retirait ses vêtements, levant docilement les bras comme une petite fille quand Diana lui avait retiré son chandail et son tee-shirt. Elle s'assit dans la baignoire et ramena ses genoux sous son menton en fermant les yeux tandis que sa mère pressait l'éponge contre son dos maigre.

— Veux-tu t'étendre un peu pour te réchauffer ?

Son hochement de tête fut à peine perceptible.

— Viens, alors. Tu vas te coucher et tu me raconteras ce qui est arrivé. As-tu vu Greg et Kate ?

Alison resta impassible tandis que sa mère l'essuyait. Avec les mêmes mouvements d'automate qu'auparavant, elle leva les bras pendant que Diana lui enfilait sa chemise de nuit. Ce ne fut qu'au lit, une fois son ourson dans les bras, qu'elle manifesta son émotion. Elle serra la peluche contre elle, se recroquevilla en position fœtale et se mit à pleurer.

— Allie chérie, dit sa mère en posant une main sur son épaule. Ne pleure pas. Tu es en sécurité, maintenant.

Mais Alison continua de sangloter en mouillant la tête de son ourson, puis elle s'assoupit enfin.

Diana resta longtemps assise à côté de sa fille, avant de se lever pour éteindre le plafonnier. Elle laissa une veilleuse allumée, ne referma la porte qu'à demi et quitta la pièce sur la pointe des pieds. En bas, le salon était vide.

— Roger ? Paddy ?

Elle alla à la porte d'entrée et l'ouvrit. Le jardin et la pelouse qui menaient aux salants étaient d'une blancheur uniforme. Il n'y avait aucune trace de son mari ni de son fils. Elle verrouilla la porte et retourna lentement vers le feu. Ils avaient sans doute décidé de gagner la route ensemble. Les deux chats étaient assis côte à côte sur le canapé et contemplaient les braises rougeoyantes. Ce spectacle familier rassura Diana, mais pour la première fois de sa vie, elle regretta de ne pas avoir un chien. Si quelqu'un était dissimulé aux alentours et les épiait, un chien aurait pu les alerter. Son regard se porta pensivement vers la carabine que Roger avait laissée appuyée dans un coin. La boîte de cartouches était juste à côté, sur une chaise.

— Nous aurions dû emporter la carabine, p'pa.

Patrick avait peur et restait sur les talons de son père tandis qu'ils remontaient le chemin. La lampe de poche dirigée vers le sol, Roger cherchait des traces de pas ou des marques de pneus.

— La neige n'est pas épaisse sous les arbres. S'il était venu par ici, nous aurions vu quelque chose.

Son ton était plutôt indigné qu'effrayé. Il ne croyait pas à l'hypothèse d'un meurtrier tapi dans le bois. La personne qui avait attaqué Bill devait s'être enfuie depuis belle lurette. Il s'arrêta pour examiner un tas d'aiguilles de pin mêlées de boue qui brillaient sous la pâle lumière de la lampe de poche. Quoi qu'il en fût, mieux valait ne pas prendre de risques inutiles. La voiture n'était pas passée par ici, il en avait la conviction, et Diana était restée toute seule à la maison. Il fallait plutôt retourner là-bas et inspecter l'endroit où la voiture avait été garée. On aurait pu, après tout, lui faire traverser le jardin. Non, impossible. Les plates-bandes auraient été abîmées. L'autre possibilité était qu'on ait traversé la pelouse en direction du marais. La neige avait peut-être recouvert les traces, après tout.

Il prit le chemin du retour en balançant le rayon de sa lampe à gauche et à droite, fouillant cette fois l'obscurité entre les arbres, conscient que Patrick le suivait de si près qu'il le frôlait de son épaule. Roger se prit à souhaiter que son fils redevienne si petit qu'il pourrait le mener par la main.

La douleur revenait et il ne pourrait marcher davantage. Il suivit Patrick jusqu'à la porte et attendit pendant que son fils cognait, heureux que l'obscurité dissimule ses traits.

Diana ouvrit au bout de quelques secondes et les prit tous deux dans ses bras, avant de les entraîner vers le feu.

— Dieu merci, vous voilà! Avez-vous pu passer? Le médecin vient-il? Et la police?

Elle les regarda tour à tour et pâlit.

— Vous n'avez pas pu passer, n'est-ce pas? dit-elle d'une voix blanche en se laissant tomber sur le canapé.

Roger s'assit péniblement à ses côtés.

— La voiture a disparu, Di. On l'a volée.

— Alors, il était là, quelque part autour de la maison.

Ses yeux allèrent vers la fenêtre près d'elle. Elle ferma les rideaux.

— Qu'allons-nous faire?

— Rien ce soir, en tout cas, dit Roger, subitement si épuisé qu'il pouvait à peine parler. Nous devons prier pour que Greg et Kate soient sains et saufs. Greg la protégera et…

Sa voix faiblit. Il venait de penser à Bill. Tout costaud qu'il était, Bill n'avait pas pu se défendre.

— Cela ne servira à rien de les chercher dans le noir. Il vaut mieux rester ici jusqu'à ce qu'il fasse jour. Vérifions encore une fois si les portes et les fenêtres sont bien fermées et attendons. Il n'y a rien d'autre à faire.

— Je vais aller voir, p'pa, dit Patrick, qui avait écouté ses parents sans dire un mot.

Depuis qu'il avait compris leur impuissance et leur angoisse, le jeune homme éprouvait de plus en plus de difficulté à maîtriser sa propre peur. Son père leva les yeux et perçut sa détresse.

— Tout ira bien, fit-il en souriant avec lassitude. Nous réglerons tout cela quand le jour sera venu.

— Bien sûr, p'pa... Greg va s'en sortir, n'est-ce pas ?

— Un grand gaillard comme lui ? Bien sûr.

— Ils n'étaient pas au cottage.

— J'imagine qu'ils cherchaient encore Allie.

— Mais ils ne savent pas qu'elle est ici, en sécurité, dit Patrick d'une voix de plus en plus inquiète. Ils vont continuer de la chercher. Greg n'abandonnera pas.

— Ne t'en fais pas, Paddy, intervint Diana en se levant. Greg n'est pas fou. Il réalisera qu'il n'y a rien à faire par ce temps. Kate et lui retourneront au cottage ou ils reviendront ici. Maintenant, monte et vérifie si tout est fermé. Ne réveille pas Allie, mais jette quand même un coup d'œil dans sa chambre.

Elle regarda son fils monter, puis se tourna vers son mari. Son visage était grisâtre et il avait fermé les yeux. Pleine de commisération, elle prit une couverture et l'étendit sur lui.

45

Kate immobilisa la Land Rover, désemparée. Aucune trace de Greg. Elle avait parcouru la plage à trois reprises, approchant chaque fois son véhicule un peu plus de la mer, allant aussi loin vers le nord qu'elle l'osait. Il errait peut-être parmi les dunes, mais il n'était pas question pour elle de s'y aventurer. Elle devait maintenant revenir sur ses pas, lentement, plus loin des vagues, en espérant que Greg aurait aperçu ses phares et qu'il essaierait de la rejoindre.

Avec précaution, elle appuya sur la pédale d'embrayage et tourna cette fois du côté de la mer pour jeter un dernier regard aux vagues bouillonnantes. Ce fut à ce moment qu'il apparut dans la lumière des phares. Il était agenouillé au bord de l'eau et agitait les bras.

— Greg!

Oubliant toute prudence, elle enfonça l'accélérateur. Durant d'affreuses secondes, elle sentit les roues perdre leur adhérence et glisser sur le sable, mais un instant plus tard, elle s'arrêtait à sa hauteur.

— Je n'arrivais pas à vous trouver, cria-t-elle en bondissant hors du véhicule.

Kate courut vers lui et le serra dans ses bras. Pendant un instant, Greg resta immobile, puis répondit à son étreinte et enfouit sa bouche dans sa chevelure en murmurant: «Kate. Oh, Kate!» Ils restèrent enlacés durant un instant, puis Kate se dégagea doucement.

— Allez, essayez de vous lever. Je vais vous installer à l'arrière, vous pourrez allonger votre jambe sur le siège.

— Je ne peux pas, gémit-il en se laissant retomber sur le sable mouillé. Je n'en peux plus. Je ne peux plus bouger.

— Si, vous le pouvez. Il le faut. Debout! vous ne pouvez abandonner maintenant, dit-elle en serrant les dents. Je vais trouver quelque chose pour que vous vous appuyiez. Il faut essayer, Greg.

Son ton devenait plus pressant.

— Ça va, ça va, dit-il en secouant la tête.

Son visage était mouillé à la fois par les embruns,

la neige, la sueur et les larmes. De l'eau salée avait pénétré dans ses yeux et l'empêchait de voir distinctement. A travers une espèce de brouillard, il aperçut quelqu'un près de Kate. Une femme. Pourquoi ne lui venait-elle pas en aide? Ce n'était ni Allie ni Diana.

— Donnez-moi un coup de main, je vous en prie, articula-t-il avec peine.

Il sentit le bras de Kate sous le sien, tandis qu'il se remettait debout. L'autre femme les aidait. Non, elle était partie. Où était-elle? Les jambes de Greg fléchirent. Il ne devait pas poser le pied gauche par terre. Le roulement des vagues emplissait son cerveau. Il arrivait à peine à distinguer la forme de la Land Rover. La porte arrière était ouverte. A l'intérieur, il trouverait la sécurité, la chaleur, le repos. Dans un effort surhumain, Greg s'élança vers le véhicule. Il fit trois bonds sur sa bonne jambe, se jeta à moitié à l'intérieur et perdit de nouveau connaissance.

— Greg! Greg! cria Kate en se penchant sur lui. Encore un effort.

La Land Rover était leur refuge. Elle voulait qu'ils s'y abritent tous les deux, derrière les portières verrouillées. Autour d'eux, la plage était hostile, menaçante.

Elle regarda par-dessus son épaule et ses yeux s'agrandirent de frayeur. L'ombre, la femme, flottait près d'eux et les regardait. Sa robe bleue était encore tachée, mais le vent n'en agitait pas les plis et la neige ne semblait pas mouiller sa chevelure. Par-dessus l'odeur de la mer, du sable et des algues, Kate sentit son parfum capiteux. Sa terreur était si grande qu'elle ne pouvait faire un mouvement. Seule une plainte de Greg réussit à la tirer de sa dangereuse fascination. Elle se retourna.

— Montez, Greg, vite!

A travers le brouillard noir dans lequel il était plongé, Greg perçut la panique dans la voix de Kate.

Ses mains agrippèrent le siège devant lui et il se hissa à l'intérieur, pantelant. Derrière lui, Kate poussait de toutes ses forces. Sans tenir compte de sa blessure, elle souleva brusquement les genoux du jeune homme, plia ses jambes et fit claquer la portière.

Pivotant rapidement sur elle-même, elle regarda en arrière juste au moment où une bourrasque projetait la neige dans tous les sens. Kate courut vers l'avant du véhicule et s'installa au volant. Avec un soupir de soulagement, elle verrouilla la portière et tenta de reprendre son souffle.

La forme blanche qui heurta le capot de plein fouet lui arracha un cri de terreur. Un œil injecté de sang apparut et quelque chose s'écrasa contre le pare-brise en y causant une longue fêlure.

— Non! hurla Kate en levant instinctivement les bras devant son visage pour se protéger. Mon Dieu! Non! Greg!

Reprenant conscience, Greg agrippa convulsivement la couverture étalée sur le siège arrière en sentant une douleur fulgurante lui tenailler la jambe gauche.

— Kate, où êtes-vous?

— Ici! murmura-t-elle. Greg! Au secours! Regardez!

Sentant la peur dans sa voix, Greg leva la tête et, dans un effort surhumain, parvint à se redresser complètement. Ses dents s'entrechoquaient et son corps était secoué de violents frissons. Il tenta de chasser le voile noir qui l'empêchait d'apercevoir Kate.

— Je suis là. Je suis là.

Les yeux fixés sur le pare-brise, elle ne se retourna pas.

— Regardez!

Elle était encore là, cette chose hideuse et blanche animée de mouvements convulsifs. Un œil jaunâtre, menaçant, les observait par-dessus un long bec incurvé. Les bras toujours tendus devant elle, Kate ferma les yeux lorsqu'un autre coup descendit dans un grand bruit contre le pare-brise déjà rendu fragile.

— Kate ? dit Greg d'une voix faible.

— C'est un goéland ! fit Kate entre deux sanglots de soulagement. Un gros goéland.

Les ailes qui s'agitaient furieusement, les yeux cruels et le bec recourbé semblèrent recouvrer leur aspect normal. L'oiseau gratta le capot de ses pattes palmées et disparut dans les airs.

Kate tendit la main vers la clé de contact, mais elle tremblait tellement qu'elle eut de la peine à faire démarrer le véhicule. Elle poussa le levier de vitesse. La Land Rover eut un sursaut et le moteur cala.

— Bravo !

On aurait dit que Greg riait. Kate fit redémarrer le moteur. S'efforçant de garder son calme, elle passa en marche arrière et appuya sur l'embrayage avec plus de précaution. La Land Rover s'éloigna de la mer.

— Je ne vois plus la femme. Il n'y a aucune trace d'elle.

— Pas question d'aller à sa recherche. Tirons-nous d'ici en vitesse. Pouvez-vous voir ? Essayez de trouver le chemin.

Greg serra les dents quand une nouvelle vague de douleur le submergea. Il prit la couverture et s'en enveloppa. Autour de lui, l'intérieur sombre de la Land Rover se mit à tourner.

— Ça y est, nous sommes en route, dit Kate.

Elle tourna la tête vers la mer. Reculait-elle enfin ? Elle semblait moins haute, en tout cas, et la force du vent avait diminué. Lentement, Kate orienta le véhicule vers le sud et prit le chemin du cottage. A travers les éclats du pare-brise, elle scrutait la plage, s'efforçant de deviner où le sable était le plus ferme. La neige et le sable avaient fait disparaître tous les repères familiers. Plus rien ne semblait à sa place. La Land Rover fit subitement un écart et Kate serra le volant. La voiture eut l'air de s'immobiliser, mais les roues cessèrent de déraper et elle avança de nouveau. Puis les lumières du cottage apparurent au loin. Murmurant une prière de reconnaissance, Kate se guida sur elles.

La porte de la maison était encore ouverte, mais elle n'avait aucune envie d'y retourner pour voir ce pauvre Bill étendu sur le canapé. Elle se dirigea vers la ferme de Redall, en conduisant plus vite maintenant que le véhicule tanguait sur le chemin défoncé. Les roues brisaient la fine couche de glace qui s'était formée sur les flaques d'eau et rompaient quelques branches arrachées aux arbres par le vent. Kate remarqua que le niveau d'essence oscillait juste au-dessus du zéro. Non, ils n'allaient pas manquer d'essence ! Pas maintenant !

— Tiens bon ! Tiens bon ! supplia-t-elle, baissant automatiquement la tête tandis que le véhicule se précipitait sous les branches basses d'un mélèze.

Soudain, une ombre surgit de nulle part, devant eux, à quelques mètres seulement. Incapable de voir distinctement à travers le pare-brise maculé de boue, Kate freina à mort, luttant pour conserver la maîtrise de son véhicule. Dans un craquement retentissant, la Land Rover heurta un arbre. Sans ceinture de sécurité, Kate fut projetée contre le tableau de bord.

Il lui fallut un bon moment avant de pouvoir se redresser. Abasourdie par le choc, elle se palpa le visage avec précaution. Son front portait une bosse de la taille d'un œuf et ses côtes lui faisaient mal, mais elle était vivante.

Les phares pointaient vers le haut dans un angle étrange. L'avant du véhicule avait escaladé un tronc d'arbre et les roues arrière s'étaient enfoncées dans une espèce de fondrière. Jamais on ne pourrait sortir la Land Rover de là.

— Merde ! s'écria-t-elle en frappant le volant du poing. Merde ! Merde ! Greg ! Est-ce que ça va ?

Elle se tourna lentement vers lui en grimaçant de

douleur. Il avait été projeté sur le plancher et gisait là, immobile.

— Ô mon Dieu !

Elle tenta péniblement d'ouvrir sa portière, mais elle était coincée. Le chemin semblait désert dans l'obscurité. Qu'est-ce qui avait bondi ainsi devant elle ? Kate frémit. Ses nerfs, déjà passablement éprouvés, lui avaient sans doute joué un mauvais tour.

— Greg ? Greg ! Répondez-moi. Greg ! M'entendez-vous ?

Rien à faire, la poignée résistait ; elle ne pourrait pas sortir par là. Elle se tourna vers l'autre portière qu'elle réussit à ouvrir. Un coup d'œil à l'avant lui révéla l'étendue des dégâts : une aile avait été emportée, le radiateur était percé et un des pneus crevé. Elle donna un coup de pied sur la roue aussi fort qu'elle le put et tenta d'ouvrir la portière arrière. C'était verrouillé. Retournant à l'intérieur, elle s'agenouilla sur le siège avant et tendit les bras vers Greg. Son visage était invisible dans l'obscurité.

— Greg ? Greg, m'entendez-vous ?

Elle alluma la petite lampe de poche qu'elle avait encore sur elle. Greg était tombé à plat ventre, les bras sous son corps, comme s'il n'avait fait aucun effort pour se protéger dans sa chute. Kate s'arc-bouta par-dessus le dossier et parvint à l'asseoir sur le plancher. Il gémit, sans ouvrir les yeux. Pendant un moment, elle resta immobile, le regard fixé sur les branches illuminées par la lumière crue des phares. Bien vite, la batterie s'épuiserait et ils seraient plongés dans l'obscurité. Elle consulta sa montre : deux heures. Il n'y avait pas d'alternative : il fallait laisser Greg ici et continuer à pied.

En serrant les dents, elle l'enveloppa le mieux possible dans sa couverture, baissa légèrement une vitre pour que l'air se renouvelle à l'intérieur du véhicule et sortit.

— Je vais revenir le plus vite possible. Tenez bon, murmura-t-elle.

Elle examina le chemin en dirigeant le faible rayon de sa lampe de poche des deux côtés. Seul lui parvenait le bruit des feuilles mortes agitées par le vent.

La ferme ne devait pas se trouver à plus de quatre cents mètres — dix minutes de marche, tout au plus. Elle entreprit de suivre le chemin en restant au milieu des ornières. Les plaques de glace et la boue durcie rendaient sa progression difficile. A plusieurs reprises, elle se retourna, craignant qu'une main ne s'abatte sur son épaule, mais il n'y avait personne.

L'apparition d'une lumière entre les arbres fut si soudaine, si réconfortante, qu'elle s'arrêta pour se frotter les yeux: C'était une lumière carrée, bleu pâle, provenant d'une des fenêtres de la ferme. Dans un sanglot, Kate se mit à courir, pataugeant dans la neige fondante, écartant de la main les branches couvertes d'aiguilles des mélèzes et des pins qui lui fouettaient le visage.

A bout de souffle, elle traversa la pelouse en courant et se jeta contre la porte en cherchant la sonnette.

Pendant quelques secondes, qui lui semblèrent une éternité, elle n'obtint aucune réponse à ses appels frénétiques, puis enfin des pas se firent entendre.

— Qui est-ce? demanda Patrick d'une voix étouffée.

— C'est moi, Kate. Pour l'amour du ciel, laissez-moi entrer.

Elle entendit le bruit des verrous et des serrures, la porte s'ouvrit et elle se précipita dans le vestibule.

— Kate, Dieu merci, vous êtes sauve. Mais où est Greg? demanda anxieusement Diana en la serrant dans ses bras.

— Il est resté dans la Land Rover. J'ai heurté un arbre. Il est blessé au pied et je crois qu'il s'est également cogné la tête. Ce n'est qu'à quelques centaines de mètres sur le chemin. Il faut m'aider à le ramener à la maison.

— Seigneur!

Diana lança un regard impuissant à son fils. Il n'y avait plus que Patrick pour les aider. Roger s'était couché après avoir pris ses comprimés analgésiques, et lorsqu'elle avait jeté un coup d'œil dans leur chambre à coucher, une heure auparavant, il dormait d'un sommeil difficile, le visage toujours aussi pâle dans la lumière tamisée de la lampe de chevet. Allie dormait également. Sa respiration était entrecoupée et une expression étrangement dure avait envahi son visage, qui avait cependant repris sa couleur normale.

— Asseyez-vous, ma pauvre petite, et reprenez votre souffle, dit Diana.

Kate tituba vers le salon. Elle était transie et couverte de boue. Ses cheveux étaient emmêlés. On lisait l'épuisement sur son visage.

— Je crois que Greg est en sécurité pour l'instant. J'ai verrouillé les portières et je l'ai enveloppé dans une couverture, mais après ce qui est arrivé à Bill… Vous ignorez ce qui est arrivé à Bill, dit-elle en se mettant à pleurer.

— Nous le savons, Kate, fit Diana en passant un bras autour de ses épaules. Patrick s'est rendu au cottage avant qu'il se mette à neiger si fort. Paddy, va chercher le brandy, vite, ordonna-t-elle. N'essayez pas de parler avant de vous être reposée un peu. Nous verrons ensuite comment aller chercher Greg.

Les yeux de Diana se dirigèrent vers la fenêtre. Il était là-bas, seul. Seul et blessé.

— Alison… dit subitement Kate.

— Ne vous en faites pas pour Alison ; elle dort dans sa chambre. Elle est revenue toute seule. D'abord, nous devons ramener Greg, ensuite nous pourrons nous reposer.

Il y eut un moment de silence. Tous pensaient à Bill. Kate aurait souhaité ne pas le laisser là-bas, mais il n'y avait plus rien à faire pour lui, et Greg avait besoin d'aide de toute urgence.

— Alison vous a-t-elle dit ce qui s'était passé? demanda Kate.

— Pas vraiment. Elle était gelée et au bord de l'épuisement. Il sera toujours temps de la questionner demain.

Diana se tut un moment tandis que Patrick revenait au salon en portant un plateau sur lequel il avait disposé trois verres et une bouteille de cognac.

— Comment aller chercher Greg? Pouvons-nous prendre votre voiture, Kate?

— Non, le chemin est presque inutilisable. C'est ce qui m'a fait déraper.

— Pouvons-nous marcher, alors? Vous avez dit que ce n'était qu'à une courte distance.

— Il est blessé et à bout de forces. Il faudra le porter.

Pourraient-ils y arriver? Avec ses quatre-vingt-dix kilos, Greg était grand, lourd et costaud. Mais on ne pouvait le laisser là-bas toute la nuit.

— Nous le porterons, dit Diana d'un ton ferme. Ce n'est pas loin. A nous trois, nous réussirons. Nous nous mettrons en route dès que Kate aura récupéré un peu et avalé son brandy. Je vais chercher mes bottes et mes gants.

— Tu vas avertir papa? s'inquiéta Patrick.

— Ton père dort. Nous serons revenus avant même qu'il sache que nous sommes partis. Pas besoin de le déranger. Nous fermerons à clé. Allie dort également. Ils seront en sécurité.

Kate prit un peu de brandy et ferma les yeux. La chaleur montait peu à peu dans ses veines, accompagnée d'une sensation d'épuisement total. Si elle tenait à peine debout, comment pourrait-elle aider à porter Greg jusqu'à la ferme? Pourtant, elle devait y arriver. Quand elle rouvrit les yeux, Patrick l'observait attentivement.

— Ça va? demanda-t-il avec sollicitude. M'man est allée prendre ses affaires.

— Ça ira, répondit-elle en faisant la grimace.

Paddy, pourrais-je emprunter des chaussettes chaudes? J'ai eu la moitié de la mer du Nord dans mes bottes et mes pieds sont si glacés que je ne les sens plus.

— Bien sûr, dit-il en souriant, heureux qu'on lui demande enfin quelque chose de facile. Je vais en chercher, ainsi que d'autres bottes.

Il ne leur fallut pas moins de deux heures pour ramener Greg. Lorsqu'ils atteignirent enfin la Land Rover, celui-ci était conscient. Il accueillit sa mère avec une touche d'humour, en cherchant à dissimuler la terreur qu'il avait éprouvée en s'éveillant tout seul au milieu du bois. Ils improvisèrent une civière avec la couverture. En s'arrêtant fréquemment pour souffler, ils revinrent à la ferme peu après quatre heures et demie du matin.

Diana ouvrit la porte et entra la première, tandis que Greg restait debout sur une jambe, appuyé au cadre.

— Tout a l'air en ordre. Ils doivent encore dormir. Viens, mon grand, dit-elle en prenant Greg à bras-le-corps. Assieds-toi et laisse-moi regarder ta blessure.

Derrière eux, Patrick ferma à clé sans dire un mot et appuya la carabine dans un coin. Il avait vu la façon dont Kate regardait constamment par-dessus son épaule, de même que le soulagement inscrit sur son visage quand ils étaient enfin arrivés. Lui aussi avait senti l'atmosphère inquiétante qui régnait dans le bois, tout en éprouvant la certitude d'être suivi.

Une large ecchymose barrait le front de Greg, là où il avait heurté le siège de la Land Rover. A part ce détail, et malgré la fatigue et le froid, il semblait s'en être bien tiré. Seul son pied était gravement blessé. Diana le coucha sur le lit de camp du bureau de Roger et le bourra d'aspirine pour atténuer la douleur. Alors qu'elle montait voir Alison, Patrick s'approcha de Kate.

— Vous feriez mieux de me raconter ce qui est arrivé, dit-il à mi-voix.

— Mais je l'ai fait, dit Kate en fronçant les sourcils.

Elle prit la tasse de chocolat chaud que Diana lui avait préparée et souffla dessus doucement.

— Non. Pas ce qui est arrivé avant. Où avez-vous trouvé Bill ?

Kate but un peu de chocolat. Le goût sucré la réconforta comme l'auraient fait de vieux souvenirs d'enfance.

— Près du chemin. Il venait du cottage. Comme j'étais absente, il a pensé venir voir chez vous.

— A-t-il… (Patrick hésita, accablé soudain par l'image du cadavre étendu sur le canapé du cottage.) A-t-il pu vous raconter ce qui lui était arrivé ?

Comment dire à Patrick que Bill avait accusé sa sœur de l'avoir attaqué ?

— Il semblait croire que deux femmes l'avaient agressé, dit-elle enfin.

— Deux femmes ? répéta Patrick, estomaqué.

— Il était en état de choc, Patrick. Je ne crois pas qu'il était en mesure de se rappeler beaucoup de choses. Nous l'avons mis dans la Land Rover et ramené au cottage, puis Greg est parti seul chercher Allie.

Ses mains s'étaient mises à trembler de façon incontrôlable. En serrant sa tasse contre elle, Kate fit un sourire triste à Patrick.

— J'ai gardé Bill au chaud et j'ai essayé d'enrayer l'hémorragie, mais il a perdu connaissance. Je ne savais pas quoi faire. Si seulement j'avais eu des notions de secourisme…

Elle posa sa tasse, et essuya ses yeux et ses joues. Patrick se leva et, sans faire de bruit, alla chercher la boîte de mouchoirs en papier dans la cuisine.

— Je l'ai vu, vous savez, dit-il doucement. Je ne crois pas que les premiers soins auraient suffi. Il devait avoir une fracture du crâne. Vous n'avez rien à vous reprocher.

288

S'agenouillant devant le feu, il poussa les bûches du bout du tisonnier.

— Allie dit que c'est Marcus qui a tué Bill, fit-il d'un ton neutre en contemplant les braises. Elle affirme également qu'il a tué d'autres personnes.

— Marcus?

— Il doit bien y avoir un coupable.

— Peu importe; on ne peut rien faire avant le lever du jour, conclut Kate. Nous ferions mieux d'essayer de dormir quelques heures. Peu importe l'homme — ou la chose — qui se trouve à l'extérieur, nous sommes en sécurité ici. Tout est fermé à clé et nous avons une arme. Pourquoi ne vas-tu pas te coucher?

Il fit signe que non.

— Si tu restes ici, puis-je emprunter ton lit?

La fatigue de Kate était si grande qu'elle douta même de pouvoir monter l'escalier.

— Certainement... Désolé. J'ai l'air plutôt pitoyable, dit-il en tournant vers elle ses yeux remplis de larmes.

— Non, pas du tout. Tu es très brave. Essaie de dormir. Chacun de nous aura besoin de toute sa tête au réveil.

46

La lourde broche d'argent massif portait un motif barbare, mais elle avait appartenu au Celte, Marcus en avait la certitude. Avec un rictus de triomphe, il l'arracha de la robe de sa femme pour l'épingler sur son propre manteau. La chienne! Avait-elle cru lui faire peur, avec ses malédictions?

Il regarda le corps inerte de Claudia. Comment avait-il pu l'aimer à ce point? La colère et la haine bouillaient dans ses veines. Il se pencha vers elle, la

*prit par les bras et la tira vers le marécage. Il lui ferait
une dernière faveur, à cette chère épouse, compagne
de sa couche et mère de son fils : l'envoyer rejoindre
son amant chez Hadès. Dans un grand effort, il la
souleva et la jeta dans l'eau boueuse. A sa grande
satisfaction, elle tomba presque au même endroit où
l'autre avait disparu. Son corps flotta quelques
secondes au milieu des plis de sa robe bleue, l'épée
toujours fichée dans son ventre et ses cheveux faisant
une tache mouvante dans la lumière du jour, puis il
commença à s'enfoncer.*

*Les mains sur les hanches, Marcus contempla son
œuvre. Personne n'en saurait jamais rien. Lentement,
les nuages se retiraient et le ciel devenait bleu. Ce
serait une journée magnifique. Mettant la main à sa
ceinture, il sentit le pommeau de la dague qu'il portait du côté opposé au fourreau de l'épée. C'était une
arme fiable. Il en caressa un moment la garde, puis la
tira pour en éprouver le poids et l'équilibre.*

Alors il se tourna vers les prêtres.

— Allez-vous travailler ensemble, aujourd'hui, Alison et toi ? demanda Cissy Farnborough à sa fille.

Elle ne voyait que le sommet de sa tête dépasser
du gros roman qu'elle tenait ouvert devant elle. « Ne
lis donc pas à table », voulut-elle dire. Mais c'eût été
peine perdue puisque Joe était plongé dans son
Sunday Telegraph. Elle soupira.

— Sue ! reprit-elle, irritée, as-tu entendu ce que
j'ai dit ?

Sue leva les yeux. Ses cheveux en bataille faisaient comme une auréole anarchique autour de sa
tête. Sa chemise de nuit, ornée d'une photo particulièrement affreuse d'un chanteur pop hirsute, était
fripée et crasseuse.

— Je ne sais pas. Elle a manqué l'école toute la
semaine dernière. Je vais lui téléphoner plus tard,
jeta-t-elle.

— Eh bien, fais-le. J'aimerais quand même

savoir si nous aurons quelqu'un de plus à table pour déjeuner.

— Tu en fais toujours trop, de toute manière, répliqua sèchement Sue avant de se replonger dans son livre.

Les lèvres pincées, Cissy se tourna pour brancher la bouilloire et prendre le pot de café. Son mari et sa fille, eux, prenaient du thé, le matin. Comme toujours, Joe avait insisté pour avoir un petit déjeuner gargantuesque.

— Je travaille dur pour gagner ma vie, moi, avait-il grogné quand elle lui avait suggéré un régime un peu plus modéré. Qu'est-ce que ces chiffes molles de médecins connaissent de la vie de cultivateur ? Ils écrivent leurs sottises pour des gratte-papier de la ville, pour des hommes qui restent le cul collé sur un fauteuil à longueur d'année. J'aimerais bien les voir se taper un vrai boulot, ça les changerait.

Cissy avait abandonné la partie. Elle avait souvent subi ce mélange d'arrogance rurale et de rancœur contre son père, qui avait été comptable à Londres avant de prendre sa retraite. En remuant son café, elle songea encore une fois à ses propres ressentiments. Pourquoi avait-elle épousé un homme qui n'était pas de la même condition qu'elle ? Ses parents l'avaient prévenue mais elle avait vaillamment défendu Joe et l'avait appuyé avec passion, avant de finir par l'épouser. Naturellement, cela avait été une erreur. Joe avait bien suivi quelque temps les cours d'un collège privé du Suffolk, mais on ne pouvait pas dire qu'il était instruit. Il ne s'intéressait à rien d'autre qu'à la ferme, ne lisait que les journaux du dimanche et méprisait l'éducation chez les autres, en particulier chez sa femme. Pour Susie, c'était un peu différent. Rien n'était assez beau pour elle. Pourtant, jamais il n'appuyait Cissy lorsqu'elle exigeait de sa fille qu'elle ferme le téléviseur pour faire ses devoirs.

— Il n'y a plus de marmelade, Ciss ! clama Joe

d'un ton indigné par-dessus son journal, le pot à la main.

Pourquoi s'arrangeait-il toujours pour trouver quelque chose à lui reprocher ?

— Ne m'appelle pas Ciss, répliqua-t-elle.

Cecilia Louise, c'est ainsi qu'on l'avait baptisée. Mais Joe ne l'avait jamais appelée Cecilia de sa vie. Au début, elle avait trouvé le diminutif amusant, mais la plaisanterie était vite devenue agaçante. Maintenant, elle ne faisait qu'ajouter au poids de sa rancœur.

— Va téléphoner à Alison !

Comme toujours, elle s'en prit à Sue, préférant diriger sa colère contre sa fille plutôt que contre son véritable responsable.

— Et habille-toi, tu as l'air d'une traînée.

A sa grande surprise, Susan se leva immédiatement et Joe lui jeta un coup d'œil furtif par-dessus son journal. Elle avait peut-être parlé plus énergiquement que d'habitude.

— Je vais ajouter la marmelade sur la liste de courses, dit-elle calmement, mais tu devras attendre que j'aille en ville. Il y a toutes les confitures que tu veux dans le garde-manger.

Elle le vit hausser les épaules et étendre une épaisse couche de beurre sur son pain. S'il s'agissait d'une manœuvre pour la culpabiliser, ça ne marchait pas.

Elle se tourna et regarda par la fenêtre. Le ciel était presque noir, bien qu'il fût neuf heures passées. Le vent soufflait de l'est, courbant les arbres du verger, et une fine neige voletait au-dessus de la pelouse. Elle frissonna. Juste devant la fenêtre, des petits oiseaux se chamaillaient autour du bol de graisse fondue et de graines qu'elle avait placé pour eux. Elle sourit en voyant deux merles se quereller avec un groupe de moineaux. Sous la table, une cinquantaine de volatiles fouillaient l'herbe et la neige pour récupérer les graines qui s'y étaient dispersées.

— M'man! Leur téléphone ne fonctionne plus!

L'exclamation de sa fille fut suivie d'un chapelet de jurons. Joe leva la tête.

— Va dans ta chambre, Susan, cria-t-il.

— Mais, p'pa, Allie a toutes mes notes. Je dois lui parler.

— Je me fous de ce qu'elle a. Personne n'emploie un tel langage dans ma maison.

Tiens, quelque chose était parvenu à tirer Joe de sa léthargie! Cissy prit une gorgée de café. Pour une fois, elle n'était pas concernée. Qu'ils règlent donc cela entre eux. Sue voyait Alison très souvent. Les Lindsey étaient des gens bien, polis, éduqués. Ce n'était pas leur faute s'ils manquaient d'argent, ce pauvre Roger était si malade, mais Diana parvenait à s'occuper de sa famille avec une grâce et une efficacité que lui enviait Cissy.

— Je te conduirai à Redall quand j'aurai mis le déjeuner en route. Tu pourras reprendre tes notes et Allie reviendra avec nous si elle le désire. D'ailleurs, ils peuvent tous venir, si le cœur leur en dit. J'ai un gros rôti. Il y en aura bien assez pour tout le monde et ce serait agréable de les recevoir. De toute façon, personne ne peut travailler dehors, par un temps pareil.

Elle sourit à son mari et à sa fille. Son cafard s'était envolé aussi vite qu'il était apparu. Les Lindsey apporteraient un peu de bonne humeur dans la maison.

47

Kate s'éveilla en sursaut et fixa le plafond en se demandant où elle était. La tête lui tournait. Rien dans la pièce ne lui était familier et sa mémoire ne semblait d'aucun secours. Une pâle lumière filtrait à travers les rideaux orangés. Elle promena son regard sur les tablettes surchargées, le bureau en désordre, l'ordinateur, les affiches couvrant le mur, et referma les yeux, terrassée. Elle ne se sentait pas l'énergie de s'asseoir dans son lit, mais elle devait le faire. Un coup d'œil à sa montre lui apprit qu'il était neuf heures et quart. Lentement, elle se glissa jusqu'au bord du lit avec l'intention de poser les pieds par terre, mais chaque muscle de son corps était endolori. Elle préféra rester immobile et mettre un peu d'ordre dans ses idées. Que s'était-il passé la nuit dernière ? Pourquoi n'arrivait-elle pas à s'en souvenir ?

De faibles coups résonnèrent à la porte. C'était Patrick.

— Navré du désordre, fit-il en souriant. Je vous ai apporté un peu de thé.

Bien sûr ! Soudain, tout lui revint : l'horreur, la peur, le froid et l'épuisement. Elle se souleva sur un coude, écarta ses cheveux de son visage et tendit la main vers la tasse.

— Tu es un saint. Comment va tout le monde ?

— Pas trop mal, je crois.

— Et Greg ?

— Son pied est très mal en point. M'man dit qu'il doit aller à l'hôpital.

Cette nouvelle angoissa profondément Kate. Greg était le plus fort d'entre eux, le seul qui pouvait les protéger si jamais... Si jamais quoi ? Couraient-ils vraiment le risque d'être attaqués ? Comme s'il avait lu dans ses pensées, Patrick reprit :

— Celui qui a tué Bill doit être loin maintenant. On a volé notre voiture hier. Je vais me rendre chez les Farnborough à pied. Il ne me faudra pas plus d'une heure.

Kate but un peu de thé, dont la chaleur commença à la revigorer.

— Tu ne peux pas y aller seul. Je vais t'accompagner. Le temps de me laver et de manger (elle réalisa soudain qu'elle était affamée) et je serai prête à affronter n'importe quoi. Quel temps fait-il?

Patrick se pencha par-dessus son bureau pour ouvrir les rideaux, laissant une lumière blafarde entrer dans la pièce.

— Pas très beau. Il vente encore et il y a pas mal de neige accumulée. On annonce du blizzard et... Oh!

— Qu'y a-t-il? demanda précipitamment Kate.

Le ton alarmé de sa question montrait à quel point le calme qu'elle affichait était factice. Toute sa peur était là, cachée à fleur de peau, attendant le moment propice pour refaire surface.

— La voiture! s'exclama Patrick d'une voix étranglée.

Posant sa tasse, Kate bondit hors du lit et gagna la fenêtre.

— Où? Zut, mes lunettes sont restées dans ma veste!

En plissant les yeux, elle fouilla du regard la pelouse couverte de neige et les salants.

— Là-bas, dans le marais, fit Patrick à mi-voix.

La Volvo se trouvait à quelques centaines de mètres du bord des salants, en équilibre sur des mottes de boue durcie couvertes d'herbe. La marée se retirait lentement sous les roues, laissant un revêtement d'algues sur le pare-chocs du véhicule.

— Y a-t-il quelqu'un à l'intérieur? demanda Kate, qui ne pouvait voir que des formes brouillées, à cette distance.

— Je ne crois pas, fit Patrick d'une voix lointaine. Comment a-t-elle pu arriver là? C'est impossible.

— Même à marée basse?

— Enfin, regardez la hauteur des mottes de terre sur lesquelles elle tient. Ce sont comme de petites îles. A marée haute, il n'en reste que des touffes d'herbe qui flottent à la surface. Elles doivent bien avoir plus d'un mètre de haut. Une automobile ne peut pas y accéder, c'est impossible.

— La marée doit l'avoir emportée, alors. Le vent était très fort, hier soir…

— Il soufflait de la mer, *dans notre direction*. C'est une voiture, Kate. Une Volvo, pas un modèle réduit. Dans la mer, elle aurait sombré.

— Oui, évidemment, admit-elle. Pourrons-nous nous y rendre, lorsque la marée aura baissé un peu ?

— Oui. Je vais avertir papa.

— Je descends avec toi.

En passant, elle jeta un coup d'œil par la porte entrouverte dans la chambre d'Alison. La jeune fille était couchée, immobile, les cheveux en désordre sur l'oreiller. Son ourson gisait par terre, à côté d'une bouillotte. Kate s'arrêta, perplexe.

— Allie, es-tu réveillée ?

Elle n'obtint aucune réponse.

Roger était assis à la table de la cuisine, devant une tasse de café au lait. Diana surveillait le grille-pain.

— Avez-vous pu dormir ? demanda-t-elle à Kate avec sollicitude, en indiquant la cafetière du doigt.

— Un peu, répondit Kate en se versant une tasse.

— Versez-en une pour Greg aussi, voulez-vous, et allez la lui porter, dit Roger en rassemblant ses forces pour sourire. Je crois qu'il sera content de vous voir. Ensuite, nous mangerons un peu. La marée sera alors assez basse pour que nous puissions marcher jusqu'à la limousine familiale. Bande de salauds ! Je ne comprends pas comment ils ont réussi à la porter là-bas, mais après ce séjour dans l'eau de mer, elle sera bonne pour la casse.

— L'assurance paiera, papa, dit Patrick.

— Espérons-le.

Le visage sombre, il regarda Kate quitter la cuisine avec ses deux tasses.

Greg était assis sur le lit de camp, le dos appuyé contre des coussins. Son sourire crispé trahissait sa douleur, mais il avait l'air bien plus en forme que la nuit précédente.

— Comment allez-vous? dit-elle en lui tendant son café.

— Je vais survivre, et grâce à vous. Vous m'avez sauvé la mise au moins cinq fois hier. Je vous dois une fière chandelle.

— Ne soyez pas ridicule.

Embarrassée, elle baissa la tête.

— Quoi qu'il en soit, merci. Moi, à votre place, j'aurais sans doute foutu le camp en me laissant crever là-bas... après tout ce que je vous ai fait subir.

— J'aurais dû y penser, dit-elle en riant.

Il y eut un moment de silence, au bout duquel Greg lui prit la main.

— Kate, j'ai fait un rêve étrange. Je crois que nous courons tous un grave danger. Je l'ai dit à Paddy et je vous le dis à vous maintenant. Vous allez croire que j'ai souffert d'hallucinations, la nuit dernière...

— Si c'est le cas, alors nous avons tous deux le même problème, car nous avons tous deux vu cette ombre.

— Etait-ce parce que nous nous y attendions? Quand vous êtes arrivée, j'avais résolu de vous faire peur. La blague, si c'en était une, a vite pris des proportions inquiétantes. Nous avons tous commencé à imaginer des choses...

Il fit une pause, les yeux fixés sur sa tasse.

— J'ai dû voir ce que me dictait mon propre esprit... Thomas De Quincey explique bien le phénomène, je crois: «Si un homme qui n'a que des bœufs en tête devient mangeur d'opium, il rêvera de bœufs», c'est bien cela?

Il jeta un coup d'œil vers elle à la dérobée et remarqua la surprise qui s'affichait sur son visage.

— «Et s'il est philosophe, ses rêves à lui seront... *Humani nihil...*»

— «*Humani nihil a se alienum putat.*» Ça alors, je n'aurais jamais cru que vous connaissiez les *Confessions*!

Il sourit avec un air malicieux.

— Oh, j'ai pas mal lu dans ma vie, vous savez. J'ai même relu Byron quand j'ai appris que Mme l'Intellectuelle allait s'emparer de mon cottage.

— Mme l'Intellectuelle ? dit-elle avec étonnement.

— Si je vous l'avais dit avant, vous m'auriez abandonné aux requins.

— En effet, approuva-t-elle en buvant une gorgée de café. Vous ne m'avez pas raconté votre rêve.

— Marcus.

— Evidemment. De qui d'autre aurait-il pu s'agir ?

— Il a essayé d'avoir ma peau, vous savez, sur la plage. Il a tenté de s'emparer de moi. Je l'ai combattu... Dans mon rêve, il essayait à nouveau d'entrer dans ma tête. C'est le cauchemar le plus affreux que j'aie jamais fait de ma vie, et pourtant, je n'arrive à me remémorer que des bribes. Tout ce dont je me souviens, c'est qu'il essayait d'entrer dans ma tête et que si je l'avais laissé faire, il aurait réussi à s'introduire dans la maison. C'était son but ; nous avoir tous. Parce que nous connaissons son secret.

— Et quel est ce secret ?

Il regarda Kate attentivement, cherchant vainement des signes de mépris ou d'incrédulité sur son visage.

— Il a tué Claudia. Mais il doit y avoir plus. Sinon, pourquoi serait-il si en colère ? Si désespéré ?

Le silence devint oppressant. Dans ses yeux, il n'y avait plus d'humour, ni de légèreté pour atténuer ses propos. Cette fois, on y lisait la peur.

— Qui a tué Bill, d'après vous ? demanda enfin Kate à voix basse.

— Je ne sais pas quoi penser. Savez-vous si Allie a parlé ?

— Selon Patrick, elle a dit que c'était Marcus.

— Leur avez-vous raconté ce que Bill avait eu le temps de dire ?

— Non.

Greg se redressa légèrement. Son pied l'élançait terriblement et une douleur cuisante remontait jusqu'à son genou. Il n'avait pas eu besoin de voir la chair décolorée pour comprendre que sa blessure était infectée.

— S'est-elle réveillée ?

— Je ne crois pas. Greg, il faut absolument un médecin, pour vous comme pour elle. Patrick et moi allons marcher jusqu'à la route, dit-elle en regardant par la fenêtre. Le bois n'a pas l'air si terrible à la lumière du jour.

Il lui prit à nouveau la main.

— Je suis désolé que tout ceci se soit produit, Kate. Pauvre vieux Byron.

— Il attendra, dit-elle en souriant tristement.

— Vous savez, poursuivit-il après un moment d'hésitation, je suis bien content que vous soyez venue, finalement.

Il se pencha pour l'embrasser sur le front et fit glisser un doigt le long de sa joue.

— Vous avez de beaux traits. Lorsque tout cela sera fini, je les dessinerai.

Kate sourit. Un frisson de plaisir la gagna malgré sa fatigue.

— Dois-je considérer cela comme un compliment ?

— Mais certainement. Ceux qui me connaissent bien seraient prêts à tout pour un tel hommage.

Elle étudia son visage un moment, puis se leva à contrecœur.

— Nous avons retrouvé la Volvo.

— Ah ?

Elle rit. Un rire inquiet et forcé, au bord de l'hystérie.

— Elle est au beau milieu du marais. Personne n'aurait pu l'y conduire.

Il ne dit rien et soutint son regard, puis se mit à rire lui aussi, mal à l'aise.

— Peut-être n'est-il habitué à conduire que des chars ? Ce doit être bien différent, une Volvo.

— Vous ne croyez tout de même pas...

— Je ne sais pas ce qu'il faut croire, lança-t-il en

perdant patience. Pour l'amour de Dieu, que puis-je faire, cloué ici ? Soyez prudents. Dites à Paddy de prendre la carabine et d'ouvrir l'œil. Nous ignorons à quoi nous avons affaire. Un assassin rôde aux environs et cela ne fait pas une grande différence qu'il s'agisse d'un tueur en chair et en os ou d'un revenant. L'effet est le même.

— Ainsi, vous ne croyez pas que c'était Alison ? dit-elle de l'embrasure de la porte.

— Bien sûr que non. Même si elle l'avait voulu, elle n'en aurait pas eu la force, et elle n'a rien à voir avec la voiture.

Il se laissa retomber contre les oreillers, vaincu par la frustration et la douleur. Kate hésita puis ouvrit silencieusement la porte.

Comme elle rentrait dans la cuisine, Roger poussa une nouvelle tasse de café devant elle.

— Allie est éveillée. Diana et Patrick sont auprès d'elle, expliqua-t-il en désignant une chaise.

Il semblait à peine plus reposé que la nuit précédente et ses lèvres avaient conservé une alarmante teinte bleutée.

— Comment va-t-elle ?

— Je n'en sais rien. J'ai préféré attendre qu'ils redescendent. Diana ne veut pas que nous encombrions tous sa chambre.

Kate lut dans ses yeux la crainte d'être incapable de monter l'escalier. Elle détourna son regard, douloureusement consciente de la gravité de son état.

— Quand Paddy redescendra, il faudra aller chercher un médecin.

— La police doit également être informée.

Il baissa les yeux vers son café, qu'il remuait pensivement, et fixa le reflet miniature du plafonnier dans le liquide.

— Je sais que vous croyez tous à cette idée invraisemblable d'un fantôme qui s'en prend à nous, Kate. Mais soyons sérieux, les fantômes ne battent pas à mort des hommes en pleine possession de leurs moyens… Soyez prudents. Je vous en prie, soyez très prudents.

Il se tut et Kate vit un mince sourire flotter quelques instants sur son visage. Suivant son regard, elle se tourna et vit Alison qui se tenait dans l'embrasure de la porte. Elle portait encore sa chemise de nuit et ses cheveux étaient plus emmêlés que jamais. Avec une expression indéfinissable, elle examinait la pièce comme si elle la voyait pour la première fois.

— Allie ? dit Roger. Est-ce que ça va, mon ange ?

Il se leva. Les pieds de sa chaise frottèrent sur les carreaux avec un bruit agaçant.

Alison bougea légèrement la tête et les regarda vaguement, comme si elle avait de la difficulté à bien voir. Son corps oscillait doucement. Derrière elle, Patrick apparut, le visage pâle.

— Allie, assieds-toi. Je vais te préparer quelque chose à boire.

Il faisait des gestes frénétiques dans son dos à l'adresse de Roger et de Kate. L'atmosphère dans la pièce devint subitement électrique. Alison avança en mettant lentement un pied devant l'autre, comme si elle marchait sur le pont d'un navire. Alors qu'elle approchait des deux chats, assoupis près du feu, ceux-ci bondirent en bas de la chaise où ils étaient couchés et détalèrent en direction de la chatière. Kate eut à peine le temps de remarquer leurs yeux fous et leurs poils hérissés. Intriguée, elle releva les yeux vers Alison, qui s'était immobilisée de nouveau, et constata avec stupeur que la jeune fille avait l'air ivre. Apparemment, la même pensée était venue à Roger.

— Alison ? dit-il d'une voix autoritaire. Que se passe-t-il ?

— Elle a agressé maman, dit Patrick d'une voix étouffée, en s'avançant de manière à placer la table entre sa sœur et lui. Elle est devenue folle. Oh, papa, qu'est-ce qui se passe ?

301

Son visage était pâle et ses traits tirés exprimaient une peur incontrôlable.

L'air toujours aussi inexpressif, Allie fit un nouveau pas en avant, les bras tendus comme si elle avançait dans les ténèbres.

— Alison ! lança Roger d'une voix forte. Réponds-moi ! Qu'y a-t-il ? Où est Di ? demanda-t-il à son fils. Est-elle blessée ?

— Non, mais elle est sous le choc. Elle descend…

Il fut interrompu par un rire guttural. Roger se rendit compte avec horreur qu'il venait d'Alison, et pourtant il ne s'agissait pas de sa voix. Kate eut la chair de poule en regardant la jeune fille.

— Personne, dit lentement Alison d'une voix rauque, personne ne quittera cette maison. Personne ne saura jamais ce qui s'est passé.

Diana fit son entrée dans la cuisine. Son visage était pâle et portait une grosse marque mauve. Elle se glissa dans la pièce et resta le dos au mur, pétrifiée.

— Allie, ma chérie, je crois que nous devrions parler. Pourquoi ne t'assieds-tu pas ? Nous allons prendre quelque chose de chaud…

Alison ne sembla pas l'avoir entendu. Lentement, douloureusement, elle fit un autre pas. Kate vit ses yeux. Ils étaient vides, absolument vides.

— Roger, murmura-t-elle en se penchant à son oreille, je pense qu'elle dort.

Roger se tourna vers elle puis considéra à nouveau sa fille, l'air stupéfait.

— Seigneur, je crois que vous avez raison ! Que devons-nous faire ?

Ce fut Patrick qui réagit :

— Si elle dort vraiment, elle ne peut pas nous voir.

Il fit un pas vers elle, puis un autre. Comme elle n'affichait aucune réaction, il se glissa derrière elle et posa doucement les mains sur ses épaules.

— Allie, viens te coucher…

Il augmenta légèrement la pression de ses doigts

pour l'amener à se tourner. Alison se raidit subitement et se dégagea en lui envoyant un direct. Patrick eut tout juste le temps de l'esquiver.

— Ça suffit, Alison.

Roger s'élança avec une vitesse surprenante. Attrapant sa fille par les poignets, il entreprit de la tirer vers une chaise.

— Endormie ou non, tu ne te comporteras pas ainsi dans cette maison.

Surprise, Alison fit deux pas avec lui, puis se libéra violemment, rejetant son père avec force. Bien qu'affaibli par sa maladie, Roger était grand et encore assez lourd, mais sa fille l'avait repoussé aussi facilement que s'il s'était agi d'un enfant. Son visage restait pourtant vide, comme si toute expression en avait été bannie.

— On dirait un robot, murmura Patrick en se glissant aux côtés de son père. Ça va, papa ?

Roger fit signe que oui. Tous avaient les yeux fixés sur Alison. La jeune fille resta immobile plusieurs minutes sans que personne ose dire un mot. Du coin de l'œil, Kate vit Diana s'éclipser. Elle revint en tenant une ceinture de toile. Sur la pointe des pieds, elle s'avança vers Alison et glissa doucement la ceinture autour d'elle, pour lui plaquer les bras contre le corps. Alison n'eut aucune réaction.

— Va chercher une couverture, Roger, et mets-la autour d'elle. Vite, avant qu'elle ne s'éveille.

Au son de sa voix, Alison fit un pas en avant, comme si elle prenait conscience du lien qui se resserrait autour d'elle. Elle tenta de bouger les bras et un air de perplexité craintive passa sur son visage, suivi bientôt d'un cri de rage. Elle pivota sur elle-même et déchira la ceinture presque sans effort. Ses traits exprimaient maintenant une colère irrépressible. La jeune fille tendit la main vers la table. Kate aperçut trop tard le couteau à pain qui y traînait. Alison s'en empara et Kate saisit son poignet. Pendant une fraction de seconde, leurs regards se croisèrent et Kate sentit la terreur monter en elle. Les yeux qu'elle vit n'étaient pas ceux d'Alison. Ils ne semblaient plus vides ni endormis, mais exprimaient une fureur extrême, froide et calculatrice.

— Allie, dit-elle, le souffle coupé, je t'en supplie…

Alison éclata d'un rire caverneux et démoniaque. Se libérant sans effort de la poigne de Kate, elle se redressa et leva le couteau au-dessus de sa mère. Celle-ci l'évita de justesse et Alison se trouva déséquilibrée. Saisissant la chance, Patrick se jeta sur elle et tous deux tombèrent par terre.

— Paddy!

Le cri de Diana retentit au moment où la lame du couteau effleurait l'avant-bras de son fils. Du sang éclaboussa le parquet, sans que Patrick lâche prise. Ils luttaient avec acharnement, mais peu à peu Alison semblait devoir l'emporter.

— Roger, fais quelque chose!

Oubliant la faiblesse de son mari, Diana cria de nouveau, mais ce fut Kate qui saisit la nappe pliée sur le vaisselier et en entoura la tête d'Alison. Au même instant, Patrick parvint à se libérer de l'étreinte de sa sœur et à lui enlever le couteau. A ce moment seulement, ils virent que Greg était entré dans la pièce, sautillant à l'aide d'une canne, le visage livide.

— Vite, dit-il en tendant quelque chose à sa mère. C'est le sédatif de papa.

Diana ouvrit l'étui en tremblant et en sortit une seringue. Elle la remplit, s'approcha de sa fille, et lui planta l'aiguille dans une fesse. Alison poussa un cri de rage, à peine étouffé par la nappe que tenait toujours Kate, et débita une suite de mots incompréhensibles qui diminuèrent lentement d'intensité jusqu'à ce qu'elle se taise. Il fallut plusieurs minutes avant que ses poings serrés ne se détendent et que son corps perde sa rigidité. Avec précaution, Kate enleva la nappe. Le visage d'Alison, encore rouge de la lutte qu'elle avait menée, semblait enfin détendu et sa respiration était maintenant rapide et légère. Lentement, Patrick se leva et prit un chiffon à côté de l'évier pour étancher le sang qui coulait de son bras.

— Avez-vous entendu ce qu'elle criait ? dit Greg en s'asseyant lentement sur une chaise.

L'effort qu'il avait fait pour se lever et se rendre à la cuisine l'avait étourdi.

— On aurait dit une langue étrangère, fit Roger après un instant d'hésitation.

— Mais pas n'importe laquelle, insista Greg en regardant Kate. Allez-y, dites-leur. Quelle langue était-ce ?

— Je n'en suis pas certaine…

— Bien sûr que vous en êtes certaine. Vous l'avez entendue. Cela ressemblait à du latin.

Patrick ramassa le couteau et le regarda avec incrédulité.

— Allie n'aurait jamais pu faire cela. Elle n'en a pas la force.

Diana prit la ceinture. Elle était fendue à deux endroits. Tous la regardèrent sans dire un mot.

— Combien de temps le sédatif va-t-il faire effet ? demanda doucement Roger.

— Peu de temps. Je ne m'attendais pas qu'il agisse aussi vite, ce n'était qu'une dose légère. Oh, Roger, qu'allons-nous faire ?

Elle fondit en larmes. Roger la prit dans ses bras, accablé.

— Je n'en sais rien.

— Il y a une chose que vous devez savoir, dit Greg. Avant de mourir, Bill a dit que c'était Alison qui l'avait attaqué.

— Non, gémit Diana.

— C'est malheureusement la vérité, acquiesça Kate. Mais ce n'était pas Alison, n'est-ce pas ? Nous en sommes tous convaincus. Ce n'étaient pas les yeux d'Alison.

— Que voulez-vous dire ? demanda Diana en se tournant vers elle.

— Tu le sais très bien, intervint Greg en examinant sa sœur étendue par terre. Elle est possédée.

Greg voulut prendre la main de sa mère, mais elle recula.

— Ce n'était pas Alison qui parlait. Ce n'était pas sa manière d'agir. Kate a raison. Ce n'étaient même pas ses yeux.

Diana éclata en sanglots.

— Qu'allons-nous faire ?

Greg regarda Kate, puis son père, qui s'était laissé tomber sur la chaise au bout de la table, l'air exténué.

— Nous devons trouver un médecin.

— Non, répondit vivement Diana. Ni un médecin, ni la police. Je ne veux pas qu'on vienne me prendre Allie.

— Et mon pied ? dit doucement Greg. Et papa ? Je crois que lui aussi aurait besoin d'un médecin… Allie a besoin d'aide, tu le sais.

— Non, insista Diana, en larmes. Non, nous réglerons cela nous-mêmes. Tout ira bien. Allie se rétablira avec un peu de sommeil. Ton pied va guérir, Greg. Il va déjà mieux, tu l'as dit toi-même. Ton père n'a besoin que de s'étendre et…

— Di, fit Roger en passant ses mains sur ses joues, nous ne pouvons nous occuper de cela nous-mêmes, tu le sais mieux que moi. Il y a un cadavre, là-bas, au cottage. Un cadavre, Di. Il n'est pas imaginaire. Il ne s'en ira pas tout seul.

— Allie n'a pas déplacé la voiture, m'man, intervint subitement Patrick. Une menace rôde aux alentours.

— Patrick et moi allons nous rendre chez les Farnborough, dit Kate en se levant. Je crois que nous ferions mieux d'y aller maintenant.

48

La cuisine était immaculée, et le rôti et les pommes de terre cuisaient au four. Cissy contempla son travail avec un sourire de satisfaction. Elle pouvait maintenant se rendre à la ferme de Redall avec Sue et s'asseoir au coin du feu pour prendre une tasse du merveilleux café de Diana, spécialement moulu pour elle à Ipswich.

Elle se demandait souvent pourquoi elle aimait tant la maison de Diana. Après tout, son salon n'était qu'une pièce toujours encombrée. Les tableaux de Greg et les livres de Patrick traînaient un peu partout. Mais les meubles, souvent poussiéreux, étaient toujours ornés de fleurs. Même au cœur de l'hiver, Diana s'arrangeait pour rapporter quelque chose du bois. La maison sentait bon le café, le pain de ménage et les fines herbes mises à sécher, et si, parfois, les chats aussi faisaient sentir leur présence, l'atmosphère y était toujours chaleureuse.

— Sue! appela-t-elle au pied de l'escalier, veux-tu venir avec moi à Redall?

— J'arrive.

Exceptionnellement, Sue laissa son walkman sur sa table de chevet. Les piles devaient être mortes, conclut sa mère. Elle descendit l'escalier, en mesure, pour une fois, d'entendre ce qu'on lui disait.

Cissy jeta un regard critique sur la tenue de sa fille: jambières noires, tee-shirt noir, tunique noire tombant jusqu'aux genoux sur le devant, mais couvrant à peine son derrière, foulard noir noué autour de sa tête et eye-liner noir. Elle hocha la tête. Quand cette enfant s'était levée ce matin, elle avait l'air d'une jolie jeune fille. Maintenant, on aurait dit un zombi venu d'une autre planète.

Exaspérée, Cissy prit les clés de la Range Rover et

sortit. C'était un matin froid et humide, et le ciel était nuageux. Elle laissa tourner le moteur quelque temps pour le réchauffer, actionna les essuie-glaces et essuya la buée à l'aide d'un chiffon.

— Je déteste ce temps, dit Sue en cherchant un poste à la radio du tableau de bord.

Sa mère grimaça tandis que s'élevait une musique tonitruante.

— Est-ce absolument nécessaire ?

— Oh, m'man ! Si ça continue comme ça, tu vas me dire que tu préfères le chant des oiseaux.

— Pourquoi pas ? répondit Cissy en haussant les épaules.

En soupirant, elle relâcha le frein à main et dirigea le lourd véhicule vers la route. On l'avait sablée durant la nuit et les deux voies étaient couvertes d'une boue jaunâtre. Il n'y avait pas d'autre véhicule en vue. Elle fit prudemment les quelques kilomètres qui les séparaient du chemin des Lindsey, puis tourna en direction de Redall.

— J'espère que leur chemin n'est pas en trop mauvais état. Je ne comprends pas pourquoi Roger refuse de le faire asphalter. On dirait qu'ils insistent pour vivre coupés du monde.

— Ils n'ont pas assez d'argent, répondit Sue.

Elle croisa les jambes en posant une cheville sur son genou et s'appuya contre la portière, essayant d'avoir l'air désinvolte et à l'aise malgré les cahots.

— Si papa était vraiment un bon voisin, il le ferait pour eux. Cela ne lui coûterait rien. C'est toujours lui qui s'occupe des chemins des autres fermes et cela ferait une sacrée différence pour les Lindsey.

Cissy était sur le point de répliquer que les choses n'étaient pas toujours aussi faciles, que Joe ne voudrait pas et que Roger n'accepterait jamais, de toute façon, mais elle se retint. Les jeunes voyaient souvent ce qui allait de travers et n'hésitaient pas à y remédier. C'étaient les adultes qui gâchaient tout avec leurs hésitations et leurs règles inutiles. Elle se mordit la lèvre en pensant aux mots qui lui étaient venus à l'esprit. Un merdier. Cela décrivait trop bien la majeure partie de sa vie et de celle de Joe. Un merdier, de A à Z. Alors, pourquoi ne pas venir en aide à quelqu'un, pour changer? Joe pourrait dire qu'il avait commandé trop de gravier ou d'asphalte — enfin, de ce qu'on utilisait pour faire les routes — pour ménager l'orgueil de Roger.

— Pourquoi souris-tu?

Sue regardait fixement sa mère, attendant qu'elle lui dise de s'asseoir comme une vraie jeune fille. Le sourire de Sue s'élargit encore plus. Au diable cela aussi! Elle pouvait s'asseoir comme bon lui semblait. C'était sa vie, après tout.

La Range Rover négocia le premier virage sans problème et se dirigea vers le second. Cissy accéléra un peu, pressée d'arriver. Au-dessus, les arbres étaient ornés d'une fine couche de neige. Leurs feuilles séchées s'effritaient lentement, ne laissant que les nervures. Dans les ornières, l'eau boueuse ne reflétait aucune lumière. Elle alluma les phares avec une exclamation irritée. L'instant d'après, elle poussait un cri, au moment où les phares éclairaient une forme humaine au milieu du chemin. Cissy appuya à fond sur la pédale de frein et tenta de reprendre la maîtrise de son véhicule, qui se mit à déraper.

— Ô mon Dieu!

Désespérément, elle tourna le volant, consciente que Sue avait été précipitée de côté contre la vitre, dans un grand craquement.

— Ô mon Dieu! cria-t-elle de nouveau.

La forme humaine, qui avait levé les bras, sembla remplir tout son champ de vision. Le véhicule glissa de côté, quitta le chemin et se renversa dans le fossé. La tête de Cissy heurta la colonne de direction et le moteur cala.

Dans le silence absolu qui suivit, la voix de Bruce Springsteen sortit subitement de la radio, dominant le cliquetis du moteur et le sifflement de la vapeur qui s'échappait du radiateur brisé.

49

Patrick serrait sous son bras la carabine chargée.

— Si nous allions jeter un coup d'œil à la voiture ? suggéra-t-il en se tournant vers Kate.

Il avait l'air fatigué et son visage était pâle.

Elle s'arrêta pour tendre l'oreille et humer le vent.

— Bonne idée, répondit-elle lentement. Cela ne nous prendra que quelques minutes.

Kate n'était pas plus pressée que lui d'entrer sous les grands arbres bordant le chemin.

Ils traversèrent la pelouse jusqu'à la bande sablonneuse qui séparait le jardin du marécage. Pendant un instant, ils examinèrent la laisse de vase.

— La mer a suffisamment reculé. Je vais aller voir, dit-il en lui tendant la carabine. Voulez-vous attendre ici ?

Kate acquiesça. L'arme était étonnamment lourde. La jeune femme se dit qu'elle n'arriverait jamais à épauler et à viser, le cas échéant, mais ce contact la rassura. Tout en faisant le guet, elle suivit la progression de Patrick vers la voiture. Il entreprit d'en faire prudemment le tour en regardant à travers chaque vitre puis il sortit les clés de sa poche et ouvrit la portière du côté du passager pour grimper à l'intérieur du véhicule. Kate retint son souffle. Derrière elle, le jardin était totalement silencieux. Elle imagina Diana et Greg surveillant la scène de la fenêtre de la cuisine. Cette pensée la rassura.

Au bout de quelques secondes, Patrick redescendit. Il prit soin de verrouiller la portière, ce qui amusa Kate, et revint lentement vers elle.

— C'était verrouillé. Il n'y a aucune trace d'effraction et les fils, sous le tableau de bord, sont intacts. Elle est en parfait état. Pas de vase, pas d'eau, aucune égratignure.

— Je suppose qu'il faut s'en réjouir, dit Kate d'un ton ironique.

— Comment est-elle arrivée là ?

— Mieux vaut ne pas chercher à le savoir pour l'instant, fit-elle en haussant les épaules. Consacrons plutôt notre énergie à atteindre la route.

Elle lui remit la carabine et tourna le dos à la mer.

— Prenons un raccourci. Je vais vous montrer, dit-il en ouvrant la marche.

Dans la maison, Greg quitta la fenêtre. Derrière lui, Roger s'était laissé tomber sur le canapé. En quelques secondes, il avait trouvé le sommeil. Après un regard plein de compassion à son père épuisé, Greg était retourné en sautillant à la cuisine.

— Ils sont partis. Ecoute, m'man, qu'allons-nous faire pour Allie ? Elle ne dormira plus bien longtemps, maintenant.

Il regarda sa mère à la dérobée, sachant très bien ce qu'il fallait faire — enfermer Allie dans un lieu sûr —, certain que Diana ne voudrait jamais en entendre parler.

— Je sais bien que ce n'est pas sa faute, mais nous devons être prudents.

— Que suggères-tu ? demanda-t-elle d'une voix étouffée par la fatigue.

— Que nous l'enfermions à clé dans sa chambre.

A sa grande surprise, Diana se contenta de hausser les épaules.

— D'accord, dit-elle.

Greg jeta un coup d'œil à son père, puis s'adressa de nouveau à elle.

— Nous allons devoir le faire, toi et moi, m'man.

Elle hocha la tête. Pendant un moment, èlle resta assise sans bouger, visiblement prise de découragement, puis, sous les yeux de son fils, elle redressa la tête et fit un vaillant effort pour sourire.

— Pardon, Greg. Je ne te suis d'aucune utilité. Tu as raison, bien sûr. Je vais la monter, dit-elle en se levant.

— Tu ne peux pas faire cela toute seule.

— Bien sûr que je le peux...

Diana s'interrompit. Tous deux venaient de s'apercevoir qu'Alison avait ouvert les yeux.

— Allie ? Est-ce que ça va ? demanda Greg.

Les yeux de la jeune fille étaient agrandis par l'étonnement et la peur, mais son regard était redevenu normal. Greg vit que sa mère l'avait également compris. Elle s'agenouilla à côté d'Alison et la prit dans ses bras.

— Allie, ma petite. Tu nous as tellement fait peur.

— Est-ce que je suis tombée ? demanda Alison, en faisant un effort pour s'asseoir.

— Tu as eu une faiblesse, ma vieille, intervint Greg en lui adressant un sourire rassurant. Tu te sens mieux ?

— Je... je crois.

— Au lit, ma chérie, ordonna Diana. Ensuite, je te monterai quelque chose à manger.

Alison se mit péniblement debout et resta quelques secondes appuyée contre la table, prise de vertige. Elle regarda autour d'elle.

— Il est parti, n'est-ce pas ? demanda-t-elle enfin.

— Oui, il est parti.

Greg fit un signe de tête sévère à Diana, qui ouvrait la bouche pour parler.

— Il n'y a plus de problème, Allie.

— Non, plus de problème, répéta docilement Alison en esquissant un faible sourire.

Elle avait toujours l'air confuse. Diana la prit par le bras.

— Viens, chérie. Montons. Tu vas prendre froid ici.

Greg les regarda sortir, puis il s'assit car son pied recommençait à le faire terriblement souffrir. Sa mère ne revint qu'au bout de plusieurs minutes.

— Elle s'est endormie dès que sa tête a touché l'oreiller.

— As-tu fermé à clé ?

— Oui. Oh, Greg, je me sens si mal.

— Cela ne lui fera aucun tort et mieux vaut prévenir une répétition de... de ce qui est arrivé auparavant.

— Bon, examinons ce pied, dit Diana en se redressant.

— Ne devrions-nous pas attendre le médecin?

— Pour le laisser amputer? Allons, étends ta jambe sur cette chaise.

Tous deux savaient qu'ils devaient meubler la longue attente qui s'annonçait. Avec précaution, elle retira les bandages et examina le pied enflé.

— Il va falloir évacuer le pus. Je vais chercher ma trousse.

Elle se trouvait dans le bureau. Diana alluma la lampe et chercha la trousse sur le bureau, là où elle l'avait laissée. Elle ne semblait plus y être. Avec une exclamation irritée, elle entreprit de fouiller la pièce et, soudain, s'arrêta net. Il faisait froid dans le bureau, extraordinairement froid, et une odeur de terre humide avait envahi l'atmosphère. Diana fronça les sourcils, luttant contre l'envie subite de sortir en courant.

— Greg? Qu'ai-je donc fait de la trousse?

Elle avait lancé sa question d'une voix anormalement forte en se tournant vers la porte. Elle était fermée. Ne l'avait-elle pas laissée ouverte? Elle s'élança et tendit la main vers la poignée, qui refusa de tourner.

— Greg! Greg! cria-t-elle.

Il y avait quelqu'un derrière elle, très près. Son parfum, étrange et étouffant, se faisait plus intense, comme le froid.

— Greg! cria-t-elle dans un sanglot.

Elle se tourna subitement en levant les bras pour se protéger de la menace qui fondait sur elle.

La pièce était vide. Médusée, Diana fouilla la pénombre du regard. Elle avait pourtant eu la certitude d'une présence. Elle l'avait entendue, sentie. C'était une femme, il n'y avait aucun doute dans son esprit. En sanglotant de peur, elle se tourna à nouveau vers la poignée. La porte s'ouvrit facilement.

— M'man ? Ça va ?

La voix de Greg lui parvint de la cuisine. Il ne semblait pas inquiet, mais simplement curieux. Ne l'avait-il pas entendue crier ? Diana respira profondément en tentant de recouvrer son calme. La trousse de premiers soins se trouvait sur l'étagère, à côté de la porte. Elle s'en empara et quitta la pièce en faisant claquer la porte derrière elle.

— Je n'arrivais pas à mettre la main dessus, dit-elle en adressant un sourire forcé à Greg.

Elle mit l'eau à bouillir, chercha dans un tiroir une serviette propre qu'elle mit sous le pied de Greg et disposa soigneusement son matériel sur la table. Greg posa doucement une main sur son épaule.

— Ça va ?

— Oui, oui, ne t'inquiète pas.

— Tout va aller bien, dit-il en souriant de façon rassurante. Nous trouverons l'explication de tout cela. Rien ne ramènera Bill, mais je suis convaincu qu'Allie n'a rien à voir avec sa mort.

Après avoir laissé la lame de rasoir dans l'eau bouillante plusieurs minutes, Diana se lava soigneusement les mains et avertit son fils :

— Ne regarde pas.

— Si je te laisse faire sans regarder, tu es bien capable de m'amputer toi-même, dit Greg en souriant d'un air lugubre.

Il serra les dents quand sa mère appliqua la lame contre la peau gonflée. Le pus verdâtre jaillit aussitôt. Greg se crispa et détourna les yeux malgré lui. Diana nettoya la plaie jusqu'à ce qu'elle soit parfaitement nette. Greg sentit le bandage frais et propre entourer sa peau brûlante.

— Merci, fit-il entre ses dents, étourdi par la douleur.

— Repose-toi un instant, je vais préparer du thé.

Elle rassembla les tampons et les jeta, puis essuya la table. Comme elle se dirigeait vers le fourneau, les lumières s'éteignirent subitement.

— Merde! s'exclama Greg. Ce doit être un fusible.

— Ne bouge pas, ordonna Diana. Je vais voir.

La pièce était plongée dans la pénombre, car les fenêtres ne laissaient entrer qu'une morne lueur grise. A l'extérieur, la neige recommençait à tomber en gros flocons blancs.

Quand retentit le fracas au-dessus de leurs têtes, ils se regardèrent avec frayeur.

— Allie, fit Greg. Elle s'est réveillée.

Il tourna les yeux vers son père. Roger reposait toujours, la tête sur les coussins.

— J'y vais, dit Diana, honteuse de constater qu'elle avait peur de monter, qu'elle avait peur de sa propre fille.

— Sois prudente. Rappelle-toi qu'elle n'est pas elle-même.

— Qui crois-tu qu'elle soit, alors? demanda-t-elle sèchement.

— Je n'en sais rien. Personne... Tout ce que je te dis, c'est de faire attention. Elle a vécu des moments pénibles et fait d'affreux cauchemars. Je crois qu'elle ignore ce qu'elle fait la moitié du temps.

Un autre bruit violent leur fit à nouveau lever la tête.

— Cela venait de la chambre de Patrick, murmura Diana.

— Prends le rouleau à pâtisserie, fit Greg à mi-voix.

— Pour frapper ma propre fille?

— Si nécessaire, oui. Dans votre intérêt à toutes les deux, dit-il en se penchant vers sa jambe. Foutu pied... Je vais avec toi.

— Non, Greg...

— Si. Donne-moi la canne, dans le vestibule. Je n'ai qu'à faire attention de ne pas trop m'appuyer sur ma jambe.

Diana lui obéit sans plus discuter et ouvrit la porte donnant accès à la cage d'escalier obscure. Elle s'arrêta pour tendre l'oreille, consciente que

Greg la suivait de près. Dans son dos, il haletait, s'efforçant de conserver son équilibre.

Retenant son souffle, Diana commença à monter. En haut de l'escalier, elle examina prudemment le couloir. Il était vide. La porte d'Alison était fermée. D'ailleurs, la clé se trouvait encore dans la poche du tablier de Diana. Sur la pointe des pieds, celle-ci s'y dirigea et y colla son oreille, mais sans résultat. La porte de la chambre de Patrick, elle, était légèrement entrebâillée.

Diana continua d'avancer en faisant le moins de bruit possible. Le couloir était presque entièrement plongé dans l'obscurité. Les poutres noircies projetaient de longues ombres sur le rose pâle du plafond. Les rideaux, bien qu'entrouverts, bloquaient le peu de lumière que diffusait le ciel gris. Dans le jardin régnait un profond silence. Même le vent s'était tu. Diana serra plus fermement son rouleau à pâtisserie tandis qu'elle approchait de la porte.

Greg fronça les sourcils et retint sa mère par le bras.

— Laisse-moi y aller, murmura-t-il.

Sans protester, elle lui céda le passage. Très lentement, il poussa la porte du bout de sa canne. D'abord, l'obscurité sembla tout envelopper, mais petit à petit ses yeux commencèrent à distinguer des détails.

— Bon Dieu, regarde ses livres !

Ouvrant tout grand, Greg fit un pas à l'intérieur de la chambre. Il n'y avait personne, mais le contenu des étagères avait été jeté sur le sol. Une odeur de jasmin flottait dans l'air.

— C'est Allie qui a fait ça ? Mais pourquoi ? Et comment est-elle sortie ? murmura Diana.

Greg fit passer sa canne sous le lit, grognant de douleur quand son pied toucha le sol, puis ouvrit la porte de la penderie. Il n'y avait nul endroit, dans la chambre, où quelqu'un aurait pu se cacher. Entrant à son tour dans la pièce, Diana ouvrit les rideaux pour laisser passer un peu de lumière sur la pagaille qui s'étendait à leurs pieds.

— Il y a des livres déchirés, constata-t-elle tristement. Patrick va être furieux.

— Où est-elle?

Greg retourna dans le couloir en sautillant et ouvrit les autres portes l'une après l'autre — celle de sa chambre, de celle de ses parents et de la salle de bains — mais toutes les pièces étaient vides. Il ne restait que celle d'Alison.

Greg posa la main sur la poignée de la porte et la fit tourner.

— C'est fermé à clé, fit-il à mi-voix. Y a-t-il un verrou à l'intérieur?

— Non, et c'est moi qui ai la clé, répondit Diana en la lui mettant dans la main.

Greg hésita une seconde, puis inséra la clé dans la serrure le plus doucement possible.

Dans la chambre d'Alison également, tout était noir. Les rideaux étaient fermés et la lampe de chevet, que Diana avait laissée allumée, était maintenant éteinte comme les autres. Greg, dans l'embrasure, tenta de percer l'obscurité du regard. Si seulement il leur restait une lampe de poche en état de fonctionner! Lentement, un son lui parvint au milieu du silence. Une respiration profonde et régulière montait du lit. Subitement, Greg se souvint de ses allumettes et fouilla dans ses poches. Après avoir tendu sa canne à sa mère, il en frotta une. La lueur était faible, mais lui permit néanmoins de distinguer la silhouette de sa sœur, allongée dans son lit. En grimaçant de douleur, il avança d'un pas et approcha l'allumette du visage d'Alison. Il eut le temps d'apercevoir ses yeux fermés, les longs cils sur ses joues, ses poings serrés contre son menton, sous les couvertures. Retenant son souffle, il attendit, quasi certain qu'elle allait bondir sur lui en hurlant, mais rien ne se produisit. L'allumette s'éteignit et il n'entendit plus que la respiration profonde de sa sœur, de même que celle, rapide et entrecoupée, de sa mère. Lentement, il tira une autre allumette et la frotta contre le paquet dans un bruit qui lui parut assourdissant. La flamme brilla et se stabilisa, sans que les paupières de la jeune fille fassent le moindre mouvement. Pour autant qu'il pouvait le voir, tout était normal : les vêtements de sa sœur gisaient pêle-mêle sur le plancher, les chaises et la table disparaissaient sous les cassettes et les livres. Rien ne sortait de l'ordinaire. Rien, sinon cette odeur. Alors que la flamme de l'allumette vacillait, il huma l'air ambiant. La pièce était remplie de cette fragrance lourde et épicée qu'il avait déjà perçue dans le bureau. Anxieusement, il recula vers la porte, précédé de sa mère. Sans un bruit, il referma à clé et se dirigea vers l'escalier en prenant Diana par la main.

De retour au rez-de-chaussée, Greg se laissa choir dans un des fauteuils du salon, près de son père, et réalisa soudain qu'il tremblait de nouveau. Une sueur froide couvrit son front tandis que la douleur, qui semblait d'abord s'être calmée, reprenait possession de sa jambe. Il se laissa aller contre le dossier et ferma les yeux, luttant pour rester conscient.

— Je vais vérifier les fusibles.

La voix de Diana lui parvint à travers le grondement sourd qui paraissait venir de l'intérieur de son crâne. Il sentit la main de sa mère fouiller dans sa poche à la recherche des allumettes.

Greg se sentait tomber dans un puits sans fond. Il arrivait à un état proche du sommeil quand il perçut qu'on lui mettait un verre dans la main.

— C'est du brandy, fit une voix autoritaire. Pardon, Greg, mais j'ai besoin que tu restes éveillé.

Il but docilement et sentit l'alcool brûlant se répandre dans sa bouche. Pendant un instant, il tenta de résister, mais se retrouva bientôt catapulté en pleine conscience.

— J'ai examiné tous les fusibles. Aucun n'est brûlé.

En ouvrant les yeux, Greg vit que des chandelles

éclairaient le salon. Il était encore terriblement désorienté.

— As-tu senti son parfum ?

— Quel parfum ? demanda Diana, irritée. M'as-tu entendue, Greg ? Nous n'avons plus d'électricité et je n'arrive pas à comprendre pourquoi.

Sa voix devenait plus aiguë et Greg comprit qu'elle était effrayée. S'arrachant à sa torpeur, il prit une autre gorgée de brandy. Cette fois, ses idées s'éclaircirent tout à fait.

— C'est le vent et la neige, dit-il en essayant d'articuler clairement. L'électricité est toujours coupée quand il fait mauvais temps, tu le sais. Nous avons la cheminée, le fourneau et les chandelles. Il n'y a pas de quoi s'inquiéter.

— Je suppose que non, dit-elle sans conviction. Ce qui est arrivé là-haut, Greg... Ce n'était pas Allie, n'est-ce pas ?

Elle s'assit sur le bras du fauteuil. Il la sentit trembler lorsqu'elle s'appuya contre son épaule.

— Non, ce n'était pas Allie, dit-il en posant sa main sur la sienne.

— Mais alors...

— Le vent ? Un tremblement de terre ? Il y avait peut-être trop de livres sur les tablettes. Ou alors, ce sont les chats. Où sont-ils, au fait ? Ils sont capables de mettre la maison sens dessus dessous lorsque l'envie leur prend de se pourchasser.

— C'était vrai quand ils étaient jeunes, dit-elle en reniflant, mais plus maintenant. Plus à leur âge. D'habitude, ils se tiennent ici, au coin du feu. On ne les a plus vus depuis le retour d'Allie.

Le visage de Greg s'assombrit. L'absence des chats paraissait étrange, maintenant qu'elle la lui faisait remarquer. Les Lindsey étaient habitués à les voir sur le canapé avec Roger, ou près du fourneau. Sans eux, la maison semblait vide, désertée.

— Ils ont dû sortir avant que le temps ne se détériore, dit-il pour se faire rassurant. Ils ne peuvent être loin, surtout avec la neige qui tombe.

Sa mère laissa échapper un sanglot.

— Oh, Greg! Que nous arrive-t-il? L'automobile, les chats, Allie, Bill. Je suis à bout.

Il l'entoura affectueusement de ses bras.

— Ecoute, il s'agit seulement d'une série d'événements étranges. Quant à cette ordure qui a tué Bill, elle se retrouvera derrière les barreaux dès que Paddy et Kate auront prévenu la police.

— Crois-tu qu'ils passeront?

— Bien sûr qu'ils passeront, répondit-il, peu sûr de l'optimisme qu'il essayait de communiquer.

50

La neige fondante frappa la dune de plein fouet et se logea au creux d'une série de petites fissures. Elle y resta un moment dans un état instable, entre cristal et eau, avant de disparaître sous la surface. Une autre poignée de sable se détacha, laissant à découvert la tourbe noire et spongieuse. Perdant la protection de sa couche d'argile étanche, elle retrouva la lumière du jour pour la première fois en deux mille ans et commença à se dissoudre en de longues traces noirâtres qui coulèrent jusqu'au fond de l'excavation.

Entraîné par son poids, le grand torque d'or de Nion, emblème de son sang royal, s'enfonça davantage dans le sable qui le recouvrait. Accepté par les dieux du monde souterrain, il ne reverrait jamais plus l'éclat du soleil.

La mer était encore agitée. Les vagues, qui avaient charrié des bancs de sable entiers durant la dernière tempête, avaient maintenant une teinte brune. Un vol d'oies rasa la surface des eaux en lançant des cris vite dispersés par le vent.

Une autre grande marée, une autre tempête, et la dune disparaîtrait. La mer du Nord emporterait l'argile et la tourbe, et son secret serait perdu pour toujours. Une nouvelle tranche de terre grasse s'écroula, exposant à l'air un bras qui gisait sur ce qui avait été un tapis de joncs. Un bracelet druidique entourait l'humérus.

— Par ici, dit Patrick en tendant la main à Kate. Tous deux haletaient, épuisés par leur progression à travers les buissons enchevêtrés.

— Es-tu sûr de savoir où mène ce raccourci ? demanda Kate.

Pour la deuxième fois, sa veste s'accrocha aux ronces alors qu'elle escaladait un talus glissant pour rejoindre le jeune homme.

— Oui. Greg et moi l'empruntons souvent. Il coupe à travers le bois et débouche près de la maison des Farnborough.

Patrick regarda autour de lui. Les troncs luisants d'humidité s'arc-boutaient au-dessus de leurs têtes. On entendait la rumeur de la pluie sur les feuilles d'un chêne vert. Une odeur de terre mouillée, de faînes et de feuilles en décomposition flottait dans l'air.

Kate frissonna. Patrick avait passé la carabine à l'épaule et tenait une grosse branche qu'il avait tirée d'un buisson, au début de leur expédition. Ces deux objets la rassuraient un peu, car elle n'arrêtait pas de penser qu'on les épiait. Ses poings se serrèrent sur son propre gourdin, plus court que celui de Paddy, mais aussi solide. D'instinct, elle le tendit devant elle en examinant les ombres environnantes.

— Il n'y a personne, par ici, dit Patrick d'un ton mal assuré. Sinon, nous aurions entendu les oiseaux s'envoler. Les faisans et les pigeons font tout un boucan lorsqu'on les dérange. Et puis, il y a les pies. Nous serions immédiatement avertis d'une présence insolite.

— Je regrette que nous n'ayons pas un chien avec nous.

— Un détachement de paras ne serait pas de trop non plus. Allez. Ce ne doit plus être très loin. Une fois arrivés, nous nous sentirons mieux.

Ainsi, Patrick éprouvait le même malaise. Kate regarda derrière elle. La masse des ronces, des orties et des feuilles mortes s'était refermée sur leur passage.

— Quelle direction, maintenant?

— Il faut continuer de monter. Nous devrions rejoindre la route quelque part entre Welsly Cross et la ferme des Farnborough. Nous ne pouvons pas nous perdre.

— Non? fit-elle en esquissant un sourire inquiet. J'espère que tu as été scout.

— Vous avez l'air absolument épuisée.

— Toi aussi, répondit-elle tristement.

Remontant la bretelle de la carabine plus haut sur son épaule, il continua à grimper la pente, plus bravache que confiant. Dix minutes plus tard, toutefois, il dut s'arrêter.

— Il devrait y avoir une espèce de sentier, maintenant, mais la végétation l'a peut-être effacé, dit-il d'un ton indécis.

— As-tu une boussole sur toi?

Pour autant qu'elle se le rappelait, c'était le genre d'objets qu'affectionnaient les garçons vivant à la campagne, mais Patrick fit signe que non.

— Pas besoin, je connais ce chemin comme ma poche.

Kate se retint de faire le moindre commentaire susceptible de trahir son inquiétude.

— Il commence à faire noir, remarqua-t-il.

— Je sais, et la neige n'a pas fini de tomber. On la sent.

— Dire que Greg pensait que vous étiez une m'as-tu-vue de la ville! Vous en savez plus long que lui sur bien des choses de la campagne.

— Je le crois sans peine...

Quelque chose remua, loin de son côté. Elle se tourna brusquement et fouilla l'obscurité du regard.

— Qu'est-ce que c'était?

— Où? souffla Patrick en faisant descendre l'arme de son épaule.

— J'ai cru voir quelque chose bouger.

Ils restèrent silencieux un moment.

— Probablement un lapin ou un cerf, chuchota Patrick en enlevant le cran de sécurité de son arme.

Kate scrutait chaque buisson, essayant de surprendre le secret des ténèbres humides. Subitement, elle réapparut : une ombre parmi les ombres, une silhouette humaine.

— Là-bas. Quelqu'un.

Sa voix était à peine audible. Elle sentit le froid la gagner, malgré sa chaude veste.

— Il faudrait peut-être tirer pour l'effrayer?

— Je ne sais pas, répondit-elle dans un souffle. Si cela le mettait en colère?

— Dans ce cas il foncerait sur nous. Nous pourrions au moins voir de qui il s'agit.

Elle vit le doigt de Patrick se poser sur la détente. Lorsqu'elle releva les yeux, l'ombre s'était considérablement rapprochée. Horrifiée, Kate constata qu'elle avançait très vite, sans être arrêtée par la végétation.

— Vas-y, tire! cria-t-elle.

La détonation fit un bruit assourdissant, qui se répercuta dans tout le bois, d'arbre en arbre. Un faisan s'enfuit en poussant un cri perçant, suivi de deux pigeons, qui s'envolèrent dans un grand battement d'ailes. Patrick baissa lentement le canon de son arme en cherchant d'autres cartouches dans ses poches.

— Où est-il? L'ai-je touché?

— Je ne vois rien, murmura Kate en scrutant l'obscurité entre les troncs d'arbres.

— Si j'ai tué quelqu'un, je vais aller en prison, dit Patrick qui rechargeait son arme en tremblant.

— Sûrement pas, s'il a tué Bill. D'ailleurs, s'agissait-il vraiment de quelqu'un? Ce n'était peut-être qu'une illusion.

— Et si nous allions voir ?

— Allons plutôt prévenir la police. Elle vérifiera.

Ils se remirent en marche. Mais quelques minutes plus tard, Paddy s'immobilisa si brusquement que Kate trébucha sur lui.

— Regardez !

Elle retint un cri. L'ombre était de nouveau là, devant eux, sur la piste qu'ils suivaient. Patrick leva son arme en tremblant et enleva encore une fois le cran de sûreté.

Kate gardait les yeux rivés sur la menace qui leur barrait le chemin. On ne voyait rien d'autre qu'une ombre sans visage. Impossible de distinguer le moindre trait ; ce n'était qu'une silhouette, mais sans aucun doute la silhouette d'un homme.

Avant même que Patrick n'ait pu poser le doigt sur la détente, l'ombre avait disparu.

— Où est-il passé ?

— Je n'en sais rien, murmura Kate en tremblant comme une feuille. Il s'est tout bonnement fondu dans l'obscurité. Tiens ton arme prête, Paddy.

Lentement, ils s'approchèrent de l'endroit où l'ombre était apparue. Kate examina soigneusement le sol, sans trouver la moindre trace de pas.

— Marcus ? lança-t-elle aux ténèbres environnantes.

— Je n'aime pas cela, Kate, dit Patrick en baissant son arme. Nous devrions avoir atteint la route, maintenant. Nous sommes perdus.

— Quelle est la superficie de ce bois ?

Kate continuait de scruter le sol. Là où il était moins dur, on pouvait distinguer des empreintes de lapins et même les sabots d'un cerf, mais rien qui ressemblât à un pied humain.

— Des centaines d'acres, dit-il en frémissant. De l'autre côté, ce sont des plantations de conifères. Il y en a sur des kilomètres.

— Peux-tu nous ramener à Redall ?

Il fit signe que non, au bord des larmes.

— J'ignore où nous sommes.

— Bon, réfléchissons. Ton plan initial me semble sensé. Nous ne pouvons rester ici toute la journée ; il faut avancer. Poursuivons notre ascension et si, comme tu le dis, nous finissons par déboucher sur la route, tout ira bien.

Kate essaya de se remémorer la carte de la région.

— Allons, impossible de se perdre, Paddy. Pas ici. Il ne s'agit tout de même pas d'une contrée inexplorée. Nous avons froid et nous sommes fatigués, voilà tout.

— Vous croyez que c'est Marcus, n'est-ce pas ?

— Je n'en sais rien ; je ne sais que penser. En fait, je ne veux même plus penser. Conservons notre énergie pour marcher.

— D'accord, allons-y. A votre avis, quelle direction prendre ?

— Il n'y a qu'à suivre cette piste. Veux-tu que je passe la première ?

Elle vit Patrick hésiter un moment et comprit qu'il mourait d'envie de dire oui, mais un sentiment chevaleresque, son orgueil de mâle et le fait qu'il tenait la carabine finirent par l'emporter.

— Je vais y aller. Vous formerez l'arrière-garde.

A peine deux minutes plus tard, il s'arrêtait en poussant une exclamation de terreur. L'ombre était à quelques mètres devant eux. Un violent tourbillon s'éleva autour d'elle et se mit à siffler à travers les branches, emportant les feuilles mortes et gagnant rapidement en force, jusqu'à devenir un hurlement. Tout d'un coup, la colère et la haine les frappèrent avec la force d'un ouragan. Patrick poussa un cri et fut projeté de côté tandis que la carabine lui échappait des mains. Pendant un instant, Kate eut le souffle coupé et sentit quelque chose lui serrer la gorge. Ses jambes refusaient de lui obéir. Une énorme explosion se produisit quelque part dans sa tête et subitement tout devint noir.

51

Les druides, gras et confiants, périrent égorgés comme des moutons à l'abattoir. Leurs protestations indignées, puis leurs gémissements de terreur moururent sur leurs lèvres pendant qu'ils tombaient. «Voilà pour la puissance de leurs dieux!» Marcus essuya la lame de sa dague dans un pli de son manteau et la rengaina avec un rictus triomphant. L'affaire était réglée. La putain et les Celtes étaient tous morts. Personne n'en saurait rien. Jamais il ne fournirait aux Trinobantes le prétexte qu'ils attendaient pour prendre les armes contre Rome. Ce petit drame s'effacerait tranquillement dans la vase. Ne voyant pas leurs confrères revenir, les autres druides concluraient que les dieux avaient exigé un autre sacrifice. Ils étaient voraces, ces dieux, et assoiffés de sang comme les chiens dans l'arène.

Il croisa les bras sur sa poitrine et contempla l'horizon vers l'est, au-delà du marécage. Le ciel était maintenant sans nuage et le soleil brillait d'une lumière froide. Les effluves salins de la mer masquaient l'odeur de la boue, plus âcre, et la purifiaient. Ses yeux glissèrent vers les joncs qui poussaient au bord de l'eau. Leurs sommets étaient couronnés de petites fleurs iridescentes. Rien ne les dérangeait. Rien ne révélait ce qui s'était passé ici. Marcus ferma lentement le poing. Quatre vies balayées comme des feuilles au vent, comme si elles n'avaient jamais existé.

Un coup de vent la réveilla. La détonation, proche et puissante, semblait s'être produite dans sa tête. Ensuite, il y eut le silence, un long silence durant lequel elle s'efforça péniblement de sortir des ténèbres. Un coup de feu? Elle s'était sûrement trompée. Qui donc aurait pu tirer? Elle avait dû imaginer le son dans son cauchemar, au fond de sa douleur. Abandonnant tout effort pour concilier la logique et le néant, Cissy sombra de nouveau dans l'inconscience.

— *Maman!*

Un cri, cette fois, vint flotter dans sa tête.

— Maman, j'ai mal. Aide-moi.

Les paroles errèrent dans son esprit avant de venir se loger dans un recoin de son cerveau encore actif. Cissy ouvrit les yeux en gémissant. «Susie?» Elle tenta de bouger mais ses côtes semblaient prises dans un étau qui lui coupait le souffle.

— Susie?

— *Maman!*

L'exclamation se termina dans un sanglot, mais tira enfin Cissy de sa confusion. Bon Dieu! Elle avait eu un accident. Soulevant la tête avec difficulté, elle regarda autour d'elle, essayant d'interpréter correctement le monde vu sens dessus dessous. Non, de côté plutôt. La voiture était renversée sur le côté et elle se trouvait suspendue par sa ceinture de sécurité. Elle regarda au-dessous d'elle. Du sang. Enormément de sang. Seigneur! Sue avait-elle bouclé sa ceinture? La jeune fille était recroquevillée sous le tableau de bord.

— Est-ce que ça va? demanda Cissy en réussissant à garder son calme malgré la douleur qui lui semblait maintenant intolérable.

— Nous avons eu un accident, gémit Susan.

— Je sais, chérie, répondit Cissy en essayant de ne pas perdre la maîtrise d'elle-même. Es-tu blessée? Remue chacun de tes membres tour à tour pour voir si tu n'as pas de fracture.

Ses paupières étaient lourdes. Elle aurait voulu les refermer et s'endormir pour échapper à la douleur.

— Ça va.

— Et ta tête? Est-ce qu'elle te fait mal?

Sue la tourna prudemment de gauche à droite et ses yeux s'emplirent de larmes.

— Oui.

— Mais tu peux quand même bouger?

— Oui.

— Peux-tu sortir?

Elle réalisa vaguement que le pare-brise s'était volatilisé. Voilà pourquoi il faisait si froid. Elle tremblait, maintenant. Tout son corps était secoué de spasmes continus et incontrôlables.

— Si je détache ma ceinture, je vais tomber sur toi.

— La voiture va-t-elle exploser?

La pauvre petite pleurait si fort qu'elle n'avait rien entendu.

— Non, ma chérie, elle ne va pas exploser. Les Range Rover n'explosent pas.

«Je t'en prie, Susie, essaie d'être courageuse. Il faut sortir d'ici. Tu vas te glisser par le pare-brise et tenter de te mettre debout.

La respiration de Cissy se faisait de plus en plus laborieuse. «C'est vraiment toute une aventure.» Qui avait dit cela, déjà? Peter Pan, non? Mais il parlait de la mort.

— Je t'en prie, chérie. Si tu ne peux pas m'aider, tu dois aller chercher de l'aide à Redall. Je... Si je m'évanouis, n'aie pas peur. Je crois que j'ai des côtes cassées. Rien de sérieux («Je Vous en prie, mon Dieu») mais c'est très douloureux. Je crois qu'il va falloir couper la ceinture.

Tout se mit à tourner. Elle fronça les sourcils, essayant vainement d'apercevoir quelque chose à travers le brouillard qui l'entourait. Elle ne voyait plus du tout Susie, maintenant. Pourquoi n'entendait-elle plus rien? Cissy tenta de soulever la tête pour regarder autour d'elle, mais ses yeux étaient aveuglés par les larmes. Ses mains. Où étaient ses mains? Pourquoi ne pouvait-elle plus les utiliser?

— Je suis sortie, maman.

La voix de Susie semblait plus lointaine, mais également plus forte.

— Je crois que je n'ai rien.

Tout d'un coup, son visage apparut près de celui de Cissy.

— Peux-tu sortir?

Cissy fit un effort pour réfléchir. Sortir. C'était une bonne idée, mais comment? Elle semblait flotter dans l'espace, accrochée à sa douleur.

— Je... Je vais bien. Mes côtes. Je crois que je suis blessée aux côtes.

— C'est la ceinture de sécurité. Tu es suspendue par ta ceinture.

La voix de Susie était maintenant incroyablement forte.

— Je vais voir si je peux utiliser quelque chose pour la couper.

— Non.

Secouer la tête lui faisait mal. Son cou était peut-être brisé, lui aussi? Ses pensées se dispersaient comme une volée de pigeons alarmés. Il fallait les faire revenir, les regrouper. Elle devait absolument retrouver son bon sens.

— Tu ne pourras pas. Tu dois la défaire.

— M'man, je ne peux pas. Tu pèses trop sur le mécanisme. Il va falloir que tu te soulèves avant. Peux-tu t'agripper ici?

Les mains de la jeune fille semblaient calmes, compétentes. Elle ferait une bonne infirmière. Cissy réfléchit quelques secondes à ses mains.

— Maman! dit Susie d'une voix impérieuse, impatiente. Concentre-toi. Tu ne peux pas rester là. Mets une main ici, là où se trouve la mienne. C'est ça. Tiens bon, maintenant.

Elle faisait un bon chef, aussi. Ferme, positive, calme. A la voir toujours perdue dans la musique pop sortant de ses écouteurs, on pouvait facilement oublier quel tempérament elle possédait.

— Maman!

Petite nigaude! Elle donnait des ordres. Des ordres sans queue ni tête.

— Maman! Pose ta main ici!

Impatiente, avec ça. Petite tête de mule, c'est

comme cela que son père l'appelait. Joe. Joe! Où était Joe?

Elle avait sans doute prononcé son nom à voix haute. Le visage de Susie était de nouveau devant elle, inquiet, entouré d'un halo brillant.

— Papa va venir bientôt, mais il faut que tu sortes de là.

Depuis qu'elle avait vu le filet de sang aux commissures des lèvres de sa mère, Susie était au bord de la panique. Pour elle, c'était à sa mère de la réconforter, pas l'inverse. Elle tourna de nouveau la tête pour regarder les rangées d'arbres sombres. L'imbécile qui avait surgi au milieu du chemin et les avait fait déraper avait disparu, mais il devait être encore dans les environs. Il devait avoir vu l'accident.

Marcus.

Le nom vint flotter dans son esprit. Le Marcus d'Allie. Le Romain de la tombe, sur la plage.

— Maman!

La terreur décupla ses forces. Elle se tourna de nouveau vers l'intérieur de la voiture en s'appuyant contre le capot et essaya d'agripper l'épaule de sa mère.

— Quand je te le dirai, essaie de te soulever le plus possible en te tenant au cadre de la portière. Je vais tenter de défaire ta ceinture.

Susan se pencha à travers la vitre brisée. Du sang avait coulé sur le mécanisme et l'avait rendu glissant et difficile à déclencher. La ceinture était fortement tendue sous le poids de sa mère. Elle entoura le mécanisme de ses mains et se raidit.

— Maintenant, allez. Soulève-toi le plus possible.

MAINTENANT!

Elle pressa frénétiquement le bouton en agitant le mécanisme, mais rien ne se produisit.

— Ne te laisse pas tomber. Tire plus fort!

Il fallait que la ceinture se défasse. Il le fallait.

Tirer. Cissy serra le cadre de la portière, là où Susie avait placé sa main. Tirer. Bonne idée. Enlever du poids. Enlever de la pression sur ses côtes. Elle tira de nouveau et la pression disparut.

— Je l'ai !

Le cri retentit dans ses oreilles et elle tomba. Prise de panique, Cissy tenta frénétiquement de s'agripper et sentit le bras de sa fille l'entourer, la retenant à peine. La douleur revint en force, mais elle réussit malgré tout à sortir à moitié de la voiture. Sous ses mains, elle sentit de l'herbe et des ronces. Son propre poids la fit glisser sur le capot jusqu'au sol. Elle se retrouva recroquevillée dans la boue, traversée par une douleur intense.

— Bravo ! cria Susie, surexcitée. Maintenant, redresse-toi et appuie-toi contre la pente du talus, comme ça.

La jeune fille regarda de nouveau en direction des arbres. Il y avait quelque chose, un mouvement dans l'ombre. Susan fixa l'endroit en retenant son souffle.

— Qui est là ? demanda-t-elle d'une voix blanche. Greg ? Paddy ?

« Je Vous en prie, mon Dieu, faites que ce soit l'un d'eux. » La ferme ne devait pas être loin. Elle regarda autour d'elle, confuse. Jusqu'où étaient-elles arrivées avant l'accident ? Elle ne parvenait pas à se le rappeler.

Encore ce mouvement derrière les arbres. Ses genoux se mirent à trembler.

— Maman !

C'était un automatisme, un appel à l'aide désespéré. Elle savait que sa mère ne pouvait plus l'entendre.

— Maman, le vois-tu ?

L'homme était grand et son visage affichait une expression sombre, cruelle. Etrange : elle avait toujours cru que les fantômes étaient transparents, immatériels, aussi faciles à traverser que l'air. Sans même s'en rendre compte, elle s'effondra à côté de sa mère et lui prit la main.

— Maman, aide-moi. Il vient…

Cissy entendit sa fille. Elle tenta de bouger les doigts, mais ils ne semblaient plus obéir à sa volonté. Ses paroles rassurantes se perdirent dans un gargouillis lorsque du sang se répandit au fond de sa gorge.

52

Joe consulta sa montre et se rembrunit. Comment se faisait-il qu'ils ne soient pas encore arrivés ?

Elle ne se rendait peut-être pas compte de l'heure ; Cissy oubliait tout quand elle allait à Redall. Il y avait là-bas quelque chose qui vous faisait perdre la notion du temps. Lui aussi l'avait remarqué. Mais si elle les ramenait tous pour dîner, ils auraient déjà dû être ici. Il consulta encore une fois sa montre. Quinze heures passées. Le rôti allait être foutu. La tentation était forte de commencer sans eux, mais il valait mieux aller voir là-bas ce qui clochait. Il prit une serviette et tira la grille du four. La pièce de viande était desséchée, ratatinée autour de l'os, et les pommes de terre étaient presque noircies. Joe hocha tristement la tête et posa la grille sur la table. Foutu, de toute façon.

Dehors, la lumière avait presque disparu derrière les nuages noirs et menaçants. Le vent soufflait du nord, poussant devant lui une vraie tempête de neige, comme on n'en avait pas vu dans le coin depuis au moins quatre ans. Préoccupé, il monta dans la vieille Land Rover garée à côté de la grange et se pencha pour tourner la clé de contact.

Tout d'abord, il ne comprit pas ce qui se présentait à lui. Son esprit refusait de trouver un sens aux essieux, aux roues et au tuyau d'échappement tordus, tout ce qu'il pouvait apercevoir de la Range Rover couchée sur le flanc dans le fossé. A la lumière des phares, à travers la neige, tout ce qu'il voyait était un assemblage d'acier couvert de boue. Puis il comprit. Il freina brusquement en gardant les phares dirigés vers la voiture accidentée et bondit hors de son véhicule.

— Cissy? Seigneur, où sont-elles? Susie, ma petite?

Il sauta dans le fossé et contourna le véhicule en glissant dans la boue. La forme massive de l'auto interceptait la lumière crue des phares. Il fallut un moment avant que ses yeux ne s'habituent à la demi-obscurité et qu'il aperçoive Cissy, assise par terre, le dos appuyé contre le capot, les yeux fermés. Susie était recroquevillée près d'elle. Elle avait entouré ses genoux de ses bras et se balançait lentement d'un côté à l'autre.

— Susie? cria Joe.

La jeune fille resserra son étreinte autour de ses genoux.

— Elle est morte, fit-elle sans lever les yeux. Morte.

Des larmes se mirent à couler le long de ses joues.

Joe s'agenouilla à côté de sa fille. Son gros visage avait perdu sa rougeur habituelle et lui-même arrivait à peine à voir à travers ses pleurs.

Arrachant ses gants, il se pencha vers sa femme et prit doucement son poignet. Sa peau était froide.

— Ciss? Ciss, mon amour? Réponds-moi.

Ses mains étaient trop rudes pour ce genre de choses, mais il persista et tâta son poignet jusqu'à ce qu'il perçoive une faible pulsation.

— Elle n'est pas morte, Sue, dit-il en tremblant aussi fort que sa fille. Pas encore. Aide-moi à la lever. Nous allons la porter à l'arrière de la Land Rover.

Il la souleva dans ses bras comme si elle ne pesait rien et remonta péniblement jusqu'au chemin. L'arrière du véhicule était rempli de vieux outils, de sacs de toile et de rouleaux de corde.

— Grimpe, Susie. Pose la tête de ta mère sur tes genoux pour que ce soit confortable.

Le sang-froid qu'il affichait eut l'effet désiré sur sa fille. Susie lui obéit et s'assit au fond de la Land Rover en tirant des sacs sur le corps inerte de sa mère.

Joe se remit au volant. Regardant le chemin glissant et fortement incliné qu'il venait de parcourir, il comprit qu'il ne pouvait espérer revenir par là.

— Il va falloir descendre à Redall. Diana saura quoi faire pour aider ta mère. Elle a été infirmière. Si leur téléphone ne fonctionne toujours pas, je regagnerai la route pour appeler une ambulance. Tiens-la bien, Susie. Nous ne sommes pas loin de leur ferme.

Joe refusait d'envisager la possibilité que sa femme soit morte. Il avait senti son pouls ; il en avait la certitude. Embrayant avec d'infinies précautions, il dirigea la Land Rover sur le chemin et descendit vers la ferme.

Diana les avait vus arriver, mais elle n'ouvrit que lorsque Joe sortit de son véhicule.

— Joe, Dieu merci ! Où est la police ? Va-t-elle arriver bientôt ?

— La police ? fit Joe, qui ne songeait qu'à son propre malheur, je ne l'ai pas encore appelée, ni l'ambulance. J'ai pensé vous la confier et essayer de retourner chez moi par un autre chemin. Par là, c'est trop glissant, même pour cette vieille bête.

Il frappa le capot de la Land Rover de sa main calleuse et se dirigea vers l'arrière du véhicule pour prendre sa femme dans ses bras le plus doucement possible.

— Nous avons eu un accident avec la Range Rover, expliqua Susie en sortant à son tour du véhicule. Elle est morte. Je le sais.

Une nouvelle fois, elle éclata en sanglots.

— Amenez-la, vite !

Diana jeta un regard inquiet en direction des arbres plongés dans l'ombre. Le crépuscule arrivait rapidement et la neige tombait sans bruit du ciel gris. Tout était silencieux.

— Déposez-la sur le canapé.

Elle examina le visage exsangue de Cissy, puis, comme l'avait fait Joe auparavant, tâta son poignet.

— Où sont Paddy et Kate? Les avez-vous vus?

Plus expérimentée que Joe, elle trouva le pouls presque immédiatement. Il était faible, mais régulier. Derrière eux, Greg sortit du bureau. Sans dire un mot, il referma la porte d'entrée et poussa les verrous. Dans le salon, la flamme des chandelles vacilla.

Greg, Roger, Susie et Joe restaient penchés, impuissants, autour de la forme étendue sur le canapé. Assise à côté de Cissy, Diana la palpait avec précaution. Son visage était contusionné et ses lèvres portaient une longue coupure — « Mon Dieu, faites que ce soit le seul endroit d'où vient tout ce sang ! » En déboutonnant sa blouse, Diana aperçut les nombreuses ecchymoses sur ses épaules et sur ses flancs.

— Joe, je crois que vous devriez vous mettre en route immédiatement et appeler une ambulance, dit Greg. Il nous faut également la police. Quelqu'un a battu Bill Norcross à mort.

Le visage de Joe exprima la surprise, mais ses yeux restèrent obstinément fixés sur sa femme.

— Croyez-vous qu'ils ont attaqué Cissy? demanda-t-il en se tournant finalement vers Greg.

Il était cramoisi.

— Non, papa. Nous avons dérapé. Il y avait un homme…

Susie s'arrêta net.

— Un homme? dit Greg en scrutant son visage.

— Quel homme, Susie? fit Joe en la tournant brusquement vers lui. Tu ne m'as rien dit à propos d'un homme.

— Il… il a surgi devant nous, bredouilla Susie à travers ses sanglots. Maman a freiné et nous avons dérapé. Je me suis cogné la tête contre la vitre.

— De quoi avait-il l'air, Susie? questionna Greg d'une voix douce.

— Il portait une espèce de long manteau et une épée…

— Une épée! s'exclama Joe, incrédule, pendant que Diana et son fils se regardaient en silence.

— Tu n'as vu aucun signe de Kate ni de Patrick? demanda Diana en tâtant les jambes de Cissy.

Au moins, il n'y avait pas de fracture.

— Non, dit Susie.

— Ils avaient une arme, intervint Greg.

— J'ai cru entendre un coup de feu. Juste après l'accident.

Diana se leva et se tourna vers Joe.

— Allez chercher de l'aide, Joe. Nous prendrons soin d'elle le mieux possible, mais il lui faut un médecin. Elle ne semble avoir que des contusions, mais il faudrait faire des radiographies.

— Elle va s'en tirer? demanda Joe en baissant misérablement les yeux vers sa femme.

— Je l'espère, dit Diana.

Il se sentait perdu, abandonné. En souriant, Diana posa une main sur le bras de Joe.

— Susie peut rester ici. Je m'occuperai d'elle aussi, Joe, je vous le promets.

Joe acquiesça et sortit.

Greg sautilla derrière lui.

— Joe, il y a un fou dangereux dans les environs, lui dit-il à voix basse, dans le vestibule. Soyez prudent. Voilà des heures que Paddy et Kate sont partis pour téléphoner de chez vous. Gardez l'œil ouvert et racontez à la police ce qui est arrivé.

Joe fit signe qu'il avait compris et ouvrit la porte d'entrée.

— Prenez bien soin d'elles, je vous en prie.

— Bien sûr, ne vous en faites pas.

La fermeté de ses paroles était rassurante. Joe s'arrêta sur le seuil. Le monde, recouvert de neige, était plongé dans le silence. Il hésita un moment à traverser le court espace blanc qui le séparait de la

Land Rover, puis s'élança et entendit Greg ver-rouiller la porte derrière lui.

Joe sortit sa carabine, fixée au cadre du véhicule par des attaches métalliques. Les munitions se trouvaient dans une boîte, sous le siège, depuis la dernière chasse. Il en bourra les poches de sa veste, puis s'installa derrière le volant. Posant la carabine près de lui, il tendit la main vers la clé de contact, les yeux fixés sur le pare-brise couvert de neige.

Aucun son ne provint du moteur.

Il tourna la clé encore et encore, sans succès. Derrière lui, la porte de la maison s'ouvrit de nouveau. Greg avait suivi ses gestes de la fenêtre du bureau.

— Que se passe-t-il ?

— Cette maudite batterie m'a lâché. Je vais essayer avec la manivelle.

Il descendit, content que quelqu'un soit là, car le silence devenait oppressant.

Le froid du métal traversa ses gants lorsqu'il empoigna la manivelle et la fit tourner. Le moteur ne broncha pas.

Il répéta sa tentative, le front en sueur. Greg surveillait la ligne des arbres. Quelqu'un ou quelque chose les épiait, il en avait la certitude.

— Joe, dit-il à mi-voix, Joe, prenez votre arme et rentrez.

— Je vais essayer encore une fois.

— Non, Joe, laissez tomber. Prenez votre arme et rentrez.

Devant l'insistance de Greg, Joe laissa la manivelle et se redressa. Lui aussi commençait à se sentir envahi par une crainte irrationnelle. Il empoigna sa carabine et courut jusqu'à la maison. Greg fit claquer la porte derrière lui et poussa les verrous. Les deux hommes restèrent un moment dans l'étroit vestibule et tendirent l'oreille. Aucun son ne leur parvint de l'extérieur.

— Vous croyez qu'il est là ? murmura Joe.

Greg fit signe que oui en silence.

— L'avez-vous vu ?

— Kate et moi l'avons aperçu sur la plage.

— Et Norcross est mort ? Vous en êtes sûr ?

Apparemment, il commençait à peine à réaliser la nouvelle.

— Tout à fait, malheureusement. Qu'allons-nous faire, maintenant, Joe ? Il nous faut de l'aide.

— Je pourrais prendre votre auto. Cette vieille Volvo aurait une chance de remonter le chemin à travers le bois.

— La Volvo est au milieu du marais, Joe. Ne me demandez pas comment elle s'est retrouvée là. Quant à la Land Rover, ce n'est plus qu'un tas de ferraille. Elle a heurté un arbre.

— Vous voulez dire que vous n'avez plus de véhicule ?

— Et plus de téléphone.

Les deux hommes se regardèrent en silence.

— Croyez-vous que c'est lui qui a fait cela ? Que c'est lui qui a provoqué l'accident de Cissy ?

— Ainsi que celui de Kate. Il a essayé de me tuer sur la plage... Attendez, Joe. La petite auto de Kate, la Peugeot ! Elle est dans la grange. Je ne sais pas si elle peut passer, mais cela vaut la peine d'essayer.

— Oui, dit Joe en sortant deux cartouches de ses poches. Je charge ma carabine et j'y vais. La grange est-elle ouverte ?

Greg alla chercher deux clés de cadenas passées à un anneau.

— J'y vais avec vous. Laissez-moi mettre mes bottes.

— Non, répondit Joe. J'irai plus vite seul. Restez pour protéger les autres.

— J'ignore si ses clés sont dans la voiture.

— Au besoin, je briserai la vitre et je me débrouillerai avec l'allumage. Elle me le pardonnera, il y a urgence.

A nouveau, Greg ouvrit la porte. Il faisait de plus en plus sombre et la forme noire des arbres formait un contraste frappant avec le blanc immaculé de la pelouse. Quelque part au loin, un faisan poussa son cri d'alarme. Joe fit un bref signe d'encouragement à Greg, et se mit à courir vers la forme obscure de la grange, son arme à la main.

Le cadenas était ouvert et pendait au moraillon. Lentement, Joe leva la main vers la porte et l'entrouvrit. Une odeur bizarre sortait de l'intérieur. On aurait dit du bois brûlé, de l'essence et quelque chose d'autre, comme de la cordite. Et de la fumée aussi. Il y avait de la fumée! Il eut à peine le temps de faire un pas en arrière qu'une boule de feu jaillit de la voiture de Kate et le projeta vers le jardin.

— Bon Dieu!

Greg, qui n'avait pas encore refermé la porte, vit la silhouette de Joe plaquée au sol. Des flammes sortaient déjà du toit de la grange et des étincelles voltigeaient dans les airs avant de s'éteindre au contact de la neige.

— Greg, qu'y a-t-il? Qu'est-il arrivé?

Diana courut à la porte, suivie de Susie. Derrière elles, Roger ferma les yeux. Pendant un instant il resta sans bouger puis les rejoignit péniblement.

— Papa!

Le cri hystérique de Susie fut suivi de sanglots irrépressibles quand elle vit son père se mettre à ramper vers la maison.

— J'y vais, cria Diana.

En quelques secondes, elle fut près de lui.

— Ça va, ça va. Je suis juste un peu secoué.

Joe toussait violemment et ses yeux larmoyaient.

— Trouvez la carabine. Vite! Trouvez cette foutue carabine et faites attention, elle est chargée.

Joe se remit debout avec difficulté et avança vers la maison. Greg vit avec horreur sa mère courir vers le bâtiment en flammes.

— Ma canne, vite! cria-t-il à Susie. Dépêche-toi!

Il la lui arracha des mains et partit en boitant à la suite de Diana. Il l'aperçut, dans un nuage de fumée noire. Un instant après, elle en ressortait avec la carabine sous le bras.

— Rentrons vite, dit Greg en tirant sa mère par le bras.

— Oh, Greg!

Les yeux de Diana s'emplirent de larmes. L'air misérable, elle chercha du réconfort auprès de Roger, qui passa un bras autour d'elle et la ramena à la maison.

Dans sa hâte, Greg avait posé son pied blessé par terre à quelques reprises. La douleur monta le long de sa jambe comme une décharge électrique et il se mit à jurer copieusement.

— On peut remercier le ciel que le vent ne souffle pas du côté de la maison. La neige éteindra les étincelles. Mais la grange est foutue, papa. Rien ne pourra la sauver.

Ils restèrent un moment sur le seuil et virent des flammes sortir par les interstices entre les planches noircies du bâtiment. Diana pleurait maintenant à chaudes larmes.

— Je l'aimais tellement, cette grange. Elle était si jolie. Et mes roses! Mes pauvres roses, réduites en cendres!

— Les racines devraient survivre, dit Roger en essayant de la consoler.

Doucement, il l'attira à l'intérieur et ferma la porte.

— Va t'asseoir avec Joe. Greg, peux-tu nous servir un brandy à chacun?

— Etes-vous blessé, Joe?

Essayant d'oublier la perte de ses roses et la mort des petits oiseaux qui venaient toujours nicher dans la grange au crépuscule, Diana se tourna vers son voisin pour examiner les taches noirâtres sur son visage.

— Juste sonné, grogna Joe d'un ton furieux. Quel salaud a pu faire une chose pareille? La grange devait être piégée. Je crois qu'un petit brandy me ferait du bien; merci, Greg. Comment va-t-elle? demanda-t-il en se tournant vers Cissy.

— Toujours pareil.

Diana s'assit près de Cissy et mit la main sur son front. Son propre cœur battait encore la chamade. Elle glissa ses doigts derrière l'oreille de Cissy pour y prendre son pouls. Il était maintenant plus fort et plus régulier. Levant les yeux, elle vit Greg et saisit le verre qu'il lui présentait.

— Que faire, maintenant?

— Y aller à pied, voilà ce qu'il faut faire.

Joe avala son brandy d'un trait et tendit son verre pour qu'on le remplisse à nouveau.

— Je ne vais pas laisser cette ordure s'en tirer comme ça.

— Vous ne pouvez pas y aller dans l'obscurité, Joe, intervint Greg en regardant par la fenêtre. Ce serait de la folie. Kate et Paddy doivent être arrivés chez vous, maintenant. S'ils ne parviennent pas à entrer, je suis certain qu'ils continueront jusque chez les Headley, ou jusqu'à la ferme Heath.

— Mais s'ils n'y arrivent pas? S'ils tombent sur lui avant?

La question de Joe était brutale et directe.

— Ils ne risquent rien, dit Diana. Paddy a la carabine. Il n'hésitera pas à s'en servir.

Greg regarda pensivement Susan, qui avait affirmé avoir entendu un coup de feu. « Tirer sur des fantômes ne sert à rien. » Cette pensée revenait sans cesse à son esprit. Une carabine n'aurait aucun effet contre Marcus. Absolument aucun.

Comme si elle avait lu dans ses pensées, Diana le regarda et dit:

— Un fantôme n'aurait pas pu mettre le feu à la grange, Greg, ni déplacer la Volvo. Ce devait être un homme en chair et en os.

— Un fantôme? fit Joe en les regardant fixement. Qu'est-ce que c'est que cette foutue histoire de fantômes? Croyez-vous qu'un fantôme aurait fait capoter la voiture de ma femme?

— Nous ne savons plus ce qu'il faut croire, Joe. Nous ne le savons plus du tout.

53

Kate était étendue à plat ventre, sa tête reposant sur ses bras. Un filet de sang s'était coagulé quelque part dans sa chevelure. Combien de temps avait-elle passé ainsi? En tout cas, elle avait maintenant très froid. Lentement, elle leva la tête, s'attendant à sentir une main glacée s'abattre sur son épaule, mais rien ne se produisit. Elle réalisa qu'elle tremblait.

— Paddy?

Aucun son n'avait suivi la détonation de la carabine. Paralysée de terreur, Kate avait obéi à son instinct et fait la morte. Combien de temps avait duré cet état? Elle déplaça légèrement son bras de façon à pouvoir lire l'heure sur sa montre sans lever la tête de plus de quelques centimètres.

— Paddy? chuchota-t-elle encore un peu plus fort.
— Ici.

Sa voix était étouffée, mais proche.

— Est-ce que ça va?
— Je crois. J'ai perdu la carabine. Je suis tombé. Est-il parti?

Elle pouvait entendre les sanglots dans sa voix.

— Je crois que oui, fit-elle en redressant la tête un peu plus.

Elle se mit lentement à genoux en souhaitant cesser de trembler. Elle claquait des dents.

— Continue de parler pour me guider jusqu'à toi.

Dans la quasi-obscurité, elle entendit un froissement de feuilles mortes non loin à sa gauche.

— Est-ce toi?
— Oui. Ça va. Ici.

Il s'agrippa à elle. Kate sentit qu'il tremblait lui aussi.

— Il est parti, murmura-t-elle. Je ne le sens plus autour de nous.

— Par où faut-il aller? demanda Patrick en s'écartant d'elle.

Il venait de récupérer sa dignité et la revêtait à nouveau comme une armure.

— Nous aurions dû prendre une boussole, dit Kate en essayant de ne pas froisser son orgueil. Heureusement, nous pouvons toujours nous fier au terrain et continuer de monter.

— Cela ne semble pas fonctionner.

— Paddy, que pouvons-nous faire d'autre? Nous ne pouvons rester ici toute la nuit.

Il neigeait de nouveau. De la vraie neige, cette fois, légère et duveteuse, et qui restait au sol.

— Connaissez-vous des prières?

— Le Notre-Père, fit-elle, surprise par la question. Mais tout le monde le connaît.

— C'est ce qu'il faut réciter pour éloigner le mal, n'est-ce pas?

— Nous pourrions le dire ensemble, si tu crois que cela peut nous aider. Tu as raison, c'est censé chasser les mauvais esprits, mais je ne suis pas une autorité en la matière.

— Ni dans le domaine des esprits malins, je suppose, dit-il avec un petit rire nerveux. Pouvez-vous le réciter en latin? Il doit parler latin s'il est romain. On ne nous enseigne pas le latin à l'école. Je n'aurais jamais cru en avoir besoin un jour.

Puissent les dieux te maudire, Marcus Severus, et punir ton corps putréfié et ton âme corrompue pour ce que tu as fait aujourd'hui.

Kate se frotta le visage. Les mots semblaient enfermés dans son esprit. Ils ne venaient pas de l'extérieur, sinon Paddy les aurait entendus lui aussi, et ils avaient été prononcés en anglais.

— Je crois qu'il comprend notre langue, dit-elle prudemment.

Tous deux reconnaissaient implicitement que c'était Marcus qu'ils avaient aperçu, et non un être humain.

— Je crois qu'il reste en contact avec nous par la pensée.

— Pourriez-vous lui dire d'aller au diable en latin ?

La demande de Patrick était tellement spontanée, tellement remplie d'un espoir naïf, qu'elle ne put s'empêcher de s'esclaffer.

— J'ai étudié le latin afin de mieux comprendre la littérature, répondit-elle sur un ton d'excuse. Je ne me souviens pas d'avoir jamais appris comment envoyer promener quelqu'un. En revanche, je connais le *Pater Noster*.

— Récitez-le.

— *Pater Noster, qui es in cælis, sanctificetur nomen tuum. Adveniat regnum tuum. Fiat voluntas tua, sicut in cælo, et in terra. Panem nostrum quotidianum da nobis hodie. Et dimitte nobis debita nostra, sicut et nos dimittimus debitoribus nostris. Et ne nos inducas in tentationem : sed libera nos a malo...*

Elle s'arrêta et il y eut un moment de silence.

— Continuez, murmura-t-il.

— C'est tout ce dont je me souviens. Mais c'est le principal : *Libera nos a malo*. Délivrez-nous du mal.

C'était sans importance, de toute façon, car elle était certaine que personne n'était à l'écoute. Il était parti.

— Paddy, essayons de retrouver la carabine. Elle ne peut être loin.

Il faisait presque noir et la lumière baissait rapidement.

— Je crois qu'elle est tombée par ici. Ne dites pas à papa que le coup est parti. Il ne me la confierait jamais plus.

— La détonation nous a probablement sauvé la vie, répondit-elle en frémissant. La voilà ; là-bas, dans ce buisson.

Les flocons tombaient maintenant de façon plus dense, formant tantôt un mince voile pâle, tantôt un essaim furieux. Patrick récupéra son arme et l'ouvrit.

— On ne voit plus aucune trace du sentier, dit-il

en regardant autour de lui. Nous ne pouvons même plus retourner sur nos pas.

— C'est par là, répondit Kate sans hésiter.

Elle entreprit de grimper une légère déclivité en contournant des ronces. Les bottes qu'on lui avait prêtées dérapèrent dans la neige.

— Attendez, fit Patrick en s'immobilisant. Regardez, à travers les arbres.

— Où ?

— Là. J'aperçois une lumière.

— Dieu merci !

C'était un cri du cœur. Côte à côte, ils descendirent vers cette lumière en glissant le long de la pente, de nouveau à l'abri du vent parmi les grands arbres.

— Je l'ai perdue de vue.

— La voilà de nouveau, dit Patrick en s'arrêtant. C'est Redall ! Oh, Kate, nous avons tourné en rond ! Nous sommes revenus à notre point de départ. Il ne nous laissera jamais lui échapper.

Sa voix exprimait le désespoir et la peur. Kate se mordit la lèvre, pestant intérieurement contre sa propre stupidité, mais aussi contre le soulagement qu'elle éprouvait en secret.

— Rentrons et voyons si nous pouvons trouver une boussole. Il n'y a rien d'autre à faire pour l'instant.

— D'accord, fit-il en hochant la tête.

— Ensuite nous ferons une nouvelle tentative, et cette fois, nous garderons la bonne direction.

— Vous avez raison, approuva-t-il en souriant faiblement. Mais d'abord, une boisson chaude. Vous voulez bien ?

— Oui, répondit-elle en passant un bras autour de ses épaules.

54

Jon ouvrit la porte de son appartement, où régnait une désagréable odeur de renfermé. La veille, quelques heures à peine avant de s'envoler de l'aéroport J. F. Kennedy, il avait appris que Cyrus n'était resté chez lui que deux jours. Il s'était querellé avec les organisateurs de sa visite à Londres, pour ensuite rentrer précipitamment aux Etats-Unis.

Jon laissa tomber ses sacs de voyage, referma la porte du pied et se pencha pour ramasser son courrier. D'un pas lourd, il se dirigea vers la table du salon et y jeta pêle-mêle factures et prospectus. Sur l'appui de la fenêtre, un cercle de pollen jaune s'était formé autour du vase qui contenait maintenant des fleurs fanées. Jon prit le vase et le porta à la cuisine en grimaçant. En ouvrant le robinet pour rincer les dépôts verdâtres accrochés à la porcelaine, il prit le trousseau de clés qui traînait sur l'évier. C'était celui de Kate. Il le lança sur la table avec amertume. Deux jours ! Cyrus était resté deux malheureuses journées et il avait chassé Kate pour cela ! Heureusement, il avait pu lui rendre la moitié de la somme qu'il lui devait.

Revenant dans le salon, il se jeta sur le canapé et tendit la main vers le répondeur. Les messages défilèrent, tous semblables. Jon écoutait à demi, les yeux fermés. La succession des voix, dans la lumière pauvre de cette fin d'après-midi, constituait un résumé des dernières semaines. « Salut, Jon. Donne-moi un coup de fil quand tu seras revenu… Jon, si tu es de retour le dix-huit, nous donnons une petite soirée… Jon, n'oubliez pas : midi et demi, le vingt-trois, au Groucho… Jon… Jon… Jon… »

Il se leva pour se verser un scotch. La bouteille — comme toutes les bouteilles du plateau — était vide.

« Jon, ici Bill. Je voulais simplement te dire qu'aucun téléphone ne semble fonctionner à Redall. Je pars là-bas ce matin même — nous sommes samedi et il est environ dix heures — pour voir ce qui se passe.»

Jon éteignit l'appareil et téléphona à Bill. Pas de réponse. Il forma le numéro de son cottage.

— Allez, réponds, fit-il en tambourinant du bout des doigts sur la table.

Il raccrocha et tenta de joindre le cottage de Redall. La ligne était coupée. Jurant à mi-voix, il essaya chez les Lindsey. Même résultat. Que diable se passait-il là-bas?

Dans un de ses sacs, il prit la bouteille de Talisker qu'il avait achetée à l'aéroport, l'ouvrit et se servit généreusement.

Pourquoi se souciait-il tellement d'elle, après tout? Kate et lui, c'était du passé. Jamais ils n'avaient pu s'entendre. Leur histoire était bien finie, terminée, fichue. Elle avait eu beau se montrer amicale au téléphone, cela n'était que politesse de sa part. Elle devait bien se moquer de lui, maintenant. Il ne la reverrait sans doute jamais.

Il vida son verre et le remplit à nouveau. De l'autre côté de la vitre sale, les rues de Londres plongeaient lentement dans l'obscurité. La neige s'était mise à tomber, sans doute pour longtemps. S'asseyant sous la lampe, Jon posa son verre et tendit la main vers la carte routière.

55

HAINE
COLÈRE
FURIE

Les trois émotions explosaient dans son esprit. Ce n'étaient ni des mots ni des formes, mais un tourbillon fulgurant de douleur.

347

— *Maman!*

Le cri déchirant se perdit dans le silence et l'obscurité de la chambre.

— *Maman, aide-moi!*

La bataille faisait rage dans la tête d'Alison. Marcus déchirait la fibre même de sa pensée. Il voulait prendre possession de sa voix, de ses bras, de sa force. Mais Claudia l'en empêchait. La vérité devait être connue. Nion trahi. L'insulte faite aux dieux. Nion, Nion. Amour de ma vie, maître de mon cœur.

Chasse-les. Libère-toi. Avec tes ongles. Extirpe-les de ton cerveau.

— MAMAN, AIDE-MOI!

Que la vérité soit connue. Je la clamerai.

Les cris atteignirent un paroxysme. Claudia l'emportait peu à peu.

La tombe est ouverte. Le secret est dévoilé. Les gens de Bretagne vengeront notre mort. La chute de l'Empire n'a pas suffi. Puissent les dieux te maudire, Marcus Severus Secundus, pour ce que tu as fait…

— Non, non, NON!

Alison se redressa violemment dans son lit et porta les mains à ses tempes. Ses ongles étaient rougis par son propre sang. Elle y voyait clairement, malgré l'obscurité. La femme se tenait près de la fenêtre; sa robe bleue bougeait doucement, comme si le vent soufflait derrière elle. Ses pieds reposaient sur le sable des dunes et des peignes retenaient sa longue chevelure. Elle semblait voir à travers le mur, à travers les ténèbres et la neige.

Du sang. Il y en avait partout : sur la robe de Claudia, par terre, sur les draps de son lit et même sur ses mains.

Son propre cri chassa les voix étrangères. Elle hurla encore et encore, incapable de s'arrêter, de recouvrer ses sens. Elle se vit elle-même de l'entrée de sa chambre, vit le groupe d'hommes et de femmes, en bas, quitter précipitamment la table de la cuisine, saisir des chandelles et monter. Diana était en tête. La flamme de sa chandelle tremblait dans l'air en laissant derrière elle une traînée de fumée.

— Alison ! Alison chérie ! Ô mon Dieu, qu'y a-t-il ?

Elle vit sa mère l'entourer de ses bras et lui parler, mais elle n'entendait rien. Il était à nouveau en elle et son rire cruel couvrait tous les sons. Pourquoi riait-il ? Il se moquait du sang et de la douleur. Il se moquait d'elle, de la femme près des rideaux, dont l'image se brouillait, n'était plus qu'une ombre venue d'un passé lointain. Elle s'évanouissait, vaincue, retournant au sable et à la poussière, aux temps révolus.

— *Pater Noster...*

C'était la voix de Patrick, toute tremblante dans l'obscurité.

— *Libera nos a malo. Ave Maria. Libera nos a malo.*

Les mots se noyèrent dans un sanglot.

— Son visage. Di, regarde son visage.

A bout de souffle, Roger avait rejoint le groupe sur le palier et regardait sa fille avec horreur pardessus l'épaule de Diana.

— Tais-toi, Paddy, lança-t-il en se tournant vers son fils. Je ne veux pas de ces superstitions idiotes sous mon toit !

— Sortez tous, ordonna Diana. Je vais m'occuper d'elle. Kate, restez, je vous prie. Que les autres redescendent.

Roger ouvrait la bouche pour dire quelque chose, mais sembla se raviser. Il tendit sa chandelle à Kate et sortit.

Se conformant aux instructions de Diana, Kate se rendit à la salle de bains et en revint avec un gant de toilette mouillé. Diana essuya le sang sur les mains de sa fille et la ramena doucement vers le lit.

— Tout va bien, maintenant, ma chérie. Tu es en sécurité.

— N'allez-vous rien faire pour son visage ? demanda Kate.

— Je ne ferai rien pour l'instant. Ce ne sont que

des égratignures. Ni Joe ni Paddy ni vous ne quitterez cette maison avant le jour.

— Il nous faut de l'aide, Diana.

— Il sera temps demain. Tout devra attendre jusque-là.

— Mais Greg? Et Cissy?

La vision de Cissy Farnborough étendue sur le canapé, inconsciente, avait consterné Kate.

— Elle s'en tirera. Je peux m'occuper d'elle. Quelqu'un, dehors, essaie de nous tuer, Kate!

Diana remonta la couverture jusque sous le menton de sa fille.

— Je ne laisserai personne quitter cette maison avant l'aube.

Kate examina Alison à la lumière pâle des chandelles. La jeune fille était maintenant calme et reposait, immobile, sur son oreiller taché de sang. Elle respirait paisiblement, comme si elle dormait.

— Que lui est-il arrivé, selon vous?

— Elle doit avoir fait un cauchemar, répondit faiblement Diana.

— Non, cela devait être autre chose.

La petite chambre était glaciale. Par terre, devant les rideaux qui masquaient la fenêtre, il y avait un petit tas de sable. Kate se pencha pour l'examiner, puis se détourna en frissonnant.

— Pourquoi Roger s'est-il emporté contre votre fils lorsqu'il s'est mis à prier?

— Il ne croit pas en Dieu. Il a cessé de croire le jour où on lui a dit qu'il souffrait du cancer.

— Mais croit-il à l'existence du mal? Aux possessions? Aux revenants?

— Mon mari est avant tout un esprit rationnel. Il ne croit en rien qui ne puisse être prouvé scientifiquement.

— Comme c'est étrange, fit Kate en gardant les yeux fixés sur Alison.

Roger lui était d'abord apparu comme un être doué d'une certaine poésie. Dans l'épreuve, il invoquait encore Dieu, même s'il avait perdu la foi.

— Priez-vous?

Diana s'assit au bord du lit et posa doucement la main sur le front de sa fille. Sa peau était très froide.

— Pas très souvent, dit Kate, mais c'est moi qui ai appris à Paddy les paroles du Notre-Père en latin. Tout à l'heure, dans la solitude et l'obscurité, cela m'a paru une bonne chose. Patrick croyait que Marcus comprendrait le latin.

— Et l'a-t-il compris?

Diana ne réussit pas à mettre toute l'ironie qu'elle voulait dans sa question.

— Je l'ignore, mais les mots m'ont réconfortée. C'était comme un talisman contre le mal.

— Nous sommes pris au piège, n'est-ce pas?

Diana la regarda subitement droit dans les yeux, incapable de dissimuler sa peur.

— Nous n'avons plus de véhicule; le téléphone ne marche plus; personne, à l'extérieur, ne sait ce qui nous arrive. Bill et Cissy ont essayé de venir, et voyez le résultat... Et Allie. Qu'est-il arrivé à Allie?

— Peut-être devrions-nous faire descendre Allie, afin de rester tous ensemble?

— Elle a raison.

La voix de Greg, dans l'embrasure, les fit toutes deux sursauter. Il entra dans la pièce en claudiquant et regarda sa sœur.

— Je vais demander à Joe de la descendre au salon. Tu devrais nous préparer un bon chaudron de soupe. Tout paraîtra moins dramatique au matin, quand nous pourrons chercher de l'aide, ajouta-t-il en se tournant vers Kate.

Elle sourit faiblement.

— Vous semblez rendre les choses très faciles.

La lumière tremblante des chandelles donnait un air angélique au visage de la jeune femme. A plusieurs reprises, déjà, Greg avait remarqué chez elle cette beauté fragile, préraphaélite, que soulignait sa chevelure désordonnée.

— Tout est bien plus facile à la lumière du jour.

— Greg, chuchota-t-elle en posant une main sur son bras. Regardez près de la fenêtre, par terre.

Il prit une chandelle et s'approcha.

— Du sable. Peut-être vient-il des chaussures d'Alison ?

— Non. Tout à l'heure, il n'y avait pas de sable sur le plancher.

— Comment pouvez-vous en être certaine ?

— Je le suis, voilà tout, répondit-elle en haussant les épaules. Je remarque les choses de ce genre. Surtout depuis le cottage.

— Que racontez-vous ? demanda Diana en regardant par terre à son tour.

— Kate me disait que le vent avait poussé du sable par le cadre de la fenêtre, et qu'il vaudrait mieux que nous descendions tous près du feu, intervint Greg.

— N'essaie pas de me faire avaler cela ! répliqua sèchement Diana en se levant. Que veut dire ce sable ?

— D'accord, fit Greg en cédant devant son insistance. Cela veut dire que la menace qui pèse sur nous n'a rien d'humain. Personne ne se terre dans le bois ou sur la plage. Notre ennemi est un homme mort depuis presque deux mille ans, un homme en proie à une rage terrible parce que nous avons remué le passé. Nous courons un grave danger.

56

— Je suis folle d'être venue ici, complètement folle !

Clés en main, Anne Kennedy longea la file de voitures en cherchant le véhicule qu'elle venait de louer.

Voilà. Numéro 87. Une jolie petite Ford Fiesta rouge vif. Contente de pouvoir enfin s'abriter de la neige et du vent, elle inséra la clé dans la serrure. L'intérieur de la voiture, absolument impeccable, sentait le plastique et le désodorisant. Anne referma la portière, lança ses affaires sur la banquette arrière et chercha la commande actionnant le plafonnier pour consulter la carte routière achetée à l'aéroport.

Sa dernière conversation avec Kate l'avait inquiétée, tout comme le silence subit de son téléphone. Heureusement, elle avait trouvé deux conférenciers de passage pour s'occuper de son appartement et se plier au moindre caprice de C. G. Elle pouvait ainsi profiter d'un congé de trois jours pour se rendre dans le sud du pays et se rassurer un peu. Maintenant, l'idée ne lui semblait plus aussi bonne. L'Angleterre, toujours bouleversée à la moindre intempérie, semblait près de fermer boutique. Les chroniqueurs météo devenaient hystériques et, pour compliquer les choses, Kate n'était pas prévenue de son arrivée, à cause de l'incompétence des employés du téléphone. Ils juraient pourtant leurs grands dieux que sa ligne avait été vérifiée et qu'elle fonctionnait parfaitement...

Après un dernier regard à la carte pour mémoriser le chemin, Anne mit la voiture en marche et alluma les phares. Il lui faudrait une heure au bas mot. La montre du tableau de bord indiquait déjà vingt et une heures.

La route vers l'est était mauvaise, mais praticable. Les essuie-glaces découpaient de grands demi-cercles sur son pare-brise. Contournant Dunmow et Braintree, elle prit la direction du nord, sur la route à deux voies qui traversait les plaines de l'East Anglia en direction du Suffolk. Le programme de musique douce à la radio ne s'était interrompu qu'une fois pour la météo. Rien de bien encourageant : chutes de neige toute la nuit ; vents forts venant de l'est. Combinés à l'effet de la pleine lune, ils allaient pousser la marée loin vers les terres. Un bulletin de nouvelles avait suivi, puis encore du Brahms et du Schumann.

Il était vingt-deux heures dix lorsqu'elle s'arrêta dans une aire de repos, près d'un poteau indicateur. Sur la carte, Redall figurait comme un petit point sur la côte. Pour y accéder, elle devrait parcourir environ six kilomètres de routes de campagne sinueuses. Anne se renfrogna. Il neigeait de plus en plus fort, et bien que la petite voiture se fût comportée vaillamment jusqu'à présent, elle avait tendance à déraper maintenant. Il n'y avait pas d'autres traces de pneus devant elle. Sur les bas-côtés, au pied des haies, des congères commençaient à se former.

Anne avait déjà repéré un pub le long de la route principale. Il semblait n'être qu'à huit cents mètres environ de Redall. Elle ferait peut-être mieux de s'y diriger d'abord.

Les pneus patinèrent dangereusement quand elle passa en première, mais une fois au milieu de la chaussée, la voiture tint la route sans problème. A gauche. A gauche. A droite. Elle se répétait les virages chaque fois qu'elle s'engageait sur les routes de plus en plus étroites, avec de plus en plus de précautions. Elle approchait sûrement. Le pub devait se trouver juste après la prochaine courbe.

Malheureusement, les cartes sont parfois trompeuses. La route bifurqua de nouveau vers l'intérieur des terres avant de reprendre sa direction première, en grimpant et dévalant des pentes fortement inclinées qui n'étaient absolument pas censées se trouver là.

Anne se rangea sur le côté et déplia encore une fois sa carte. Tout avait l'air si simple sur le papier. A gauche, à gauche, puis à droite. Un bout droit, une courbe, le pub, et encore quelques courbes jusqu'au début du chemin. Elle baissa sa vitre. Le vent précipita des cristaux de neige contre son visage. Le silence était total. Elle préférait la chaleur et l'air confiné de la voiture, avec sa musique en boîte.

Schumann venait de céder la place à une sonate de Beethoven.

Allait-elle devoir passer la nuit dans cette voiture? La perspective ne lui souriait guère, surtout sans thermos ni couverture. Tout à coup, elle aperçut les lumières d'une maison au loin. Ce n'était pas le pub tant espéré, mais ses occupants pourraient sans doute lui dire où elle était.

Le vieil homme en robe de chambre qui vint lui ouvrir l'invita à entrer dans le vestibule pour consulter sa carte. Elle se trouvait à environ huit kilomètres de Redall.

— Vous avez pris le mauvais tournant, ma petite. Vous feriez mieux de passer par là et de reprendre ensuite la route de l'estuaire, dit-il en pointant le bon chemin d'un doigt taché de nicotine.

— Etes-vous seule? Vous ne devriez pas conduire comme cela, par une nuit pareille, lança une vieille dame toute menue, du haut de l'escalier.

— Je sais, répondit Anne en s'efforçant de sourire. J'ignorais que le temps serait si mauvais.

— Une tasse de thé avant de repartir? proposa la vieille dame en descendant péniblement les marches.

Bien que tentée, Anne refusa.

— C'est très aimable de votre part, mais je ferais mieux de partir. La neige s'accumule et je ne voudrais pas rester bloquée.

— Alors, soyez prudente, et méfiez-vous du Chien Noir des marais.

Elle rit doucement tandis qu'Anne remontait son col et courait vers sa voiture.

— Le Chien noir! grommela Anne en mettant le contact.

Elle avait déjà entendu parler de cette vieille légende, propre à la région.

«Je ne m'attendais pas à plonger dans le surnaturel aussi vite», pensa-t-elle avec un sourire en coin.

Elle trouva enfin une route légèrement plus large, sur laquelle on semblait avoir mis du sable récemment. La neige tombait moins fort et une trouée dans les nuages révéla un petit quartier de lune. Après une pente raide, dans laquelle les pneus patinèrent un instant, Anne se retrouva sur un terrain plat. Loin devant elle s'étendait un large estuaire auquel la lune conférait des reflets argentés. Anne immobilisa son véhicule pour contempler le paysage magnifique, aux nuances mêlées de blanc et d'acier poli, qui s'offrait à elle. A regret, elle se remit en route, plus lentement cette fois, bien déterminée à ne pas manquer la baie de Redall.

Le chemin se trouvait bien à l'endroit indiqué sur la carte, mais, de toute évidence, elle ne pourrait aller plus loin : le vent avait formé des congères de plus d'un mètre de haut. Anne descendit et regarda autour d'elle, désemparée. La lumière de la lune brillait maintenant si fort que la route était visible des deux côtés sur une longue distance. Elle était passée devant une ferme, huit cents mètres auparavant. Peut-être ferait-elle bien d'y retourner pour demander conseil ? Elle consulta sa montre : vingt-trois heures passées. Il n'était sûrement pas trop tard pour frapper à la porte.

Malheureusement, la ferme en question était plongée dans l'obscurité et ses coups répétés restèrent sans réponse.

Anne frissonna. Dans le ciel, les nuages se rassemblaient de nouveau et commençaient à dissimuler le croissant de lune. Encore quelques minutes et il disparaîtrait. Elle remonta dans sa voiture, heureuse de retrouver la chaleur de l'habitacle, et réfléchit un moment à sa situation. Elle avait le choix entre poursuivre jusqu'au prochain village et prendre une chambre au pub, ou laisser son véhicule à l'entrée du chemin et descendre à pied jusqu'à Redall.

Anne repartit et s'arrêta devant le chemin. Sur la carte, il ne semblait pas faire plus de huit cents mètres, peut-être moins. Ce serait idiot de retourner maintenant qu'elle touchait au but. La masse de nuages flottant au-dessus de l'estuaire semblait immobilisée, laissant encore un sursis à la lune. Elle pourrait facilement se diriger.

Sa décision était prise. Elle descendit de l'auto et prit son sac, dans lequel elle avait mis une bouteille de Laphroaig, car elle n'avait pas oublié la prédilection de sa sœur pour le whisky de malt. Si jamais elle trébuchait dans la neige, au diable les avertissements à propos de l'alcool et du froid, elle le boirait elle-même. Après une pensée pleine de regret pour ses bottes élégantes, elle s'enfonça dans le bois.

Au début, grâce au clair de lune, il lui fut facile de ne pas songer aux esprit frappeurs de Kate. La neige n'entravait pas tellement sa progression. Son sac, en revanche, lui avait rapidement paru plus lourd. Puis, tout d'un coup, les arbres bordant le chemin se resserrèrent, interceptant la lumière pâle du ciel. Le chemin devant elle sembla avalé par l'obscurité. Malgré elle, Anne regarda les ombres par-dessus son épaule. Le vent s'était tu et elle n'entendait plus que le bruit régulier de ses bottes s'enfonçant dans la neige.

Elle s'arrêta un moment pour balancer son sac d'une épaule à l'autre. La nuit était anormalement tranquille. Aucun vent, aucun bruissement de feuilles, seul le cri répété d'un hibou, qui provoqua un frisson le long de sa colonne vertébrale. Elle se remit en marche sans prendre conscience que sa main serrait très fort la poignée de son sac.

Ses yeux s'accoutumaient à l'obscurité et lui permettaient maintenant de distinguer des détails : les chênes noueux, au profil solide, si aisément reconnaissables, la masse enchevêtrée des buissons qui bordaient le chemin, le rideau dense des plantes grimpantes qui pendaient au-dessus de la neige, sans doute des clématites. Après un nouveau tournant, elle retrouva l'éclat de la lune. Avec un soupir de soulagement, elle allongea le pas et faillit glisser quand la pente s'accentua.

Ce fut alors qu'elle aperçut la voiture accidentée. Le cœur battant, elle s'en approcha avec précaution, écartant les branches qui lui barraient le chemin. Les traces de dérapage étaient encore visibles sous la neige, de même que les taches sombres qui, à la lumière du jour, se révéleraient sans doute être du sang. Il n'y avait personne à l'intérieur. Soulagée, elle posa la main sur le métal froid du capot et comprit, devant la neige accumulée, que l'accident avait eu lieu bien auparavant et que les occupants devaient être partis depuis belle lurette.

Le craquement d'une branche la paralysa. Les nuages commençaient à envelopper la lune. Dans quelques secondes, ils la dissimuleraient complètement et plongeraient le monde dans les ténèbres.

La psychologue qu'elle était tenta d'analyser rationnellement ses émotions. Etaient-elles dues à la peur primitive de l'inconnu, ou y avait-il réellement quelque chose dans le noir? Anne se sentait épiée. Le cœur battant, elle se força à continuer. La ferme ne devait plus être bien loin, maintenant. D'un instant à l'autre, la lune disparaîtrait. Agrippant son sac, elle résista à la tentation de se mettre à courir. La peur du noir était un héritage des lointains ancêtres de l'humanité; elle ne devait plus exister au vingtième siècle. Les tribus hostiles, les esprits malins et les revenants n'avaient plus cours. Anne était une femme moderne et rationnelle, une scientifique. Pourtant, un des livres qu'elle transportait dans son sac donnait des arguments particulièrement convaincants en faveur de l'existence des fantômes et des esprits.

L'obscurité devint totale. Anne s'immobilisa — rien de plus normal puisqu'elle n'y voyait rien. Elle se remettrait en marche dès que ses yeux s'accoutumeraient à la nuit. Le chemin était dégagé; elle s'en était rendu compte juste l'instant d'avant. Alors, pourquoi s'arrêter? Pourquoi était-elle convaincue que quelqu'un se tenait devant elle? Pourquoi se sentait-elle poussée à repartir en courant dans la direction opposée?

— Allez, Anne. Un peu de cran!

Comme sa sœur, elle avait tendance, dans les situations difficiles, à s'admonester.

— Grouille-toi. Tu commences à avoir froid aux pieds.

Le son de sa voix semblait percer le silence d'une façon choquante.

— Montre-toi si tu l'oses, dit-elle en cessant de s'adresser à elle-même.

Tout cela était ridicule : il n'y avait personne. Anne serra les dents et avança, essayant de se laisser gagner par la beauté de la nuit. L'enthousiasme de Kate pour cet endroit était compréhensible. Le silence, l'air pur descendu sans doute tout droit de l'Arctique, le scintillement occasionnel, avant que la lune ne disparaisse, des flaques d'eau entre les arbres... Elle s'imagina le cottage où sa sœur dormait, probablement sous de chaudes couvertures : un vieux poêle dispensant une chaleur agréable, de solides poutres de bois, des jolis rideaux de chintz, un vénérable lit au doux matelas de duvet et une courtepointe à l'ancienne. Quand elle arriverait, il y aurait du café, des biscuits et du whisky, bien sûr, pour accompagner une longue conversation nocturne, les pieds devant le feu...

Un bruit lointain de cheval au galop la tira brusquement de sa rêverie. Cela s'approchait. Elle distingua le souffle de l'animal, le craquement du cuir. Instinctivement, elle se jeta hors du chemin. Sous elle, le sol vibra au passage du cavalier. Le silence retomba lentement. Stupéfaite, Anne fouilla l'obscurité du regard. Comment pouvait-on chevaucher à cette vitesse dans le noir ? Et pourquoi ? Qu'est-ce qui pressait tellement ?

En proie à une vive appréhension, elle regagnait le chemin quand une odeur forte et âcre de bois brûlé parvint à ses narines.

Elle resta un moment immobile, sans comprendre, devant les restes fumants de la grange, puis se dirigea vers la maison et frappa à la porte.

— Qui est là ? demanda une voix d'homme étrangement assourdie.

— Je suis désolée d'arriver si tard. Ma voiture ne pouvait pas descendre le chemin. Je suis Anne Kennedy, la sœur de Kate.

Parler ainsi à une porte fermée était ridicule. Pourquoi ne se dépêchait-on pas d'ouvrir ? Il y avait quelque chose d'anormal dans les parages.

— Puis-je entrer ? demanda-t-elle enfin, en faisant de son mieux pour masquer son inquiétude.

— Attendez, répondit la voix d'un ton sec, presque grossier.

Anne resta les bras ballants devant la porte, muette d'étonnement. Le cœur serré par l'inquiétude, elle se tourna vers la pelouse couverte de neige.

— Anne ? Est-ce toi ?

C'était la voix de Kate derrière la porte. Le rabat de la boîte aux lettres se souleva et laissa passer le rayon d'une lampe de poche.

— Accroupis-toi pour que je puisse voir ton visage.

— Pour l'amour du ciel, Kate, c'est bien moi, mais je commence à regretter que ce ne soit pas quelqu'un d'autre.

Sa patience était à bout. Elle se pencha et s'approcha de la fente pratiquée dans la porte.

— Qu'est-ce qui vous prend, à tous ?

— C'est elle. Laissez-la entrer.

Le rabat se referma et Anne entendit le bruit de verrous qu'on tirait.

— Vite, entre, dit Kate en la tirant à l'intérieur du vestibule mal éclairé.

Anne eut à peine le temps d'apercevoir une chandelle qui achevait de se consumer sur une table, dans une soucoupe, qu'on la faisait passer dans un salon éclairé, lui aussi, à la chandelle. Ici, il faisait chaud, une merveilleuse odeur de soupe flottait dans l'air et la pièce était remplie de gens. Elle resta un moment bouche bée, avant de bredouiller :

— On dirait une veillée funèbre. Kate, mais que se passe-t-il donc ?

Une femme au visage tuméfié, le bras en écharpe, était étendue sur le canapé. Dans un coin, une jeune fille enveloppée dans des couvertures dormait par terre sur des coussins. Un homme était assis près du feu, son pied bandé reposant devant lui sur un tabouret. Derrière Anne se trouvaient deux hommes, ou plutôt un homme et un garçon. Ils étaient avec Kate quand elle avait ouvert et maintenant, ils la regardaient comme si elle tombait de la planète Mars. Deux autres personnes et une jeune fille étaient là aussi et la dévisageaient comme une bête curieuse.

— Mais enfin, allez-vous vous expliquer ?

— Oh, Anne ! s'écria Kate en se jetant dans ses bras. Je n'ai jamais été aussi heureuse de te voir !

— La *dea ex machina* arrive à notre rescousse, je présume, dit l'homme au pied blessé.

Anne le regarda sans comprendre, puis se tourna vers sa sœur.

— Vas-y, raconte.

57

Il filait à toute vitesse, penché sur le cou de sa monture. La broche enlevée à la robe de sa femme retenait maintenant son propre manteau. Le prince des Trinobantes avait payé avant de descendre au royaume des morts, et sa putain était partie le rejoindre avec sa haine. A quoi lui servaient ses imprécations, maintenant ? Qui saurait jamais ce qui s'était passé aujourd'hui ? Il n'y avait pas de témoins, pas de survivants. La sœur de Claudia, simple et docile, le croirait quand il prétendrait qu'elle s'était enfuie avec son amant. Le choc serait grand, mais elle le croirait et comprendrait pourquoi il demanderait le divorce.

Il sourit et talonna son cheval. Il avait déjà résolu de se remarier. Augusta ressemblait beaucoup à Claudia, mais elle était plus jeune et plus facile à gouverner. A son tour, elle s'occuperait de sa maison et élèverait son fils. Elle lui donnerait même d'autres enfants, si elle accomplissait bien son devoir. Il veillerait à ce qu'on ne laisse plus entrer de Trinobantes à Colonia Claudia Victricensis. Ils ne songeaient qu'à fomenter la sédition contre Rome et à comploter avec les Icènes. Une simple étincelle pouvait déclencher la conflagration, mais elle ne viendrait pas de lui. Ni d'elle. Claudia. La femme qu'il avait vénérée comme une déesse. Personne ne saurait jamais ce qui était arrivé aujourd'hui. Elle avait emporté sa trahison et sa fureur avec elle dans son linceul de boue.

— Nous sommes dix dans cette maison, constata Roger.

Allie n'avait toujours pas dit un mot. Elle dormait par terre dans un coin et personne n'avait suggéré qu'on la réveille. Sue, assise à côté d'elle, lui tenait la main. Ses paupières se fermaient malgré elle et sa tête dodelinait.

— Je ne peux pas croire que, tous ensemble, nous soyons incapables de vaincre la menace qui rôde à l'extérieur. Nous semblons tous nous entendre sur le fait que notre ennemi n'est pas humain. Anne, je crois que vous êtes l'expert en la matière. Que devrions-nous faire, au juste ?

Anne se sentait plus à l'aise dans la maison que seule dans la neige, mais maintenant qu'on lui avait expliqué toute l'horreur de la situation, même le bol de soupe chaude qu'on lui avait servi n'arrivait pas à dissiper la drôle de sensation qui s'était nichée au creux de son estomac.

— Je suis psychologue, pas médium. Je ne sais que très peu de chose à propos des fantômes et personnellement, je n'en ai jamais vu.

A l'exception, peut-être, du mystérieux cavalier qui était passé en trombe sur le chemin...

— Tu dois aider Allie, Anne, intervint Kate.

Elle était assise par terre en tailleur, appuyée contre la chaise de Greg, et fixait les braises. Il avait posé la main sur son épaule.

— Je crois qu'elle est possédée, dit Greg doucement. Sa force incroyable, sa voix, les gestes qu'elle a faits : rien de tout cela n'appartient à Alison.

— Greg, tais-toi ! s'exclama Diana avec angoisse.

Elle tourna la tête vers les deux jeunes filles. Vaincue par le sommeil, Sue avait incliné la tête et ses doigts s'étaient relâchés autour de la main de son amie. Alison tourna la tête dans un sens et dans l'autre, puis retomba dans son immobilité. Ses paupières n'étaient pas entièrement fermées et laissaient voir deux minces lignes pâles.

Anne se mordit la lèvre. Tous la regardaient et elle ne savait absolument pas quoi dire.

— Est-elle allée voir un médecin récemment ? demanda-t-elle enfin. De nombreux états pathologiques pourraient expliquer son comportement. Par exemple, a-t-elle reçu une blessure à la tête au cours des derniers mois ? Un choc relativement léger aurait pu suffire.

Ses yeux allèrent de Roger à Diana, qui fit signe que non.

— Pour autant que vous le sachiez, a-t-elle subi des lésions organiques ? Y a-t-il présence de kystes, de tumeurs ? S'est-elle plainte de maux de tête ?

— Oui, s'écrièrent en même temps Patrick et Greg, mais nous parlons d'autre chose, ici, poursuivit Greg, de tout autre chose.

— Pas nécessairement, dit Anne en posant sur lui un regard sérieux. Il pourrait y avoir des explications médicales à ses mystérieuses absences et nous devons les écarter avant d'émettre d'autres hypothèses. Y a-t-il des antécédents familiaux de schizophrénie ou de maladies génétiques ? reprit-elle en s'adressant à Diana.

Celle-ci secoua de nouveau la tête.

— Est-il possible qu'elle consomme de la drogue ?

— Pas du tout, répondit Diana en pressant ses mains contre ses joues. J'ai été infirmière, Anne. Croyez-vous que je n'aie pas déjà songé à toutes ces possibilités ? D'ailleurs, Allie n'est pas la seule à avoir vécu des expériences étranges.

Anne réfléchit en silence.

— D'accord, dit-elle prudemment. Envisageons d'autres possibilités et essayons de savoir à quoi nous avons affaire. Si j'ai bien compris, rien n'est arrivé à l'intérieur de la maison.

Ses yeux glissèrent furtivement sur la main que Greg avait posée sur l'épaule de Kate.

— Sauf le comportement inexplicable d'Allie, mais comme l'a dit Kate, cela a plutôt commencé sur la plage.

— Il y a aussi eu les livres malmenés dans ma chambre, intervint Patrick.

— Et j'ai senti son parfum. C'était dans votre bureau, Roger, dit Kate. Du jasmin, du musc et de l'ambre. Toujours accompagné d'une odeur de terre mouillée.

— Combien de fois l'as-tu perçu ? demanda Anne en étudiant les traits de sa sœur.

— Souvent. Dans le cottage, également.

— Toujours avant que ne se produise un phénomène quelconque ?

— Non, dit Kate en haussant les épaules. Parfois, cela n'allait pas plus loin.

— Et lui, Marcus, est-il également associé à une odeur ?

— Je ne saurais le dire vraiment. Quand il se montre, on a trop peur pour remarquer les détails.

— Est-ce de l'hystérie collective ? demanda Diana. Est-il possible que nous nous influencions mutuellement ?

Elle frissonnait, en dépit de la chaleur qui émanait de l'âtre. Anne haussa les épaules.

— C'est possible. Combien d'entre vous ont réellement vu quelque chose?

Roger hocha la tête presque à regret.

— Diana?

— Non. Je ne fais que répéter ce qu'on m'a raconté. Mais j'ai bien vu Allie, par contre.

— Kate et moi avons vu Marcus et Claudia, dit Greg d'un ton ferme en caressant doucement le cou de Kate. Cissy et Sue ont vu Marcus. De toute évidence, Allie les a vus tous les deux. Paddy?

— J'ai *senti* la présence de Marcus et nous l'avons aperçu dans les bois. J'ai tiré sur lui et il a écrit un message sur mon écran d'ordinateur.

— Il l'a écrit, ou c'est toi qui l'as fait sans t'en rendre compte? demanda Anne.

— Je n'en sais rien. Je ne me souviens pas de l'avoir fait. Mais comment un Romain saurait-il se servir d'un ordinateur?

— En effet, comment? dit Anne en souriant.

— Moi aussi, j'ai lu un message étrange sur mon écran, ajouta Kate. Une malédiction: « Puissent les dieux te maudire, Marcus Severus Secundus, pour ce que tu as fait aujourd'hui... »

Les mots, prononcés à voix basse, semblèrent rester en suspens dans la pièce pendant de longues secondes.

— Je me demande ce qu'il lui a fait, dit Kate en fixant toujours la cheminée.

— Sans doute quelque chose d'horrible, répondit Greg.

— Un meurtre. Je crois qu'il l'a tuée. Sa robe est couverte de sang.

— Et c'est sa tombe qu'Alison a découverte dans les dunes.

Anne frémit. Elle plaça un des coussins du canapé par terre et s'assit dessus en ramenant ses genoux sous son menton.

— Supposons un instant que vous ayez raison, dit-elle pensivement, qu'est-ce que cela implique? Qu'Alison a mis au jour les traces d'un crime ancien ? Que la victime crie encore vengeance après deux mille ans, et que pour une raison incompréhensible, elle et l'homme qui l'a tuée s'en prennent à tous ceux qui vivent aux environs ? Qu'ils sont capables de battre un homme à mort, de mettre le feu à une grange, de laisser une automobile au beau milieu de nulle part, de couper des lignes téléphoniques, de laisser derrière eux des parfums floraux, une odeur de terre et des asticots, et de menacer physiquement quiconque est assez téméraire pour mettre le nez dehors ?

— Résumé de la sorte, cela fait un scénario de film passablement macabre, dit Roger d'un ton ironique. Cependant, faute d'une meilleure théorie, et comme il est à peu près minuit, je reconnais qu'il semble convaincant pour l'instant. D'autant plus que ce qui est arrivé a terrifié un nombre assez considérable de gens, dont la plupart sont des adultes raisonnables.

— Peut-être Kate a-t-elle raison et devrions-nous prier, insista sa femme. Je sais que tu n'es pas d'accord, mon chéri, mais c'est peut-être la seule chose sensée que nous puissions faire.

— *C'est* la seule, murmura Patrick.

— Bêtises, que tout cela, répliqua Roger. La seule chose sensée à faire est de dormir. Demain matin, nous prendrons un bon petit déjeuner et quelques-uns d'entre nous iront téléphoner à la police. N'oublions pas qu'un meurtre a été commis. Je doute que notre mystérieux ennemi soit encore dans les parages, mais je suis certain qu'il est bien humain. Il s'agit sans doute d'un fou dangereux qui devrait se trouver derrière les barreaux. La police finira bien par le trouver. Mais en attendant, sombrer dans l'irrationnel est de la folie en soi. Faites ce que vous voulez, mais moi, je vais me coucher.

Il se leva sans que personne d'autre bronche.

— Il n'y a pas assez de lits pour tout le monde, Roger, fit Diana d'un air absent.

— Alors, ceux qui le désirent peuvent rester ici,

près du feu. Ce ne sont pas les couvertures qui manquent et personne ne sera trop mal installé.

Roger plaça quelques bûches dans le foyer. Le feu rugit et une nuée d'étincelles s'envolèrent dans la cheminée.

— Joe, je te propose de dormir dans la chambre de Greg, car il ne pourra pas monter les escaliers. Kate, Anne et vous…

— Nous resterons ici, Roger, merci. Je serai très bien près du feu.

— Moi aussi, fit Patrick.

Kate se tourna vers Greg.

— Allez dormir dans le bureau, Greg, et reposez votre pied. Nous monterons la garde. S'il arrive quoi que ce soit, nous vous appellerons.

Il s'inclina vers elle et posa de nouveau la main sur son épaule dans un contact léger, presque un effleurement.

— Merci, mais je crois que je vais rester ici. Je suis trop bien pour bouger.

Lorsque les membres les plus âgés du groupe se furent retirés, Anne s'installa dans le fauteuil que Roger venait de quitter.

— Les prévisions météo sont mauvaises. Je ne sais pas si la proximité de la mer va atténuer les choses, mais on prévoit une vraie tourmente, demain. Aller chercher de l'aide ne sera pas facile.

— Croyez-vous que nous devrions faire une tentative maintenant, avant que le temps ne se détériore ? demanda Greg.

— Je ne sais pas quoi penser. Je voulais simplement vous avertir, répondit Anne d'un ton préoccupé.

— Mieux vaut ne pas essayer de ressortir. Jusqu'à présent, nous avons eu de la chance, déclara Kate, mais il ne faut pas prendre de risques inutiles.

— Ouvrons donc une bouteille de vin, proposa Greg en se levant. S'il faut monter la garde, autant le faire dans la bonne humeur. D'un autre côté, si cela nous aide à dormir, ce ne sera pas une mauvaise chose.

Il sautilla vers la cuisine et s'arrêta soudain.

— Où sont les chats?

— Je ne les ai pas vus, fit Patrick en haussant les épaules.

— S'ils sont comme mon C. G., vous les trouverez sans doute sur le lit le plus moelleux, dit Anne. Par un temps pareil, c'est l'endroit idéal pour un chat.

— Non, ils vont rarement là-haut, fit Greg en se penchant vers les bouteilles. Il y fait trop froid pour eux. Leurs endroits préférés sont situés devant le foyer et au pied du fourneau. Paddy, tu veux ouvrir la bouteille et aller chercher des verres?

Il revint s'asseoir et posa à nouveau sa main sur l'épaule de Kate.

— Ne vous inquiétez pas. Nous sommes en sécurité.

— Je n'arrête pas de penser à ce pauvre Bill, fit Kate en acceptant le verre que lui tendait Patrick. Je n'arrive pas à croire que tout cela soit arrivé. C'est impossible, démentiel. De tels événements n'ont rien de réel.

D'un air absent, elle pressa la main de Greg. La chaleur et la force de ses doigts la rassurèrent.

— Je crois qu'ils sont bien réels, dit Anne. Je suis encline à penser que les incidents dont vous avez été témoins ont des causes entièrement naturelles. N'importe quelle automobile peut déraper par mauvais temps, à plus forte raison sur une route sinueuse et glacée. Les gens croient facilement apercevoir des choses dans la pénombre — si, Kate — et la peur se communique facilement d'une personne à l'autre, surtout quand elle se trouve justifiée par un événement réel. N'oublions pas qu'il y a eu meurtre.

— Mais les choses ont commencé bien avant. Souviens-toi de tout ce dont nous avons discuté au téléphone.

Kate se déplaça légèrement de façon à s'appuyer contre le bon genou de Greg.

— Des esprits frappeurs centrés sur Alison? Je crois que c'est possible. Elle me paraît en ce moment très perturbée du point de vue émotionnel, ajouta-t-elle en regardant les deux jeunes filles qui semblaient dormir profondément sur leur lit de fortune.

— Ainsi, vous croyez à l'existence des esprits frappeurs? demanda Greg.

— Oui, en ce qu'ils sont la manifestation extérieure d'un conflit psychique. L'énergie engendrée par le cerveau est étonnante, vous savez.

— Assez pour envoyer une automobile au milieu d'un marais ou incendier une grange?

— Un rôdeur pourrait facilement avoir mis le feu à la grange, Greg.

Kate avait accepté la perte de sa voiture avec un flegme surprenant. Après tout ce qui était arrivé, cela semblait bien négligeable.

— Les chats ne se trouvaient pas dans la grange, au moins? demanda Patrick.

— Bien sûr que non. Ils n'y vont qu'en été, lorsque les oiseaux y nichent. D'ailleurs, les portes étaient fermées.

— Ne t'en fais pas, Paddy, intervint Anne. Ils ont dû disparaître au premier signe de danger. Les chats possèdent un sixième sens pour ces choses-là. Dites, fit-elle en se levant, y a-t-il un petit coin au rez-de-chaussée?

— A l'autre bout du vestibule, derrière le bureau, expliqua Kate. Tiens, prends cette chandelle.

Le couloir semblait très froid après la chaleur du foyer. En protégeant la flamme de sa chandelle, Anne passa devant la porte du bureau. Un courant d'air en provenait. Toutes sortes d'objets épars traînaient par terre. Elle leva sa chandelle en faisant attention de ne pas trébucher sur les chaussures, les cannes, la nourriture pour chat, une boîte remplie de ce qui semblait être des cailloux, des décorations de Noël et des rouleaux de papier d'emballage qu'on devait être sur le point de ranger... Elle s'arrêta. Quelque chose avait bougé devant elle. Peut-être un des chats ? Elle tendit sa chandelle à bout de bras, mais sans mieux voir. Puis il y eut un nouveau mouvement et elle discerna une silhouette humaine.

— Qui est là ?

Anne fut atterrée de constater que sa voix tremblait. Pour toute réponse, elle n'obtint que le gémissement du vent sous la porte d'entrée. Les voix du salon ne parvenaient plus jusqu'à elle.

— Qui êtes-vous ? dit-elle plus fort.

Anne restait clouée sur place, incapable d'avancer d'un seul pas pour éclairer ce qui se tenait devant elle.

— Arrêtez de jouer ! Qui est là ?

Elle huma l'air. Un parfum riche, exotique, couvrant à peine une odeur de terre humide, parvint à ses narines. Ses mains se mirent à trembler et la flamme de la chandelle vacilla.

— D'accord, Lady Claudia, montrez-vous.

Elle réussit à faire un pas en avant, malgré la faiblesse de ses jambes. Devant la porte des toilettes, la lueur de la chandelle révéla d'autres vestes et imperméables suspendus à des crochets au mur. Rien d'autre, pas de fantôme, pas de dame romaine. Anne inspira profondément et posa une main moite sur la poignée. La petite pièce était coquette, avec ses rideaux vert pâle et sa carpette moelleuse. Une serviette verte était accrochée au mur, près du porte-savon. Anne jucha sa chandelle sur le rebord de l'étroite fenêtre et se tourna. Dans le lavabo se trouvait un petit tas de terre noire, au centre duquel s'agitaient plusieurs asticots blanchâtres.

58

Les dunes étaient couvertes de neige et, sous le clair de lune, de longues ombres brunes s'étiraient sur le sable. A mesure que les nuages accouraient inexora-

blement du nord-est, le ciel, d'abord opalescent, puis couleur d'étain, semblait se rapprocher du sol. Aucun oiseau ne chantait. Seul le vent dans les arbres, derrière le cottage, rompait le silence. La tombe était enfouie sous son manteau blanc.

Le jeune homme qui se tenait immobile au bord de l'excavation ne laissait ni ombre ni empreintes de pas derrière lui. Comme la femme qu'il aimait, il avait soif de vengeance. Aucun dieu bienveillant n'était venu accueillir son âme, car en exhalant son dernier souffle, il avait fait le vœu de revenir, et ce vœu l'avait tenu séparé de son amour. Nul besoin de fouiller les astres lointains à la recherche de son assassin : Marcus Severus Secundus était lié à cet endroit par le sang, le sang de ses victimes. Sa haine les avait maintenues dans l'impuissance pendant des siècles, mais une fillette les avait libérées sans le savoir. Grâce à elle, le secret serait révélé et justice serait faite.

Au-dessus de lui, de lourds nuages dissimulèrent brusquement la dune. La terre plongea de nouveau dans l'obscurité et la neige se remit à tomber. Lentement, l'ombre de celui qui avait été Nion se dissipa, ne laissant subsister que son désir de vengeance envers Marcus et son amour pour Claudia.

Alison sentit un cheveu dans sa bouche. Elle l'enleva, ouvrit les yeux et aperçut une tête près de la sienne. C'était Sue. Elle dormait à poings fermés. Alison bougea légèrement la tête, mais une violente douleur fit explosion derrière ses tempes. Que faisaient-elles par terre ? Et pourquoi ces chandelles ?

— Sue ! chuchota-t-elle en donnant un coup de coude à sa voisine. Eh, Sue !

Alison réussit à s'asseoir, mais la tête lui tournait. Elle aperçut la mère de son amie endormie sur le canapé. Pourquoi étaient-elles toutes dans le salon, devant la cheminée ?

— Sue ! dit-elle d'un ton péremptoire.

— Quoi ? fit son amie en ouvrant les yeux.

— Depuis combien de temps es-tu ici?

— Je n'en sais rien. Des heures. Est-ce que tu vas bien? demanda Sue en se redressant subitement pour la dévisager.

— Bien sûr que je vais bien. Pourquoi?

— Ils disaient que tu étais devenue bizarre.

— Qu'est-ce que tu veux dire par «bizarre»?

— Je ne sais pas. Toutes sortes de choses étranges se sont produites. Maman et moi avons eu un accident avec la Land Rover! Et nous avons vu ton fantôme, le Romain.

— Tu l'as vu? dit Alison en ouvrant de grands yeux. C'est pour cela que vous êtes ici?

— Je pense. Papa nous a trouvées. Il ne s'est même pas mis en colère. Je crois qu'il a peur.

Elles réfléchirent un moment en silence.

— Où sont passés les autres?

— Je l'ignore, dit Sue, de plus en plus inquiète. Tu veux que j'aille voir?

— Non! Ne me laisse pas.

Serrées l'une contre l'autre, les deux jeunes filles attendirent en silence, pendant que Cissy murmurait quelque chose dans son sommeil. Dans la pièce, le silence semblait tout envelopper. Même le feu ne faisait aucun bruit. Lentement, la senteur douceâtre du bois de pommier brûlé céda la place à une odeur de terre mouillée.

59

Le visage crispé, Greg et Patrick se penchèrent au-dessus du lavabo. Kate serrait la main de sa sœur.

— Tu l'as vue. Tu as vu Claudia.

— Enfin, pas exactement...

— Mais tu as senti son odeur. Tu as senti sa présence. Tu as vu la terre, les vers qu'elle laisse partout où elle passe!

Anne fit un geste nerveux.

— Retournons donc au salon. Vous en avez assez vu.

La lumière des chandelles dansait follement au plafond de la petite pièce. Appuyé sur sa canne, Greg se détourna en grimaçant de douleur.

— Elle a raison, allons-nous-en.

Dans le salon, Sue et Alison étaient assises au milieu d'un tas de couvertures. Les deux jeunes filles semblaient effrayées.

— Où étiez-vous? demanda Alison d'une voix tendue.

Son frère lui lança un regard inquisiteur et s'assit lentement dans son fauteuil.

— Nous avons tous l'air d'orphelins pris dans une tempête! dit-il d'un ton dégagé. Alors, comment allez-vous toutes les deux?

— Pas très bien. J'ai l'air affreuse, dit Susie, dont le visage était encore plus pâle que celui de sa compagne.

— Et toi, Allie?

— Je me sens bizarre, fatiguée. Qui est-ce? fit-elle en remarquant Anne.

— Oh, pardon! J'oubliais de faire les présentations! s'exclama Kate. Voici ma sœur, Anne. Elle a vraiment choisi le mauvais week-end pour venir me rendre visite. Désirez-vous manger quelque chose? Diana a fait de la soupe. Elle est encore chaude.

Alison secoua la tête.

— Je serais incapable de manger quoi que ce soit.

— Même chose pour moi, dit Sue, dont la pâleur tournait lentement au vert. Pourrions-nous aller dormir dans ta chambre, Allie?

— Non! s'écria Patrick, à leur grande surprise.

— Pourquoi pas? demanda Alison d'un air de défi.

— Je ne crois pas qu'elles courent de risque à l'étage, Paddy, coupa Greg. Pas si elles restent ensemble. Montez donc, les petites. C'est une bonne idée. Emportez vos couvertures. Un bon lit chaud vous fera du bien à toutes les deux.

Elles ramassèrent oreillers et couvertures et disparurent dans l'escalier. Le silence qui se prolongeait dans le salon mettait leurs nerfs à rude épreuve.

— Tu n'aurais pas dû les laisser monter, Greg, dit Paddy dès que la porte menant à l'escalier se fut refermée. Tu sais que ce n'est pas prudent.

— Qu'est-ce qui n'est pas prudent? fit la voix de Cissy, faible mais parfaitement claire.

Greg lança un regard à son frère.

— Paddy songeait au bruit que font ces deux-là quand elles sont ensemble. Après tout, nous sommes au beau milieu de la nuit.

Cissy resta un moment les yeux rivés au plafond.

— Je venais vous inviter tous à déjeuner chez nous, dit-elle soudain. Quelqu'un a surgi devant la Range Rover. Je me souviens que j'ai essayé de l'éviter, mais j'ai perdu la maîtrise du volant.

Elle tourna la tête vers Kate qui s'était assise par terre, juste à côté d'elle.

— L'ai-je heurté?

— Personne n'a été blessé, sauf vous.

— Joe…

— Il dort là-haut, où vous devriez également vous trouver.

— Ai-je des fractures aux côtes?

— Diana affirme que non. Nous n'avons pas pu faire venir un médecin et le téléphone ne fonctionne toujours pas. Comme il s'est mis à neiger, Joe a préféré rester jusqu'au matin.

— Vous pourriez dormir dans la chambre de Paddy, madame Farnborough, dit Greg, si vous êtes en état de monter l'escalier.

Avec l'aide de Kate et de sa sœur, elle y réussit. Cissy se lava le visage, enleva avec difficulté sa blouse déchirée et ensanglantée et mit le peignoir de Diana avant de s'allonger sur le lit. Malgré la douleur, elle se rendormit presque immédiatement. Sur le palier, les deux sœurs se concertèrent du regard et ouvrirent sans bruit la porte de la chambre d'Alison. Les jeunes filles y dormaient tranquillement, pelotonnées dans le lit étroit.

— Tout va bien, là-haut ? demanda Greg, lorsque Kate et Anne revinrent au salon.

— Oui, dit Anne, tout le monde dort.

— Aucune odeur étrange, pas de terre là où il n'en faut pas ?

Elle secoua la tête.

— Dieu merci ! Nous allons pouvoir dormir à notre tour.

— Je crois plutôt qu'il faut discuter. D'ailleurs, nous ne devrions pas tous dormir en même temps. L'inconscient est très vulnérable durant le sommeil. Nous devons rester sur nos gardes.

— Ainsi, vous reconnaissez que nous avons affaire à quelque chose de surnaturel, dit Greg en la regardant s'asseoir sur un coussin près du feu.

— Je m'efforce simplement d'avoir l'esprit ouvert. Quoi qu'il en soit, j'ai certainement vu quelque chose tantôt. Vous aviez raison : il s'agit d'un phénomène centré sur Alison. Après notre conversation téléphonique, Kate, j'ai lu quelques ouvrages sur les fantômes et les esprits frappeurs, car ton récit m'intriguait. Apparemment, il existe deux écoles de pensée. La première veut que les événements dits surnaturels soient engendrés par l'inconscient de jeunes personnes — des adolescentes, par exemple. Ces événements ont un caractère bien réel, mais plutôt subjectif qu'objectif. La deuxième théorie veut que de réelles entités soient à l'œuvre. Certains auteurs respectés affirment que les esprits frappeurs sont de véritables êtres désincarnés qui vivent de l'énergie émotionnelle des gens. Les adolescents présentent souvent un trop-plein de ce genre d'énergie. Accepter une de ces deux théories équivaut à reconnaître que les forces à l'œuvre sont considérables ; assez pour allumer des incendies, déplacer des objets lourds et produire des manifestations physiques comme la matérialisation de terre et de vers. Les esprits frappeurs ne constituent habituellement pas un danger. Ils sont plutôt malicieux que maléfiques. Peut-être suivent-ils en cela le caractère de la personne autour de laquelle ils sont centrés.

— Mais si l'esprit entre en possession d'un être humain pour se servir de sa force? dit Greg lentement.

— Nous présumons que Marcus s'est emparé d'Alison, se hâta de dire Kate. Jamais elle n'aurait pu agir comme elle l'a fait avec ses propres forces.

— Est-ce vraiment important? coupa Patrick. Avant tout, il faut empêcher que cela ne se reproduise et chasser Marcus.

— Tu as raison, Paddy, fit Anne en entourant ses genoux de ses bras.

Elle se mit à contempler le feu et la pièce se trouva plongée dans un long silence.

— Alors? demanda enfin Greg. Comment doit-on s'y prendre?

— J'aimerais bien le savoir, répondit Anne, désemparée. Si nous avions un prêtre parmi nous, il essaierait la Bible, l'eau bénite, enfin, ce genre de choses.

— Même si nous croyions à toutes ces salades, ce serait peine perdue car nous n'avons pas de prêtre parmi nous, reprit Greg d'un ton irrité. Nous avons une psychologue, quelqu'un qui comprend l'esprit humain. Alors pourquoi ne pas présumer qu'Alison est à l'origine de tout cela, qu'elle a attiré un fantôme?

Kate jeta un regard à sa sœur, puis à Greg.

— Il a essayé de s'emparer de vous, Greg, n'est-ce pas? Vous m'avez raconté sa tentative.

— Pourquoi ne m'en avoir rien dit? demanda Anne avec surprise.

— Parce que je me demande encore s'il ne s'agissait pas de mon imagination, voilà pourquoi.

— Racontez-moi ce que vous avez senti.

— Eh bien, c'était absolument terrifiant. Je me

sentais envahi par une rage et une haine qui ne m'appartenaient pas.

Il se tut un moment, les yeux fixés sur les bûches rougeoyantes.

— La première fois, quelqu'un est venu me parler et il est parti. La seconde fois, j'ai réussi à le chasser, mais je me suis demandé si je n'étais pas en train de perdre la boule.

— Allie n'a pas pu faire la même chose. Elle n'a pas eu cette chance, murmura Kate.

— Il l'a utilisée jusqu'à ce qu'elle n'ait plus d'énergie, continua Greg. Alors, comment devons-nous le combattre ?

Anne ferma les yeux.

— L'ennui, c'est que je ne suis pas parapsychologue. Je ne suis pas sûre de savoir par où commencer.

— Commençons par parler à Allie.

— C'est facile à dire, fit-elle en secouant la tête, mais un examen approfondi pourrait avoir des conséquences extrêmement néfastes.

Incapable de rester en place, Patrick se rendit à la cuisine et remplit la bouilloire.

— Vous avez dit que nous ne devrions pas dormir. Croyez-vous que Marcus pourrait prendre possession de l'un d'entre nous pendant son sommeil ? demanda-t-il en dissimulant mal sa peur.

— Cela me semble peu probable ; néanmoins, nous devons rester sur nos gardes.

— Mais les autres, là-haut ? Ils sont vulnérables.

— Ne faudrait-il pas les réveiller ? demanda Kate.

— Roger et Diana ne semblaient pas inquiets. Joe non plus. Ils sont plus âgés, bien entendu, et n'ont peut-être pas autant d'énergie que leurs enfants. Quant à Susie et Cissy, leurs expériences récentes les ont peut-être vidées de leurs forces vitales à tel point qu'elles ne pourraient plus lui être utiles.

— Je vais aller voir, dit Kate en se munissant d'une chandelle.

Le puits de l'escalier était froid et obscur. Avant

de monter, Kate regarda derrière elle. Dans la cuisine, Patrick remplissait la théière d'eau chaude. Anne et Greg étaient sans doute encore assis dans le salon, et regardaient les flammes d'un air morose.

Elle monta une marche, puis une autre, protégeant sa chandelle de la main. Une odeur de naphtaline, provenant sans doute d'une armoire à linge, l'accueillit en haut de l'escalier. Kate s'immobilisa un moment pour que la flamme de sa chandelle se stabilise. Des ombres démesurées s'agitaient le long des murs roses. Un ronflement sonore provenait de la chambre de Greg. C'était Joe. Retenant son souffle, elle ouvrit doucement la porte. Il faisait un noir d'encre dans la pièce, mais le ronflement, brusquement amplifié, était paisible et régulier. Kate passa ensuite à la chambre des maîtres de maison. Tout était silencieux. Il ne restait plus qu'Alison et Susie. Pour la deuxième fois en une heure, Kate alla inspecter la chambre de la jeune fille. S'approchant du lit sur la pointe des pieds, elle vit les deux visages, auxquels le sommeil conférait un air touchant de vulnérabilité et d'innocence. Elle passa ensuite à la chambre de Patrick, où était installée Cissy.

La blessée dormait, recroquevillée sur le lit. Son sommeil paraissait anormalement agité. Alors que Kate s'approchait, Cissy se mit à geindre. Kate s'arrêta, tandis qu'autour d'elle les ombres dansaient follement sur les murs. La température de la pièce venait de baisser subitement de plusieurs degrés.

— Qui êtes-vous ?

Les mots lui étaient venus spontanément aux lèvres, mais elle ne fit que les murmurer. Secrètement contente qu'on ne puisse la voir, Kate traça rapidement le signe de la croix au-dessus de la tête de Cissy et ferma un moment les yeux pour prier. Lorsqu'elle les rouvrit, la chambre semblait s'être réchauffée. La jeune femme sortit lentement à reculons et ferma la porte.

Les traits tirés par le manque de sommeil, Patrick

posa par terre, devant le foyer, le plateau qu'il portait et se laissa tomber dans un fauteuil.

— Nous allons nous en tirer, n'est-ce pas, Greg ?
demanda-t-il d'une voix mal assurée.

Greg étudia le visage de son frère et son expression s'adoucit.

— Bien sûr que oui.

— Essaie de dormir un peu, Paddy, fit Kate en
refermant la porte de l'escalier derrière elle.

Elle prit une des tasses en espérant que les autres
ne remarqueraient pas qu'elle tremblait.

Patrick se cala dans son fauteuil et ferma les yeux.

Le silence tomba dans la pièce. Greg sentit ses
paupières s'alourdir irrésistiblement. Dormir : voilà
ce dont ils avaient tous besoin. Demain, ils découvri-
raient que tout cela n'était qu'un affreux cauchemar.

60

Jon s'éveilla en sursaut, essayant de localiser le
bruit qui l'avait tiré de son sommeil. C'était le téléphone, la sonnerie impérieuse d'un téléphone anglais, si différente du bruit monotone et déprimant
des modèles américains. En grognant, il se leva et
enfila sa robe de chambre. Bon Dieu, quelle heure
était-il ? Il se dirigea vers le salon.

— Jon ? Je suis désolée de vous réveiller à pareille
heure.

Ainsi, on était vraiment au milieu de la nuit. Tout
d'abord, il fut incapable de reconnaître la voix de
son interlocutrice, puis la lumière se fit : c'était la
mère de Kate.

— Bonjour, Anthea, comment allez-vous ?

— Je vais bien, merci. Pardonnez-moi d'appeler
si tôt, mais je suis inquiète.

— A propos de Kate ?

N'avait-elle pas informé ses parents qu'ils avaient rompu ?

— A propos de mes *deux* filles. Anne a pris l'avion pour aller retrouver sa sœur. Je ne parviens pas à les joindre, ni l'une ni l'autre, et le temps a l'air affreux sur la côte est.

Jon se pencha et souleva le rideau. Dans la rue s'étalait une épaisse couche de neige, sous le lampadaire. S'il faisait aussi mauvais à Londres, qu'est-ce que cela devait être là-bas !

— Je suis désolé, Anthea, mais j'arrive des Etats-Unis. Moi non plus, je n'ai pas pu joindre Kate. Apparemment, sa ligne est coupée.

Il coinça le combiné entre sa tête et son épaule et tendit la main vers la bouteille de whisky.

— Mais je suis sûr qu'elles vont bien.

— Vous le croyez vraiment ? J'ai un mauvais pressentiment. Je ne pourrais pas expliquer pourquoi, mais j'ai la conviction que quelque chose ne va pas.

Jon se versa un double whisky dans le verre qui traînait là depuis la nuit précédente, mais le posa sans l'avoir porté à ses lèvres.

— Anthea, Kate vous a-t-elle dit quelque chose à propos de ce qui s'est passé là-bas ? Une chose qui aurait pu vous donner des raisons de vous inquiéter ? A-t-elle fait mention d'un vol ?

Probablement pas : jamais Kate n'aurait voulu inquiéter sa mère. Mais il ne lui avait pas parlé depuis des jours. Et si autre chose était arrivé ?

— Elle m'a téléphoné à quelques reprises pour me dire qu'elle était très heureuse, mais je sentais bien qu'elle me cachait des choses.

Jon sourit tristement. Voilà ce qu'on gagnait à vouloir dissimuler la vérité à ses parents. Il se souvenait encore de la façon dont sa mère parvenait toujours à découvrir ses méfaits, quand il était petit. Un vrai limier.

— Jon, je sais qu'entre Kate et vous, cela n'allait plus très bien. Elle m'a dit qu'elle ne retournerait probablement pas vivre avec vous. Est-ce exact ?

— Je n'en sais rien, Anthea, répondit-il en portant enfin le verre à ses lèvres. J'espère qu'elle changera d'avis.

— Vous savez qu'elle a rencontré un homme, là-bas ?

— Un homme ?

Le ton qu'elle avait utilisé était rempli de sous-entendus. Jon se rendit compte que son corps vibrait sous le choc.

— Un artiste. Anne semble croire qu'elle a un faible pour lui. Je lui ai parlé hier, avant qu'elle prenne son avion. Elle semblait très inquiète. Elle a dit que Kate était effrayée. Quelqu'un est entré dans son cottage et l'a saccagé. Elle parlait de fantômes et d'esprits malins...

De toute évidence, Anne, elle, ne craignait pas d'effrayer sa mère.

— Elle exagérait sans doute. Kate m'a raconté cet incident. Ce n'était pas si grave. La police croyait qu'il s'agissait d'un mauvais tour joué par des jeunes.

— Des esprits malins, a dit Anne. Jon, je vous en prie, allez-y et vérifiez si tout va bien.

— Mais le temps est affreux, Anthea. On recommande aux gens de ne pas se lancer sur les routes...

— Jon, je sais que vous êtes inquiet aussi.

Il réfléchit un moment.

— Comme vous l'avez dit, Kate et moi ne vivons plus ensemble.

— Je vois, fit-elle, découragée. Elle ne compte plus pour vous...

— Oh, Anthea, bien sûr qu'elle compte !

C'était la vérité. Elle comptait même beaucoup pour lui. Enormément.

— Je vais téléphoner à la gare pour vérifier si les trains circulent encore, et je verrai si quelqu'un, là-bas, peut m'aider à faire le reste du trajet. Mais je ne peux rien vous promettre.

— La neige ne reste jamais longtemps, à cette époque de l'année, Jon. Il est trop tôt et le sol n'est pas encore gelé. Tout aura fondu demain.

— J'en doute, Anthea, mais je ferai de mon mieux.

Jon n'atteignit Colchester que l'après-midi. Impossible d'aller plus loin. Des dizaines de passagers mécontents envahirent le quai et tous les taxis disponibles furent pris d'assaut. Jon hissa son sac de voyage sur son épaule et regarda autour de lui. S'il parvenait à trouver un taxi, le conducteur serait-il assez casse-cou pour se rendre jusqu'à la côte ?

En fin de compte, le chauffeur qui le prit à son bord se révéla d'une aide précieuse.

— Ils ont dégagé les routes principales, déclara-t-il après avoir étudié la carte de Jon. Je peux vous emmener assez près. Voulez-vous qu'on s'arrête quelque part pour que vous achetiez des bottes de caoutchouc ? ajouta-t-il après un coup d'œil aux souliers de son client.

— Cela me semble une excellente idée, dit Jon.

Il se procura non seulement des bottes, mais aussi une lampe de poche, une petite bouteille de whisky et une longue écharpe jaune, pendant que son chauffeur l'attendait patiemment. Jon revint s'installer à côté de lui, chargé de paquets.

— Scott en route pour l'Antarctique, lança l'homme en riant.

— Je reviens tout juste des Etats-Unis. C'était bien pire, là-bas.

— Mais ils se débrouillent, eux, dit le chauffeur en mettant son véhicule en marche. Ici, tout le pays s'immobilise au moindre flocon de neige. Moi, je crois bien que je vais rentrer après cette course.

— Si nous arrivons.

— Je vais vous laisser au Cygne Noir, sur la route principale. Si vous devez déclarer forfait, autant que ce soit dans un endroit agréable. Mais peut-être qu'un fermier acceptera de vous conduire. Leurs tracteurs peuvent passer n'importe où.

L'idée semblait bonne, car les essuie-glaces avaient de plus en plus de difficulté à repousser la neige qui s'accumulait sur le pare-brise.

De temps en temps, la lumière de phares, pâle sur

le fond blanc du paysage, venait à leur rencontre, les croisait et disparaissait derrière eux.

— Cela empire, non? dit Jon, exprimant enfin son inquiétude.

Le taxi dérapa légèrement et le chauffeur redressa son véhicule.

— Le plus idiot, c'est que nous y sommes presque. Ça ne doit plus être très loin.

— Croyez-vous que nous devrions nous arrêter?

— Non, monsieur. Pete Cutler n'abandonne jamais la partie quand il sait qu'un pub décent l'attend au bout du chemin. On mourrait gelés si on s'arrêtait ici, mon gars. A mon avis, y en a encore pour trois kilomètres. Ah!

Il lança un cri de triomphe en apercevant un point de repère.

— Nous y voilà!

A la façon dont Pete verrouilla les portières de son taxi et suivit Jon à l'intérieur du ravissant petit pub aux murs blanchis à la chaux, il était clair qu'il n'était pas près de rentrer à Colchester.

— Je vais téléphoner à la compagnie pour leur dire que je crèche à ce bon vieux Cygne Noir, cette nuit. Mais avant, ce sera un bon demi pour moi.

Lançant un clin d'œil à Jon, il disparut dans l'arrière-salle. Un feu pétillait dans la grande cheminée, mais il n'y avait personne. Il s'écoula plusieurs minutes avant que le propriétaire apparaisse.

— Je ne m'attendais vraiment pas à voir quelqu'un ici ce soir, dit-il d'un ton joyeux. Comment êtes-vous arrivés ici? En accompagnant le père Noël?

— En quelque sorte. Un whisky pour moi, un demi pour mon chauffeur kamikaze, et servez-vous donc quelque chose. Je suppose qu'il n'y a aucune façon pour moi de terminer mon odyssée? Je voudrais me rendre à la baie de Redall.

— Ce sera plutôt difficile. Il vous faudrait une quatre roues motrices, je crois. Vous allez voir les

Lindsey, ou bien êtes-vous un ami de Bill Norcross ? Je crois qu'il est venu ce week-end.

— Je suis un ami de Bill, c'est exact, ainsi que de Kate Kennedy. Je ne sais pas si vous l'avez rencontrée ? Elle demeure au cottage des Lindsey.

— L'écrivain ? M. Norcross l'a amenée ici, il y a une semaine environ.

— Leurs lignes téléphoniques sont coupées depuis quelques jours et je n'ai pas pu les appeler.

— Une vraie peste, ces téléphones. Ils sonnent toujours quand on veut avoir la paix, et vous lâchent quand on a besoin d'eux. Aimeriez-vous manger quelque chose, monsieur, pendant que je réfléchis à votre problème ?

Il prit un autre verre et l'inspecta sous la lumière.

— Je casserais bien la croûte, dit Jon, dont le moral s'améliorait de minute en minute. Pour vous, Pete, lança-t-il en tendant la bière à son chauffeur, qui revenait dans la salle.

Il prit un moment pour étudier son compagnon. Pete était un solide gaillard. Ses yeux bleu clair, sous ses lunettes à monture dorée, étaient surmontés de sourcils blonds et broussailleux. Il portait sous son anorak deux vestes de laine rouge aux tons discordants.

Les deux hommes allèrent s'asseoir près du feu.

— Tenez, dit Jon en lui tendant le menu. Le moins que je puisse faire, c'est de vous offrir le repas, puisque vous m'avez amené si près du but.

— Voilà qui est gentil. Avez-vous trouvé un moyen de transport jusque là-bas ?

— Le propriétaire réfléchit à la question.

— Cela fait six ans que je connais Ron Brown. C'est un brave type, il va sûrement pouvoir vous aider. Vous savez, je commence à aimer cette aventure.

Après un pâté au poulet accompagné de pommes de terre au four, Pete réussit à persuader Ron de leur prêter sa vieille Land Rover.

— Je suis un chauffeur professionnel, mon gars !

avait-il répété à maintes reprises. Tu sais qu'elle sera entre de bonnes mains.

— Par ce temps ? Alors que tu es rond comme un tonneau ? Je vais perdre mon permis rien que pour te l'avoir prêtée.

— Dans ce cas, nous l'emprunterons sans te le dire.

Pete poussa un soupir de satisfaction.

— J'ai bien mangé et j'ai entendu une histoire intéressante. Je suis tenté d'aller faire une petite chasse aux fantômes pour terminer la soirée. D'ailleurs, pourquoi ne viens-tu pas avec nous ? Tu n'auras sûrement pas d'autres clients ce soir.

Les deux hommes avaient écouté l'histoire du fantôme de Kate, que Jon avait enjolivée sans scrupule.

— Pas question ; mon lit m'attend, merci bien, dit Ron. Je n'ai pas l'intention d'aller où que ce soit par ce temps, et vous en feriez tout autant, si vous aviez un peu de bon sens.

Il fouilla sous le comptoir et en sortit un trousseau de clés qu'il lança à Pete.

— Arrangez-vous pour me la rendre entière demain.

— Merci beaucoup. Nous y ferons attention, promit Jon.

Sur le pas de la porte, ils faillirent se raviser. Le vent s'était levé et la neige tourbillonnait. Jon hésita. Peut-être valait-il mieux attendre le matin, quand le service de la voirie aurait répandu du sable sur les routes.

— Alors, on se lance à l'aventure ? demanda Pete.

Jon fit un signe affirmatif, en éprouvant soudain un regain d'enthousiasme. Pete avait raison. C'était une aventure.

Ils trouvèrent la vieille Land Rover dans un garage situé à l'arrière du pub.

— Etes-vous sûr de pouvoir conduire ? demanda Jon d'un ton dubitatif.

— Sans problème ! s'exclama Pete en faisant partir le moteur du premier coup. Ne vous en faites pas, le pâté et le café ont fait passer la bière. D'ailleurs, personne ne va conduire tout à fait droit, ce soir. Vous n'avez qu'à guetter le chemin qui descend vers la mer.

Il fit sortir le véhicule en marche arrière, traversa la cour et gagna la route. Le pub, avec son toit de chaume et sa rangée de lumières colorées, leur fournit une dernière fois un tableau rassurant et hospitalier avant de disparaître au premier tournant.

— Il a dit un kilomètre et demi, fit Jon en regardant le compteur. Hum! Je me demande combien de fois on a remis ce truc à zéro.

Penché sur son pare-brise, ses sourcils broussailleux froncés, Pete se concentrait sur la conduite.

— Un kilomètre et demi, ce doit être approximatif, reprit Jon. Les gens jugent toujours mal les distances.

— Pas cette fois. Regardez.

Pete ralentit et immobilisa son véhicule. A leur droite, un chemin étroit s'enfonçait parmi les arbres. Une voiture couverte de neige était garée sous les branches. Non loin, un écriteau affichait un message maintenant illisible.

— Chemin privé vers Redall, devina Pete. Vous voulez aller jeter un coup d'œil?

Jon sortit de l'habitacle et traversa l'asphalte glissant. Après avoir enlevé la neige recouvrant l'écriteau avec sa manche, il put lire: «Ch...n privé vers Red...». Les mots étaient presque effacés. Il s'approcha de la voiture et nettoya le pare-brise. Un autocollant «Europ-car» y était collé.

— C'est bien ici, dit-il en regagnant le véhicule, et ce doit être la voiture qu'Anne a louée à l'aéroport. Au moins, elle a pu arriver jusqu'ici. Qu'allons-nous faire? Essayer de descendre avec la Land Rover?

Pete fit la grimace.

— Ron a dit que c'était un foutu chemin, même par beau temps. Je ne comprends pas pourquoi les gens le laissent dans un tel état. Il faudrait le faire niveler et goudronner. Cela ne coûte pas les yeux de la tête et cela ménagerait quelques essieux.

Il rangea la Land Rover sur le bas-côté.

— Je propose qu'on y aille à pied.

— D'accord.

Jon s'était senti soulagé lorsque Pete avait décidé de l'accompagner. L'idée d'effectuer, seul dans le noir, le long trajet à pied du pub jusqu'ici ne lui souriait guère. Il ne croyait pas un instant aux histoires de fantômes de Kate, mais la solitude de l'endroit, la neige, le silence et le vent pouvaient ébranler les nerfs les plus solides.

Une fois la Land Rover garée sous les pins, à côté de la Fiesta rouge, ils en sortirent le sac de voyage de Jon, ainsi que quatre cannettes de bière, cadeau de Ron.

— Prêt? demanda Pete à son compagnon.

— Prêt.

Jon s'efforçait de sourire, mais subitement il s'était mis à frissonner.

61

Les cris de cauchemar se faisaient de nouveau entendre. La haine et la colère la forcèrent à sortir du lit et à écouter, debout au beau milieu de la pièce. C'était un bruit lointain. La mer. Le danger venait maintenant de la mer. Elle pouvait entendre le rugissement des vagues, voir la muraille d'écume s'abattre sur les dunes.

Raconte-leur. Raconte-leur mon histoire.

C'était au tour de Claudia. Sa voix s'élevait au-dessus des hurlements du vent.

Raconte-leur. Raconte-leur. Que le monde entier soit juge.

Mais il revint. Marcus. Sa voix domina. Haine. Colère.

Non!

Pivotant lentement sur elle-même, Alison porta ses mains à sa tête. Ils luttaient à l'intérieur d'elle, luttaient pour s'emparer de ses dernières forces.

La tombe. Elle devait se rendre à la tombe.

Il fallait la sauver des eaux.

Elle devait mourir.

Mourir avec la putain enfouie dans l'argile.

La porte s'ouvrit d'elle-même en silence et la jeune fille quitta sa chambre, pieds nus sur le tapis. Alison se dirigea vers l'escalier et descendit les marches, sans rien percevoir d'autre que la vision qui avait investi son cerveau. Dans l'obscurité absolue qui régnait au bas de l'escalier, ses doigts trouvèrent sans hésitation la poignée de la porte. Sans faire de bruit, elle avança parmi les corps allongés dans le salon.

Devant le feu, Patrick s'agita dans son fauteuil. Absolument épuisé, il n'ouvrit même pas un œil lorsqu'un courant d'air froid, venant de l'entrée, raviva les flammes dans le foyer.

Toujours nu-pieds, Alison s'immobilisa sur le seuil, regardant sans le voir le paysage enneigé. Dans son sommeil, elle enfila ses bottes et sa veste, et sortit en refermant doucement la porte derrière elle.

Dans le salon, les autres continuaient de dormir.

62

Jon et Pete progressaient lentement, enfonçant dans la neige à chaque pas. Le monologue de Pete avait fini par se tarir, à part un juron bien senti lorsqu'il glissait dans les ornières. Jon s'arrêtait de temps à autre pour regarder au loin. La neige tombait maintenant moins fort et la lune, au-dessus des nuages, éclairait les arbres d'une lumière blanche et mate. Jon était persuadé qu'ils étaient perdus. Le chemin qu'ils suivaient semblait s'être dérobé sous eux et les deux hommes avançaient au milieu de taillis et de ronces.

— Nous ne devrions plus être très loin, maintenant, lança Jon en se retournant.

— Ah oui ? J'ai l'impression que cet endroit est comme un village fantôme qui ne réapparaît que tous les cent ans.

— J'espère que vous vous trompez, se récria Jon du fond du cœur.

Une bourrasque traversa ses vêtements et le fit frissonner. A quelque distance de là, le bois se mit à changer. Les buissons devinrent plus espacés. L'air sembla se refroidir et, à un tournant du chemin, Jon et Pete se trouvèrent au bord des dunes.

— Qu'est-ce qu'on fait maintenant ? dit Jon en plissant les yeux.

— J'entends la mer. Elle doit être rudement proche.

En grimpant au sommet d'un des monticules de sable, ils aperçurent la plage. Des brisants furieux se déversaient sur le rivage tandis qu'au-dessus des vagues roulaient de lourds nuages bruns porteurs de neige.

— Quelle direction prendre, d'après vous ? demanda Jon en se tournant vers Pete.

— A gauche.

Il fit demi-tour et se mit à l'abri derrière la dune.

— Allons. Ce ne sera pas beau quand cette bordée-là va se mettre à tomber.

Il s'écoula ce qui leur sembla des heures avant que ne se dresse la silhouette du cottage.

— Le voilà !

S'élançant avec une énergie nouvelle, ils franchirent les dunes et traversèrent le jardin couvert de neige, conscients du tumulte des eaux derrière eux. Selon la météo, la marée allait monter considérablement cette nuit.

Devant la porte d'entrée, ils purent enfin s'abriter du vent.

— Pourvu qu'elle soit là !

Jon eut un pressentiment désagréable en découvrant le cottage plongé dans l'obscurité. On aurait dit qu'il était vide. Mais qui pouvait blâmer Kate d'être partie ? Si lui vivait ici, à un jet de pierre de la mer du Nord, et qu'il avait entendu des prévisions météorologiques aussi mauvaises, il aurait sûrement évacué les lieux.

Devant la porte d'entrée, la neige ne montrait aucune trace de pas. En tendant la main vers le heurtoir, Jon croisa subrepticement ses doigts engourdis.

La porte s'entrouvrit au premier coup.

— Kate ? lança-t-il en poussant le battant.

Un profond silence lui répondit. Il fit un pas à l'intérieur.

Ses doigts rencontrèrent un interrupteur. Il l'actionna plusieurs fois sans résultat.

— Plus d'électricité.

— Ça sent mauvais, ici, fit remarquer Pete. Quelqu'un a vomi.

Il sortit sa lampe de poche et pointa le rayon lumineux devant lui.

— De toute évidence, il n'y a personne ici.

Il s'avança et poussa une porte.

— C'est la cuisine. Pas d'électricité ici non plus.

Il se tourna vers l'autre porte et l'ouvrit.

— Le salon. Il y a un poêle à bois. Nous pourrions au moins l'allumer. Nom de Dieu !

— Qu'y a-t-il ?

Le rayon de lumière était dirigé vers le canapé. Jon entra dans la pièce à son tour.

— Seigneur !

Les deux hommes restèrent un moment sans bouger, les yeux fixés sur la forme voilée par une couverture. Ce fut Jon qui s'approcha le premier. Derrière lui, Pete éclaira le visage tuméfié.

Jon ferma les yeux et crut un instant qu'il allait se trouver mal. Il réussit pourtant à se maîtriser et sortit de la pièce en titubant. Pas besoin de vérifier, l'homme était mort.

— Vous le connaissez ? demanda Pete en le suivant.

— Oui. C'est Bill Norcross.

Ils retournèrent à la cuisine, Jon le visage caché dans ses mains.

— Mais qu'est-il arrivé, ici ?

— D'après moi, on l'a passé à tabac. Nom de Dieu, Jon ! Où est votre petite amie ? Et sa sœur ?

Jon hocha la tête, incapable de parler. Il tremblait comme une feuille. Pete tendit la main vers le vaisselier. La lumière de sa lampe de poche avait révélé une bouteille de whisky au milieu d'un tas de terre, mais elle était vide.

— Restez là, mon vieux, pendant que je jette un coup d'œil au reste de cette bicoque.

— Non, je vais avec vous.

Les deux hommes grimpèrent l'escalier quatre à quatre. Pete ouvrit la première porte, puis la deuxième. Les deux pièces étaient vides. Ils examinèrent la chambre de Kate et virent du sable et de la terre sur le parquet. Les couvertures formaient un tas au milieu du lit défait, sur lequel il y avait également de la terre, dont l'odeur imprégnait la pièce. On percevait simultanément une fragrance si puissante qu'elle effaçait la puanteur montant du rez-de-chaussée.

— Elles ont dû partir, dit Pete en constatant l'évidence.

Jon s'assit sur le lit. Sa main errant sur les couvertures rencontra la chemise de nuit de Kate, roulée en boule sous les oreillers. Il la reconnut tout de suite. Elle était bleue, rayée de bandes écarlates. Jolie, presque masculine. Il se souvint de la façon dont les longues jambes de Kate étaient mises en valeur par la bordure indécemment haute. Mon Dieu, Kate ! Où était-elle ?

— Allons à cette ferme. Elle ne doit pas être bien éloignée. C'est là qu'on va les retrouver.

La voix de Pete était forte, confiante. Pour la

seconde fois, Jon remercia le hasard de lui avoir fait rencontrer ce chauffeur de taxi de Colchester.

Au-dehors, il n'y avait plus aucun indice de la direction à suivre. Le chemin était recouvert depuis longtemps par la neige. Pete promena le rayon de sa lampe de poche autour de lui une dernière fois et aperçut soudain des empreintes. Des traces de pas récentes, qui passaient près de la porte et se dirigeaient vers la mer.

— Quelqu'un est venu ici il y a dix minutes à peine, pendant que nous étions à l'intérieur.

— Kate ? Anne ?

Les deux hommes courbèrent la tête dans le vent, retournant vers les dunes couvertes de neige d'où ils étaient venus.

63

Roger fit irruption dans le salon, l'air bouleversé.

— Au nom du ciel, où est-elle ?

— Qui, papa ?

Greg s'étira avec lassitude. Ils avaient tous fini par s'assoupir. Dans la cheminée, il ne restait plus que des cendres froides. Il frissonna.

— Alison. Où est Alison ?

— Elle n'est pas là-haut ?

Patrick fut le premier debout.

— Je vais voir.

Roger se laissa tomber dans le fauteuil que son fils venait de quitter. Il semblait avoir vieilli de dix ans au cours des dernières heures. Kate remarqua la teinte grisâtre de son visage.

— Voulez-vous du thé ? demanda-t-elle en se levant. Il faudrait rallumer le feu.

Elle alla à la fenêtre et ouvrit les rideaux. Il ne faisait pas encore jour. La neige était tombée en abondance, mais le ciel restait menaçant. Le vent faisait trembler les vitres et agitait les branches des arbres.

Kate remplissait la bouilloire quand Patrick revint en trombe dans la pièce.

— Elle n'est nulle part. Ses bottes et sa veste ont disparu. Je n'arrive pas à croire qu'elle soit passée parmi nous sans nous réveiller.

Il s'assit sur le canapé, complètement abattu.

— Elle est encore allée là-bas! Dieu seul sait depuis combien de temps elle est sortie! Va voir s'il y a des traces de pas.

Patrick se releva d'un bond.

— Il n'y a aucun signe d'elle, cria-t-il du vestibule. Pas de traces. Rien que des pistes de lapins et de renards.

La porte claqua.

— De toute manière, nous savons très bien où elle se trouve, dit Roger, dont le visage était devenu livide. Elle est sur cette damnée plage. Je vais faire raser cette dune. Je vais la faire disparaître!

Autour de Kate, l'air sembla vibrer, à la fois sous l'effet de la peur et de l'exultation. Pendant un instant, elle se demanda si ce n'était pas le fruit de son imagination. En frémissant, elle chercha des tasses.

— C'est ce qu'il désire, lança-t-elle par-dessus son épaule. C'est ce que Marcus veut.

— Quand il l'aura obtenu, peut-être nous laissera-t-il enfin tranquilles!

Roger se laissa à nouveau aller contre le dossier de son fauteuil en fermant les yeux.

— Lui, peut-être, mais pas Claudia, dit Patrick en revenant s'asseoir à côté de son père. La seule façon de mettre fin à tout cela est de faire effectuer des fouilles en règle.

— Et tu crois que nous en aurons enfin terminé avec toute cette horreur? demanda Diana qui venait de descendre l'escalier.

Elle portait encore sa blouse fripée et tachée de sang. Kate ne parvenait pas à se souvenir d'où venaient ces taches.

— Je n'arrive pas à croire que vous restiez tous assis à ne rien faire, alors qu'Alison erre sur la plage par ce temps. Au nom du ciel, faites quelque chose ! Je vais aller la chercher, moi !

— Non, maman, répliqua Patrick en se levant, les traits tirés. Tu dois rester ici pour prendre soin des autres. J'y vais.

Il lança un regard suppliant à Kate.

— J'y vais aussi, naturellement.

— Buvez quelque chose de chaud avant, Kate, dit Roger d'une voix devenue très faible. Et mangez, aussi. Pour autant que nous le sachions, elle est sortie depuis des heures. Cinq minutes de plus ne feront pas une grande différence.

— Je vous accompagne, lança Anne. Il vaut mieux être nombreux, n'est-ce pas ? ajouta-t-elle avec un sourire mal assuré.

Dix minutes plus tard, après avoir terminé leurs tasses de thé et mangé un morceau de pain accompagné de marmelade, ils enfilaient leurs bottes et leurs manteaux.

Dehors, le froid était brutal. Kate pouvait à peine tenir debout et douta de pouvoir effectuer un trajet de plus d'un kilomètre.

Greg les regarda s'éloigner. Ils semblaient tous trois épuisés. Son frère pouvait à peine soulever la lourde carabine qu'il avait vaillamment passée à son épaule. Levant les yeux, il examina le bois, devant eux. Quelqu'un y était-il dissimulé pour épier leurs moindres gestes ? Greg frémit.

Lorsque le trio eut disparu parmi les arbres, il ferma la porte. Pousser les verrous lui parut une terrible trahison, mais il n'avait pas le choix. Lorsqu'il revint en claudiquant dans le salon, Roger était appuyé contre des coussins et luttait pour retrouver son souffle. Diana était penchée sur lui.

— Ton père a eu une crise, mais il va mieux. Repose-toi, mon chéri, poursuivit-elle en caressant le visage de son mari. Tout ira bien. Ils la trouveront. Il fait jour, maintenant, et le temps s'est un peu amélioré.

C'était un mensonge, mais Greg doutait que son

père puisse s'en rendre compte. Roger réussit à sourire faiblement et tapota le bras de Diana tandis qu'elle tirait une couverture sur lui.

— Ça va mieux, chérie, murmura-t-il.

Elle l'embrassa sur le sommet de la tête. Il était visiblement plus détendu et son teint redevenait normal. Diana entraîna Greg vers la cuisine.

— Je suis presque sûre qu'il a eu une crise cardiaque, dit-elle à voix basse.

Greg voulut se tourner vers son père, mais elle le retint par la manche.

— Non. Il le sait sûrement mais il ne dit rien. Peux-tu monter et réveiller Joe ? Il faut absolument ramener un médecin.

Lançant un dernier regard au visage livide de son père, Greg se traîna jusqu'à la porte et se hissa, marche après marche, jusqu'à l'étage, les dents serrées et le front baigné de sueur. Joe ronflait lorsque Greg entra dans la chambre, mais il ne lui fallut que quelques instants pour se préparer.

— Je suis vraiment inquiet de vous voir partir seul, Joe, dit Greg en l'accompagnant jusqu'à la porte.

Joe sourit gravement.

— Ne t'en fais pas pour moi, fit-il en tapotant sa carabine, qu'il portait ouverte sur son bras. Occupe-toi bien des autres.

— Nous sommes en sécurité ici, ne craignez rien, assura Greg d'un air faussement confiant. Allez seulement chercher de l'aide pour papa.

Joe hocha la tête, remonta son col et sortit dans le demi-jour.

64

Les traces de pas qu'ils suivaient s'effaçaient de plus en plus sous la neige. Autour d'eux, aussi loin que portait le regard, le paysage était d'un blanc uniforme. La plage, la mer et le ciel ressemblaient à un cliché vide et flou.

— Elle est allée dans cette direction.

Pete tournait à gauche et à droite comme un limier à la recherche d'une nouvelle piste.

— Ici, on dirait qu'elle s'est arrêtée.

Désespérément, ils scrutèrent le sol enneigé autour d'eux.

— Je ne vois plus rien...

— Là, cria Jon, qui avait retrouvé les traces.

Elles étaient moins profondes et plus espacées, comme si la personne qui les avait laissées s'était mise à courir.

En protégeant ses yeux de sa main, il scruta la mer au-delà des dunes. La plage, aux formes nivelées par la neige, s'étirait sans fin dans les deux directions. Rien ne bougeait.

— Kate !

Le vent et la neige étouffèrent son cri. Le son n'avait sûrement pas porté plus loin qu'une dizaine de mètres.

Pete continuait d'avancer, le visage engourdi par le froid, essayant d'apercevoir d'autres empreintes à travers les flocons tourbillonnants.

— Elle se dirigeait vers la mer, cria Jon au bout d'un moment. Pourquoi ?

— Elle était désorientée ? Prise de panique ? suggéra Pete qui s'arrêta en enfonçant les mains dans ses poches. La pauvre petite a dû avoir la frousse de sa vie. On continue ?

— Bien sûr, dit Jon en tremblant de froid. Jusqu'à ce que nous l'ayons trouvée.

Il repartit, s'enfonçant là où le sable était moins compact.

— Kate !

Le vent dispersa aussitôt son cri.

Le tumulte rageur des voix se poursuivait dans sa tête. Au bord de la tombe remplie de neige, Alison ne vit pas les deux silhouettes qui avançaient péniblement contre le vent.

— Kate!

Le nom parvint à ses oreilles sans qu'elle l'entende. Pour elle, il ne signifiait plus rien.

Putain!

Assassin!

Ils luttaient tous deux en elle, épuisant son énergie vitale. Bientôt celle-ci serait tarie et ils partiraient.

— Ce n'est pas Kate!

Elle n'entendit pas le cri, pas plus qu'elle ne vit les deux hommes qui se tenaient maintenant à ses côtés.

— Qui est-ce, alors?

— Je n'en sais rien, répondit Jon, qui prit doucement Alison par le bras. Est-ce que ça va?

Alison ne broncha pas, le regard fixé sur la neige tourbillonnante.

— Eh, petite, tu m'entends? demanda Pete en la secouant brusquement par l'épaule.

Le visage de Claudia se distinguait à peine contre la neige, mais sa robe, toujours tachée de sang, était aussi bleue qu'un ciel sans nuage. Alison pouvait sentir son désir impérieux, sa peur et sa haine.

Puissent les dieux te maudire, Marcus Severus Secundus, pour ce que tu as fait ici en ce jour.

— Qu'est-ce qu'elle a? demanda Pete à son compagnon.

— Je l'ignore, mais elle est en train de mourir de froid, dit Jon, en enlevant sa veste pour la poser autour des épaules de la jeune fille. Retournons au cottage.

— Je ne sais pas si c'est une bonne idée.

— Moi non plus, mais que faire d'autre?

Les deux hommes échangèrent un regard au-dessus de la tête inclinée d'Alison.

Marcus revenait en force et sa fureur résonnait jusque dans les moindres recoins du cerveau d'Alison.

La tombe. Détruis-la!

Dans un sanglot, elle se libéra des bras de Jon. En

titubant, elle fit quelques pas et lança un coup de pied au sable recouvert de neige.

Détruis-la! reprit la voix masculine, profonde et gutturale.

Jon recula, surpris, puis ramassa la veste qui était tombée des épaules de la jeune fille et la lui remit.

— Allons, dit-il en grelottant. Nous ne pouvons pas rester ici.

— Non! s'écria-t-elle en le repoussant avec violence. N'approchez pas.

Elle jeta la veste par terre et sauta au fond de la dépression dans un dernier sursaut d'énergie.

— Bientôt, la mer viendra la prendre! s'exclama-t-elle en riant à gorge déployée. La mer la détruira enfin! Il aura fallu deux mille ans pour que les eaux l'emportent à tout jamais!

Lentement, elle se tourna pour fixer la mer, ses longs cheveux volant au vent. Jon et Pete, muets d'étonnement, se tournèrent à leur tour. Le vent d'est gagnait en force et précipitait la neige contre le sol. Les vagues démesurées se fracassaient de plus en plus haut sur la plage.

— Alison!

Les deux hommes entendirent à peine le cri. Pendant un instant, aucun d'eux ne réagit, puis Jon fit volte-face et aperçut trois silhouettes qui s'approchaient, presque invisibles dans la neige qui tombait en flocons serrés.

— Kate!

Jon sentit son cœur bondir dans sa poitrine. Il se précipita à sa rencontre. Elle était accompagnée d'un jeune homme et de sa sœur Anne.

— Jon?

Folle de joie, elle réprima son envie de se jeter dans ses bras en apercevant Alison. Elle aurait tout le temps plus tard de questionner Jon sur sa présence ici. Pour l'instant, il fallait s'occuper d'Allie.

Elle se laissa glisser dans l'excavation à la suite de Patrick, qui entourait déjà sa sœur de ses bras.

Alison le repoussa sauvagement et Patrick recula de quelques pas, épouvanté.

— Mais qu'est-ce qu'elle a ? demanda Pete en descendant auprès d'eux.

— Elle est malade. Elle ne se rend pas compte de ce qu'elle fait, expliqua Kate en boutonnant la veste sur Alison sans prendre le temps de lui faire enfiler les manches. Il faut la ramener avec nous. Elle est à bout de forces.

— Elle m'a plutôt l'air d'en avoir encore pas mal en réserve, ma petite, fit Pete en grimaçant.

— Mais il ne s'agit pas d'elle ! Ce ne sont pas ses forces. *Il* la possède. *Il* la vide. Il faut absolument la ramener.

— Je vais la porter, dit Jon.

Sans plus chercher à comprendre, il souleva Alison et prit la direction du cottage. Subitement, il réalisa que les forces de la jeune fille étaient en train de la quitter. Elle lui parut plus légère et son corps devint flasque entre ses bras, alors que l'instant d'avant, il semblait rigide comme l'acier. Jon la serra plus fort contre lui et regarda son visage, d'une pâleur effrayante. La grimace courroucée qui semblait appartenir à quelqu'un d'autre avait laissé place à un air vulnérable. Il frémit et sentit une main se poser sur son bras.

— Je suis si heureuse que tu sois ici, dit Kate en souriant.

Avait-il réellement entendu ces mots à travers le vent, ou était-ce le fruit de son imagination ? Soudain, la tête d'Alison retomba en arrière et ses yeux s'ouvrirent tout grands. Jon s'arrêta, horrifié. La jeune fille était maintenant inconsciente et semblait engourdie sous la veste hâtivement boutonnée.

— Jon, qu'y a-t-il ? demanda Kate en s'arrêtant elle aussi.

— Dépêchons-nous de rentrer, dit-il en reprenant sa marche.

Elle serra davantage la veste autour de la forme

inerte et suivit Jon, qui continuait d'avancer parmi les dunes enfouies sous un épais manteau blanc.

Au cottage, il porta Alison en haut et la posa doucement sur le lit de Kate. Celle-ci tira les couvertures sur la jeune fille et entreprit de lui frictionner les mains pour les réchauffer.

Pete apparut dans l'embrasure de la porte.

— Qu'est-il arrivé à Bill? demanda Jon d'une voix étouffée.

— On l'a agressé dans les bois, près d'ici.

— Agressé?

Kate expliqua succinctement les événements, tout en continuant de frictionner les mains de la jeune fille.

— Il a dit qu'il s'agissait d'une femme. De deux femmes, en fait. Nous l'avons amené ici, mais la ligne téléphonique était coupée. Nous n'avons rien pu faire.

Sa voix se brisa. Jon posa doucement la main sur son épaule.

— A en juger par ses blessures, il n'y avait rien à faire, Kate. Il devait avoir une fracture du crâne.

— Il a dit que c'était Allie.

Les mots étaient sortis presque à son insu. Elle entendit les deux hommes pousser une exclamation étouffée et leva enfin les yeux.

— C'est impossible, n'est-ce pas? Elle n'aurait pu... Il était grand et fort; ce n'est qu'une enfant...

Un silence tomba dans la pièce. Sur le lit, Alison paraissait toujours sans vie. Ses cheveux mouillés s'étalaient en désordre sur l'oreiller et ses mains restaient glacées. Kate s'appuya contre Jon et ferma les yeux. Elle se sentait subitement si fatiguée qu'elle ne pouvait plus faire un geste. Les mains d'Alison lui glissèrent des doigts et pendirent un moment au bord du lit, avant de se serrer brusquement. Alison ouvrit les yeux.

— Ecoutez, dit-elle d'une voix forte et triomphante. La marée monte enfin.

65

Lorsque les forces de Boudicca ravagèrent le pays et brûlèrent Camulodunum, il fut l'un des seuls à s'échapper. Avec sa nouvelle épouse et son enfant, il quitta la ville juste à temps et attendit en sécurité que l'orage passe. Une étincelle avait déclenché l'incendie, comme il s'y attendait, mais elle n'avait pas surgi par sa faute. La malédiction de Claudia ne l'avait pas atteint. Le temps avait effacé le sacrifice d'un prince inconnu aux dieux d'un marais celte. Il triomphait. Plus tard, lorsque la révolte fut matée et que le peuple de Nion connut une fin sanglante, il obtint leurs possessions.

En récompense des services rendus à Rome, il demanda la terre où la putain qu'il avait appelée sa femme était morte. On la lui donna, ainsi que bien d'autres. Il devint riche et gras, acheta encore d'autres terres, devint propriétaire de deux villas. Son fils grandit. Il possédait la riche chevelure rousse et les yeux gris de sa mère. Une fois par an, Marcus se rendait au marécage et contemplait les iris qu'agitait le vent. On venait encore faire de furtives offrandes aux dieux du lieu : des vases remplis de pièces d'or, des bijoux, des armes... Lui n'offrait rien. Il ne lançait ni roses, en commémoration de l'amour enfui, ni dagues aux dieux de la haine. Il restait là, simplement, à contempler les eaux scintiller au soleil, et crachait sur elle et sa malédiction avant de repartir.

— La tempête gagne en force.

Diana laissa retomber le rideau de la fenêtre du bureau et se tourna vers son mari, étendu sur le lit pliant. Ses poings se serraient sans cesse sur la couverture qu'elle avait étendue sur lui.

— Ne t'inquiète pas, Joe va y arriver, murmura-t-il. Jamais une tempête ne l'empêchera de passer. Et les enfants reviendront bientôt.

— Bien sûr, dit Diana en s'efforçant de sourire.

Elle se tourna de nouveau vers la fenêtre, afin qu'il ne puisse pas voir son visage, et scruta encore une fois les tourbillons de neige. Il était quelque part là-bas, elle le sentait. Marcus. Le mal. Il attendait. Mais quoi? L'occasion de se servir d'eux à ses fins? De les vider de leur énergie? Aucune porte ne l'empêcherait d'entrer. Elle regarda Roger avec tristesse, profitant de ce qu'il avait les yeux fermés. Son énergie à lui se dissipait à une vitesse effrayante. Il n'exciterait pas la convoitise de l'esprit maléfique qui s'en était pris à eux. Diana frémit. Il était mourant, inutile de se mentir plus longtemps. Elle assistait, impuissante, à l'agonie de son mari. Elle aurait voulu le serrer dans ses bras, lui insuffler sa propre vitalité, mais il n'y avait rien d'autre à faire que d'attendre. Désespérée, elle sortit sur la pointe des pieds. Dans le vestibule, un courant d'air froid venu de la porte d'entrée l'accueillit. De la neige avait même réussi à s'infiltrer sous le battant et un mince voile blanc couvrait le parquet.

Dans le salon, Cissy et sa fille étaient assises côte à côte sur le canapé. Les yeux de Diana allèrent automatiquement vers le fauteuil le plus près de la cheminée, qu'occupaient normalement les deux chats — une boule noire et une boule blanche — lorsque sévissait le mauvais temps. Assis dans la cuisine, Greg semblait regarder le vide. Elle se dirigea lentement vers lui.

— Comment va-t-il?

— De plus en plus mal, répondit-elle en se tordant les mains.

— Joe va réussir à passer, maman.

— Oui, oui, bien sûr, fit-elle en s'efforçant de sourire. Mais je crois que ce sera trop tard, Greg. Nous devons nous préparer.

Greg entoura sa mère de son bras et l'attira à lui.

— Cela devait arriver un jour. Nous savions qu'il n'en avait plus pour longtemps.

Elle approuva silencieusement.

— Il a toujours dit qu'il préférerait finir ses jours ici plutôt qu'à l'hôpital.

— Je sais, murmura-t-elle.

— Veux-tu que j'aille le voir un peu? demanda-t-il en déposant un baiser sur son front. Va dormir; tu as l'air complètement vidée. Je t'appellerai s'il a besoin de toi.

L'étage était sombre et froid. Elle gagna d'un pas traînant la chambre qu'elle avait partagée avec son mari pendant tant d'années. Par terre, dans un coin, quelques cadeaux partiellement dissimulés sous une couverture lui rappelèrent que Noël n'était qu'à deux semaines.

La petite fenêtre de la chambre laissait passer davantage de lumière, mais la neige atteignait maintenant une épaisseur considérable et ses tourbillons voilaient l'horizon. La fenêtre donnait sur l'est et permettait normalement d'apercevoir la mer, par-delà les dunes. Aujourd'hui, cependant, on ne voyait rien que du gris et du blanc: une gigantesque masse informe et mouvante. Désorientée, Diana se tourna et retint un cri.

La femme qui se tenait près du lit semblait si réelle qu'on pouvait distinguer chaque détail de ses vêtements, de sa peau, de ses cheveux, de ses yeux. L'espace d'une seconde, leurs regards se croisèrent.

— Mon Dieu! s'exclama-t-elle d'une voix effrayée. Que voulez-vous?

Elles se regardèrent en silence encore un instant et la vision disparut.

— Maman!

La voix de Greg, au pied de l'escalier, avait un ton urgent.

Diana courut vers la porte, consciente qu'un parfum étouffant envahissait la pièce.

— Qu'y a-t-il?

— Il veut te voir, dit Greg en retournant vers le bureau.

Enfoncé dans les oreillers et les coussins, Roger respirait avec peine et ses joues, longtemps privées de couleurs, étaient maintenant livides.

— Il est ici, Di, dit-il péniblement. Ce salaud est ici, dans la pièce.

Diana leva un regard épouvanté vers Greg.

— Marcus ! Il a vu Marcus !

Diana s'agenouilla au chevet du lit de fortune et prit la main de son mari.

— Il ne peut pas te faire de mal, mon chéri.

— Ce n'est que trop vrai, malheureusement, puisque je n'ai plus de vie en moi. Ce sont les enfants qu'il veut. Il cherche à leur voler leur énergie, mais il ne l'obtiendra pas.

Il serra la main de Diana si fort qu'elle fit la grimace.

— Je vais lutter contre lui face à face, dit-il d'une voix faible et rauque.

— Roger...

— Il ne s'y attend pas, mais je vais aller le chercher, jusqu'en enfer s'il le faut. Ne vous inquiétez pas, j'ai encore toute ma tête. Je suis mourant, mais lucide. Jamais de ma vie je n'ai cru. Ni au paradis ni à l'enfer, ni à Dieu ni au diable. Mais ce salaud m'a fait comprendre qu'il y a un au-delà. Si son âme peut y survivre, noire comme elle est, alors la mienne le peut aussi !

Son corps fut secoué d'un faible rire tandis que Diana pressait son visage contre les oreillers pour étouffer ses sanglots.

— Je vais enfin savoir à quoi m'en tenir. S'il peut revenir, moi aussi je le ferai. Je reviendrai et je vous dirai tout. Je vais savoir pourquoi elle lui a lancé une malédiction. Elle est ici, vous savez, dans la maison. C'était sa première épouse. Elle est venue m'aider. Elle veut que j'aille le trouver. Je le vaincrai...

— Papa! s'écria Greg en s'agenouillant lourdement de l'autre côté du lit. Papa, ne parle pas ainsi.

— Après ce qu'il a fait à ma fille, tu crois que je vais le laisser s'en tirer comme ça?

Ses yeux avaient un éclat inaccoutumé, mais son regard était lucide.

— Non, bien sûr, mais...

— Il n'y a pas de mais. Ma décision est prise. Je vais le défier. Une quête. Une quête glorieuse dans le monde de l'invisible. Qu'est-ce que vous dites de cette idée?

Il paraissait délirer et se mit à rire de nouveau en pressant la main de Diana. Son rire se termina par une toux déchirante.

— Roger...

Diana essayait désespérément de le calmer.

— De l'eau, Greg, vite. Roger, mon chéri, je t'en supplie, calme-toi. Tout ira bien, tu verras.

— Aie l'obligeance de me traiter comme un adulte, Di, réussit-il à articuler entre deux râles. Je sais très bien que je n'en ai plus pour longtemps. Tu le sais aussi, et Greg également.

Il se tut, à bout de souffle, et but le verre d'eau que son fils avait approché de ses lèvres.

— Je préfère que cela finisse ainsi plutôt que dans un hôpital. J'aime Redall. J'y suis né, tout comme mon père. Peut-être que toi, Greg, ou Paddy y passerez également votre vie. Nous avons cet endroit dans le sang. Qui sait, peut-être descendons-nous de Marcus lui-même? Je fais partie de Redall comme Redall fait partie de moi. Je suis pétri de son histoire. Tout ce que je veux dire, et je m'exprime bien mal, c'est que je suis heureux de mourir ici, et que je ne vous quitterai pas. Je continuerai de vous aimer tous, quoi qu'il arrive. Je resterai, non pour vous faire peur, mais pour veiller sur vous et éloigner Marcus.

Il ferma les yeux, épuisé.

Autour d'eux, la pièce sembla devenir plus sombre.

— Une quête, dit enfin Greg en essayant de contenir son émotion. J'aime bien cette idée.

Si la chose était vraie, si la mort était un simple passage, on ne pouvait l'envisager avec sérénité qu'en ayant la certitude d'être accueilli par des anges dans l'au-delà.

Mais Marcus était un être démoniaque.

66

Les vagues qui se précipitaient contre la plage dans un roulement de tonnerre nettoyaient le rivage de la neige qui y tombait. Les eaux atteignaient maintenant le sable qui n'avait jamais été recouvert par la marée. A chaque nouvelle incursion, elles emportaient un peu de la dune. La tourbe et la terre disparaissaient dans les tourbillons. Une première vague s'infiltra au cœur de la tombe. Elle déplaça une truelle et une brosse et commença à attaquer les ossements. Une autre vague la suivit, puis une autre. Lentement, les dernières traces du forfait s'effacèrent et la mer envahit tout, poursuivant sa route vers les eaux calmes de l'estuaire, bien avant que les oies, fuyant devant la tempête, se soient envolées vers l'intérieur des terres.

Haletant, Joe s'arrêta au sommet du chemin et essuya la sueur qui perlait sur son front. Son visage était engourdi et les larmes que le froid arrachait à ses yeux semblaient geler instantanément sous l'effet du vent. Il regarda autour de lui, épuisé. Deux voitures étaient garées à l'entrée du chemin. L'une d'elles était celle d'Anne, mais à qui appartenait l'autre ? Il se dirigea vers elle et balaya du revers de la main la neige qui recouvrait son capot. La Land Rover de Ron, le tenancier du pub. L'air perplexe,

Joe se tourna vers le chemin qu'il avait emprunté. Si Ron était venu par ici, il n'avait laissé aucune trace.

D'un pas lourd, Joe gagna la route et prit la direction de sa maison, en s'arrêtant à deux reprises pour regarder derrière lui. Pendant qu'il traversait le bois, il avait eu constamment l'impression d'être suivi. Chaque fois, il s'était retourné en balayant de façon menaçante les buissons autour de lui avec le canon de son arme. Jamais il n'avait aperçu quoi que ce fût. Il n'avait entendu que le vent et le fracas de la neige tombant des branches.

Il lui fallut une autre heure pour franchir la courte distance qui le séparait de sa maison. D'une main maladroite, il tira la clé de sa poche et put enfin retrouver la chaleur et le calme de son foyer. Tout était tranquille. Il secoua la neige de ses bottes, laissa tomber son manteau par terre et prit le téléphone. La tonalité familière résonna de façon assourdissante à son oreille.

Neuf, neuf, neuf.

Il n'avait jamais composé ce numéro. Epuisé, il attendit un moment et demanda la police et une ambulance. La femme qui répondit eut l'air sceptique.

— Nous ferons le plus vite possible, monsieur Farnborough, mais on prévoit encore des vents violents et de la neige. L'hélicoptère ne peut pas décoller.

— Faites de votre mieux, dit Joe en s'effondrant sur une chaise. Il s'est passé des choses graves, ici. Un homme a été tué ; un autre est mourant. Je vous en prie, aidez-nous.

Après avoir raccroché, il resta longtemps immobile. Il n'y avait rien d'autre à faire. Retourner là-bas maintenant était au-dessus de ses forces. D'ailleurs, il avait dit qu'il attendrait la police pour la guider. Joe appuya sa tête contre le mur et ferma les yeux.

Deux minutes plus tard, il dormait profondément.

67

Kate leva les yeux vers Jon. Côte à côte, ils regardaient par la fenêtre de la chambre à coucher. Elle ignorait toujours comment et pourquoi il était venu — les explications pouvaient attendre — mais sa présence la réconfortait. Sur le lit, Alison semblait plongée dans une quasi-léthargie. En bas, dans la cuisine, Pete, Anne et Patrick fouillaient dans les tiroirs, à la recherche de chandelles et d'allumettes.

Patrick était mal à l'aise. Il restait douloureusement conscient de la présence du cadavre, dans la pièce voisine. Autant Bill avait été le bienvenu à Redall de son vivant, autant il semblait constituer maintenant une terrible menace.

Ils remontaient l'escalier quand Alison poussa un cri.

— Qu'est-ce que c'était? s'exclama Pete.

— Ma sœur, répondit Patrick d'une voix blanche.

Comme il restait figé sur place, Pete prit les devants et grimpa les marches quatre à quatre, suivi par Anne. Dans la chambre, Jon et Kate étaient penchés, horrifiés, vers Alison. La jeune fille se tordait violemment sur le lit, en proie à de terribles convulsions.

— Maman! hurlait-elle en pressant ses mains sur ses tempes, maman! aide-moi!

Anne s'assit sur le lit et attrapa Alison par les poignets en essayant d'éloigner ses mains de son visage.

— Allie, Allie, écoute-moi, je t'en prie. Tu fais un mauvais rêve. N'aie pas peur. Réveille-toi, Allie. Réveille-toi.

Alison se mit à labourer son visage de ses ongles. Une zébrure rouge apparut sur son front, puis une autre.

— Allie, arrête. Tu es en train de te faire mal. Je t'en prie.

Allie ne l'entendait pas. Ils étaient à nouveau là, dans sa tête, et cette fois, Marcus triomphait. *Détruite! Engloutie sous la mer pour toujours! Maintenant, vous êtes oubliés à jamais, ton amant et toi!*

Les cris de Claudia étaient si forts qu'Alison crut que son cerveau allait exploser. La douleur et l'angoisse tourbillonnaient autour d'elle, et une mer de sang s'étalait à sa vue. Mais soudain surgit une autre voix, une voix d'homme, celle de l'amant de Claudia. Il la rejoignait enfin. Sa force était grande, plus grande que celle de Marcus, et sa fureur était incontrôlable.

Alison s'arrachait les cheveux en hurlant. Elle se redressa dans son lit et se mit à se balancer d'avant en arrière avec une telle violence qu'Anne fut projetée par terre.

— Vite, aidez-moi. Il faut lui lier les mains avant qu'elle ne se blesse sérieusement.

Ils durent s'y prendre à trois pour immobiliser les poignets d'Alison à l'aide de la ceinture de la robe de chambre de Kate et rabattre les couvertures sur elle. Quand ils eurent réussi, Kate et Anne portaient toutes deux de longues égratignures.

— Elle est aussi forte que trois hommes, dit Anne en regardant avec stupéfaction la jeune fille, qui se débattait encore sous les couvertures.

Alison restait insensible à tout. Ils avaient gagné. Ils avaient pris possession de sa force vitale; c'était tout ce qu'ils désiraient.

Jon, qui tremblait de froid, se rendit compte tout d'un coup que la température de la pièce avait inexplicablement chuté. Furtivement, il se pencha et ramassa sa veste.

— Qu'est-ce que cela signifie? Que lui arrive-t-il?

Kate lança un regard rempli de commisération à Patrick, qui venait d'entrer dans la pièce derrière Pete.

— Marcus s'est emparé d'elle. Il a tué Claudia,

qui était probablement sa femme, et maintenant, il vient nous hanter. Il a pris possession d'elle, Jon.

— Non, s'écria Anne. Non, il ne l'aura pas. Combats-le, Allie. Bats-toi. Utilise ton esprit pour le repousser.

— Cette enfant devrait être à l'hôpital, Anne. Où se trouve le téléphone le plus proche? demanda Pete.

— Les téléphones ne fonctionnent plus, dit Kate.

C'était peut-être le fruit de son imagination, mais Alison paraissait maintenant plus calme. Silencieusement, elle examina le visage torturé de la pauvre adolescente.

Des ombres.

Des ombres tourbillonnantes, remplies de haine.

A l'intérieur d'elle-même, Allie, impuissante, voyait les trois ombres sans forme s'agiter frénétiquement. Elle sentait des mains glaciales sur elle, et entendait une voix crier son nom, sans pouvoir réagir. La femme et les deux hommes étaient comme des lions se disputant une proie. Ils avaient besoin de son énergie.

«Pourquoi moi?»

Avait-elle crié ces paroles? Elle n'en était pas certaine, mais les ombres reculèrent devant sa rébellion.

BATS-TOI.

Une voix de l'extérieur parvint jusqu'à elle à travers le tumulte de la bataille.

BATS-TOI, ALISON. UTILISE TON ESPRIT.

Elle était trop fatiguée, vidée. Ils avaient épuisé son énergie.

Dans les ténèbres, les ombres commencèrent à s'effacer. Elles s'en allaient ailleurs, chercher une autre source de vie. Il leur fallait rapidement quelqu'un d'autre pour alimenter leur haine.

— Il faudrait retourner à la voiture, dit Jon en regardant par la fenêtre. La neige continue de s'accumuler. Croyez-vous que les routes seront encore praticables? ajouta-t-il à l'adresse de Pete.

Pete le rejoignit et se pencha vers la vitre qui laissait passer une lumière blafarde.

— J'ai peut-être la berlue, mon gars, s'exclama-t-il d'un ton excité, mais est-ce que ce n'est pas la mer que je vois là-bas ?

Dans le coin le plus reculé du jardin, non loin des dunes, une ombre était apparue. Jon constata qu'elle grandissait imperceptiblement, léchant l'herbe mêlée de neige. Au-delà de la ceinture des arbres, il aperçut l'étendue glacée de l'estuaire. La vase et les dunes de sable disparaissaient sous un épais tapis blanc, mais les eaux s'étaient libérées des glaces et gagnaient lentement le cottage, poussées par les vents furieux.

— Patrick, viens voir un peu !

— Bon sang ! lança le jeune homme en se penchant à son tour vers la vitre. Si les eaux sont arrivées jusqu'ici, c'est que rien ne peut plus les arrêter. Elles ont dû passer par-dessus la digue.

— Bon, voilà qui règle tout, dit Pete d'un air sombre. Il faut partir, et vite. Faisons une civière pour la petite.

— Et Bill ? demanda Kate, éplorée.

— Nous allons devoir le laisser ici, dit Jon en entourant la jeune femme de ses bras. Nous ne pouvons pas l'emmener avec nous. Je suis sûr qu'il comprendrait. Nous sommes en danger ; l'eau monte rapidement. Nous devons ramener Alison.

Ils improvisèrent une civière en nouant les extrémités d'un drap à un râteau et à un manche à balai tirés de la remise, pour faire une sorte de hamac qu'ils couvrirent ensuite de couvertures. Pete conduisit Alison en bas et l'étendit doucement sur cette civière de fortune. Quand ils l'eurent enveloppée de deux autres couvertures, Jon et Pete la soulevèrent.

Kate était sur le point de fermer la porte lorsqu'une pensée lui vint. Bill était là, mais les notes pour son livre également. Elle ne pouvait pas les abandonner aux eaux. Prenant son courage à deux mains, elle courut vers le bureau et saisit son carnet de notes, ses disquettes et son recueil de poésies, qu'elle enfouit dans les poches de son imperméable. En quittant la pièce, elle s'arrêta sur le seuil.

— Adieu, Bill. Que Dieu te bénisse.

Sa voix résonna de façon étrange dans la pièce déserte. Kate sortit en faisant claquer la porte et rejoignit les autres en courant.

68

Il la voyait souvent en rêve, la femme qui l'avait trahi. Elle riait dans les bras de son amant. Il la voyait encore dans sa robe bleue tachée de sang, ses yeux agonisants remplis de haine. Chaque fois, la malédiction résonnait à ses oreilles. Alors il se réveillait en tremblant, le corps couvert de sueur, et si Augusta s'inquiétait, il prétendait souffrir d'un accès de fièvre. Il craignait l'approche de la mort. Tant qu'il vivrait, elle ne pourrait pas lui faire de mal, mais après, ils seraient à égalité. Et le druide, son amant ? Attendait-il, lui aussi ? Attendait-il le moment où il pourrait se venger ? Marcus fouillait les ténèbres des yeux et la peur étreignait son âme.

Lorsqu'ils s'arrêtèrent pour se reposer, Kate prit le pouls d'Alison. Il était manifestement plus faible. La vie semblait la quitter irrémédiablement. Elle consulta Anne du regard.

— Que pouvons-nous faire ?

Anne secoua la tête en silence, impuissante. Jamais elle n'avait rencontré semblable cas au cours de ses études. Il ne s'agissait pas d'un cas de personnalités multiples ou de schizophrénie, ni d'une espèce d'état maniaque. Marcus était une force extérieure, un parasite qui s'était logé dans l'esprit de la jeune fille.

— Je regrette presque d'être incroyante. Un prêtre

serait plus en mesure de nous aider que n'importe quel spécialiste. Ou alors un médium. Notre culture ne nous fournit plus les armes nécessaires pour combattre ce genre de choses.

Sans qu'ils s'en soient rendu compte, la neige qui leur fouettait le visage s'était transformée en pluie. Le vent, plus fort que jamais, semblait maintenant moins froid, mais derrière eux, comme un ennemi infatigable, l'eau avançait toujours entre les arbres et parmi les buissons.

— Est-il encore là ? demanda Kate à sa sœur. Est-il toujours à l'intérieur d'elle ?

— Je ne le crois pas. Elle est calme, maintenant. Ses forces semblent épuisées.

— Alors, où est-il ? demanda-t-elle en regardant Jon.

— Je n'en sais rien, répondit-il avec un sourire fatigué.

Anne se leva. Le bois était plongé dans un silence total.

— Maintenant que la tombe est recouverte par les flots, il est peut-être parti, dit Patrick en se levant à son tour.

Jon et Pete s'accroupirent pour reprendre la civière et, lentement, le petit cortège se remit en marche. Kate s'arrêta un moment et se tourna vers le chemin qu'ils venaient de parcourir. Marcus n'était plus là. Le bois était vide. Mais cela ne signifiait pas qu'il fût parti pour de bon. Au fond d'elle-même, elle savait qu'il se terrait quelque part et attendait.

69

Roger s'était éteint doucement. Peu à peu, dans le salon, un parfum de jasmin remplaça l'odeur habituelle de bois brûlé et d'encaustique.

— Mon Dieu, qu'arrive-t-il ?

Diana se serra instinctivement contre Greg. La pièce fut brusquement plongée dans une profonde obscurité et une rafale de vent, qui s'était précipitée dans la cheminée, projeta un nuage de cendres dans la pièce.

— Susie ! cria Cissy d'une voix angoissée.

La jeune fille était tombée à bas de son fauteuil en se débattant. Ses mains entouraient sa gorge comme si elle essayait d'écarter des doigts qui l'enserraient — des doigts que nul ne pouvait voir. La chandelle placée sur la table fut soufflée tout d'un coup.

— Susie ! s'écria Diana en s'élançant vers elle. Ô mon Dieu, pas encore !

Susie se roulait par terre, frappant le sol de ses talons, luttant pour reprendre son souffle.

Elle est à moi.

Je l'ai.

Elle est à moi.

HAINE

FUREUR

Susie ne voyait rien, ne sentait rien d'autre que la douleur dans sa tête, alors que trois entités informes tentaient d'enchaîner son âme à la leur.

— Maman !

Son cri de douleur mourut dans sa gorge tandis qu'elle continuait de se débattre frénétiquement.

— Susie ! implora sa mère, à genoux à côté d'elle, en essayant d'écarter les mains de son visage.

— C'est ce qui est arrivé à Allie, dit Greg.

Il lança un regard autour de lui.

— Il est ici. Ici même, dans la pièce, avec nous !

— Non ! Non ! NON !

Susie cria si fort que Greg et Cissy reculèrent instinctivement. La jeune fille se mit à se labourer le visage de ses ongles et il fallut la maîtriser pour l'empêcher de se blesser.

— Il l'empêche de parler. Le seul moyen pour nous de mettre fin à cela est de découvrir ce qu'il essaie de cacher. La réponse doit se trouver sur la plage. Il faut y aller dès que le temps le permettra. Au diable les archéologues. C'est une histoire entre nous, Marcus et Claudia. Il nous faut apprendre la vérité, dans notre intérêt à tous.

— Il t'en empêchera, fit Diana. Il veut que le secret de la tombe reste caché.

— Eh bien, il ne réussira pas. Il a déjà essayé de m'arrêter mais je veux connaître la vérité.

Le vent redoubla de violence dans la cheminée, faisant voler des étincelles dans la pièce.

Il y avait une présence dans la pièce, une présence féminine. Greg frémit en écarquillant les yeux. Claudia. Elle était près de lui, la femme en bleu dont l'image était si souvent apparue sous ses crayons et ses pinceaux. Il saisit sa mère par le bras.

— Claudia est ici. Parle-lui. Dis-lui que nous voulons connaître la vérité, que nous la vengerons.

— Greg…

— M'entendez-vous, Claudia ? Nous allons apprendre la vérité à propos de votre mort. C'est bien ce que vous désirez, n'est-ce pas ? C'est la raison de votre présence ?

Il se tut, espérant qu'une voix répondrait à ses questions, mais seul le vent se fit entendre.

— Claudia !

L'odeur de jasmin était revenue, mêlée à une autre.

Un arôme de tabac.

Greg lança un regard à sa mère. L'avait-elle également perçu ? Son père avait cessé de fumer deux années auparavant, le jour où il avait su qu'il était atteint du cancer, mais tout d'un coup, une odeur de tabac flottait dans la pièce. Roger luttait-il vraiment pour eux, où n'était-ce que son imagination qui s'emballait devant la succession d'événements tragiques? Honteux des larmes qui lui venaient aux yeux, Greg se rendit à la fenêtre et regarda dehors pour retrouver la maîtrise de ses émotions.

En l'espace d'une heure, la neige s'était transformée en pluie et le jardin, couvert d'une fragile couche de glace peu de temps auparavant, était devenu une mare d'eau brune. Déjà, la neige glissait des branches d'arbres. La pluie emportait l'hiver prématuré aussi vite qu'il était venu. Par endroits, le jasmin d'hiver s'était libéré de sa gangue neigeuse et montrait ses fleurs jaune et orange, penchées au bout de minces tiges vertes.

Greg crut apercevoir un mouvement parmi les arbres. Il attendit en retenant son souffle.

Lorsque le petit groupe sortit de derrière les arbres en portant ce qui semblait être une civière, Greg laissa échapper un soupir de soulagement.

— Ce sont Kate et Paddy, lança-t-il à sa mère en essayant d'empêcher sa voix de trembler.

Il sautilla jusqu'à la porte et ouvrit les verrous. L'air froid pénétra dans la maison, apportant avec lui une odeur douce et propre de neige fondante. Les autres arrivèrent, exténués et trempés. Greg ne chercha pas à savoir qui étaient les deux inconnus qui les accompagnaient. Il lui suffisait de savoir qu'ils étaient tous sains et saufs, mais la vue de sa sœur le replongea aussitôt dans une inquiétude déchirante.

— Qu'est-il arrivé, Kate?

— Nous l'avons de nouveau trouvée devant la tombe, expliqua-t-elle, à bout de forces. Marcus s'était emparé d'elle.

Elle se laissa tomber sur le canapé à côté d'Anne. A ce moment seulement, elle aperçut Susie, étendue devant le foyer.

Jon s'avança doucement et posa les mains sur les épaules de Kate dans un geste rassurant. Elle pencha la tête en arrière pour lui faire un sourire de gratitude et s'aperçut après coup que Greg la regardait fixement. Son visage était tendu et livide.

— Voici Jon Bevan, Greg, dit-elle lentement en enlevant sa veste mouillée. Pete et lui étaient venus à notre recherche. Ce sont eux qui ont trouvé Allie.

— Jon Bevan ? Le poète ?

Devenu subitement indifférent à tout ce qui se passait dans la pièce, Greg le toisa.

— Exactement, dit Jon en contournant le canapé, la main tendue.

Greg la regarda sans esquisser le moindre geste pour la serrer.

— Alors vous êtes venu jouer au chasseur de fantômes ? dit-il froidement. Et quelles sont vos compétences pour réexpédier Marcus Severus Secundus en enfer, d'où il est sûrement venu ?

Jon se mit à retirer lentement sa veste.

— Les poètes peuvent peut-être communiquer avec les morts, au moins aussi bien qu'avec les peintres, répliqua-t-il sèchement. Nous sommes censés parler une langue universelle qui transcende les âges.

— Je croyais que c'était fini entre Kate et vous, insista Greg.

— Greg ! coupa la voix angoissée de sa mère. Aide-moi, vite !

La tête d'Alison avait roulé de côté et ses yeux étaient grands ouverts. Sans qu'ils le réalisent, l'odeur de tabac se fit plus forte dans la pièce.

— Bon Dieu !

Greg aida sa mère à étendre sa sœur sur le sol et approcha son oreille de sa bouche.

— Elle respire encore.

Il se tourna brusquement vers Jon, les traits à nouveau durcis.

— Eh bien, que faisons-nous maintenant, le poète ?

Jon l'ignora. Comme les autres, il regardait les deux jeunes filles étendues côte à côte sur le plancher. Seul un sanglot occasionnel de Cissy venait ponctuer le silence du salon. Les yeux de Diana étaient remplis de larmes. Tenant la main d'Alison dans la sienne, elle assistait, impuissante, à l'agonie de sa fille.

Kate n'avait remarqué ni l'hostilité entre les deux rivaux, ni la tension qui s'était installée dans la pièce depuis qu'ils étaient en présence l'un de l'autre, mais elle constatait que la température baissait de façon sensible. Il était là ; il n'était pas parti. Elle sentait un esprit étranger sur le point de fondre sur eux, un esprit cherchant une source de colère et de haine où s'abreuver.

— NON !

Les autres l'examinèrent avec stupéfaction.

— Il cherche quelqu'un d'autre...

— Repousse-le. Ne le laisse pas vider ton esprit. Combats-le de toutes tes forces. Récite quelque chose. Concentre-toi, l'exhorta sa sœur en lui saisissant le bras. Tu dois le combattre, ou il te videra comme il a vidé Alison. Où est Paddy ?

— Ô mon Dieu ! Pourvu qu'il ne soit pas allé dans le bureau, pourvu qu'il n'ait pas trouvé son père...

Diana se leva et courut à la porte. Patrick s'était de nouveau effondré contre le mur du couloir.

— Paddy ! cria-t-elle.

Le garçon ouvrit les yeux.

— Paddy, est-ce que ça va ? demanda-t-elle nerveusement en se jetant vers lui pour le serrer dans ses bras.

Le garçon hocha vaguement la tête. Il pouvait à peine parler.

— Fatigué...

— Fatigué et très brave, dit Jon en lui tendant la main. Allez, mon vieux, lève-toi et viens avec nous près du feu. Il va bien, ajouta-t-il à l'adresse de Diana, j'en suis certain. Il lui faut seulement du repos.

Patrick était désorienté et épuisé, mais ne présentait pas le regard fixe et vide d'Alison. Diana hocha la tête, soulagée. Derrière la porte du bureau, le corps roide et froid de Roger gisait sur le lit de camp. Elle devait le dire à son fils, apprendre la triste nouvelle aux autres, mais plus tard. Ce n'était pas encore le moment ; elle s'en sentait incapable. Jon aida Patrick à regagner le salon et l'installa dans un fauteuil.

Ils étaient maintenant tous regroupés devant l'âtre. Le vent poussait la pluie contre la fenêtre. Des gouttes d'eau tombaient régulièrement des stalactites qui pendaient au-dessus du porche mais à l'intérieur, la température continuait de tomber. Anne fronça les sourcils.

— Il est encore parmi nous, chuchota-t-elle. Je le sens. Mon Dieu ! Je n'ai jamais éprouvé rien de tel auparavant. Emplissez vos esprits de quelque chose. Récitez de la poésie, n'importe quoi. Fermez-vous à lui. Récitons quelque chose, tous ensemble, vite.

Pendant quelques secondes, la pièce resta plongée dans le silence, puis Diana, qui tenait la main de sa fille dans les siennes, dit lentement les premières paroles d'une comptine :

— « Le hibou et le petit chat ont pris la mer dans un grand navire vert pomme... »

Avec un sourire mal assuré, Cissy se mit à réciter avec elle, suivie de Pete :

— « ... en emportant du miel et force pièces d'or cachées dans un billet de banque. »

Etait-ce leur imagination, ou la pièce se réchauffait-elle vraiment ?

— Continuez, ça marche, murmura Anne.

— Vite, une autre, dit Diana en fermant à demi les yeux, comme si elle priait. « Humpty Dumpty était assis sur un mur ; Humpty Dumpty a fait une grande chute. Ni les chevaux du roi ni... »

Un grand poids sembla s'envoler de la pièce.

— Il est parti, coupa Greg.

Il y eut un moment de silence. Aussi vite qu'elle était venue, la menace avait fui. Ne restait plus que l'étrange odeur du tabac de Roger. Pour le moment, l'ombre autour d'eux ne dissimulait aucun danger.

70

La Land Rover de la police descendait prudemment le chemin, guidée par Joe, assis entre deux agents. A l'arrière du véhicule, le docteur Jamieson s'agrippait au dossier du siège devant lui. La neige fondante rendait leur progression de plus en plus périlleuse.

— Ce n'est plus loin. Juste après ces arbres, fit Joe en étudiant le chemin à travers le pare-brise.

La radio de bord émettait une succession de sifflements et de craquements. Bob Garth, l'agent le plus jeune, adressa à Joe un sourire fatigué. Il était en service depuis quarante-huit heures.

— Vous croyez encore que votre fantôme nous attend?

Joe leur avait raconté toute l'histoire sans détour. Les deux agents avaient manifesté un intérêt poli, mais le docteur Jamieson, un vieil ami des Farnborough, s'était montré plus direct.

— Si je ne vous connaissais pas depuis longtemps, Joe, je demanderais à ces deux gentlemen de vous faire subir un alcootest. Je n'ai jamais rien entendu d'aussi ridicule. La solitude a fini par vous faire perdre la tête.

— J'ai déjà entendu ce genre d'histoires à propos de Redall, intervint Bob Garth. Beaucoup de gens du coin disent que l'endroit est hanté. Quand ce n'est pas le Chien Noir, c'est tout un cortège d'apparitions sinistres. Jamais on ne s'aventure près du marais ou de la plage la nuit. Lorsque j'y étais, l'autre nuit, il m'a semblé qu'il y avait quelque chose d'étrange dans l'air. Ce qui s'est passé au cottage n'est pas naturel.

— Ces histoires ont été inventées par les contrebandiers pour éloigner les curieux, dit Mat Larkin, qui était natif de la région. Il n'y a pas un mot de vrai là-dedans.

— J'imagine que non, fit Joe à contrecœur. Voilà, nous y sommes presque.

Mat négocia adroitement un virage glissant. Les roues tournèrent à toute vitesse dans la neige fondante, éclaboussant les buissons de boue.

— Cela m'a l'air assez tranquille.

Les quatre hommes descendirent. Joe et le médecin laissèrent instinctivement les deux policiers prendre la tête. Un visage à la fenêtre leur indiqua qu'on les avait vus. Quelques secondes plus tard, la porte s'ouvrait.

— Entrez vite. Il a voulu s'emparer de Susie également! sanglota Cissy en tirant le médecin par le bras.

Pendant que Joe regardait sa fille, pétrifié, Hal Jamieson s'agenouilla et examina la jeune fille.

— Elle dort, lança-t-il laconiquement. Elle dort profondément.

Il se tourna vers Alison et fronça les sourcils. Cette fois, son examen dura plus longtemps.

— Sa température est basse et son pouls est faible. Elle souffre d'épuisement. Ces deux jeunes filles devraient être à l'hôpital et... Bon Dieu, qu'est-ce que c'était?

Un vacarme encore plus puissant qu'auparavant venait de se produire à l'étage. Greg fit un geste en direction de l'escalier.

— Là-haut, dit-il d'une voix faible.

Les policiers se regardèrent avec inquiétude et montèrent. Leurs pas résonnèrent à travers le plafond, puis ils redescendirent, au bout de quelques minutes.

— Rien, dit Bob Garth en s'asseyant à la table de la cuisine pour sortir son calepin de notes.

Plus vite il prendrait leurs déclarations, plus vite ils seraient en route. Cela valait mieux. Il y avait quelque chose de pernicieux dans cette maison.

Kate prit la parole la première. Aussi calmement

que possible, elle raconta tout ce qui était arrivé au cottage, pendant que le médecin s'occupait des blessés, en commençant par Greg. Il examina son pied et refit son bandage en le rassurant.

— Et vous avez vraiment vu cette apparition ? demanda Bob en tournant une page de son calepin. Vous êtes écrivain, mademoiselle Kennedy. Etes-vous certaine de ne pas avoir inventé tout cela ?

— Elle n'a rien inventé du tout ! s'écria Greg. Vous avez entendu ce bruit tout à l'heure. Il était bien réel, non ?

— Je crois, intervint Hal Jamieson, que tout cela est sans importance pour le moment. Nous devons avant tout emmener ces gens à l'hôpital. Cissy a besoin de soins et Alison d'une tomographie. De plus, les deux jeunes filles doivent passer un examen complet avant que l'on puisse se prononcer à leur sujet.

— Nous ne pourrons pas emmener tout le monde, fit remarquer Mat Larkin.

Il y eut un moment de silence et Kate sentit le découragement s'abattre sur elle. Elle avait espéré que tout serait fini et qu'ils seraient désormais en sécurité.

— Peut-être pourrions-nous essayer votre vieille guimbarde, dit Bob Garth. Croyez-vous qu'elle démarrera ?

— Cela vaut la peine d'essayer, répondit Joe en cherchant les clés dans ses poches.

Kate se mordilla un ongle tandis que les deux hommes sortaient. Ils entendirent d'abord le râle du moteur de la Land Rover, puis le bruit des deux capots qu'on refermait.

— Désolé, mais je pense qu'elle est finie, dit Joe d'un air sombre en rentrant.

— Très bien. Amène les blessés à l'hôpital, Mat, décida Bob Garth, passant outre à son envie de partir au plus tôt. J'irai inspecter le cottage et voir ce pauvre M. Norcross.

— Oui, emmenez-nous ! dit Cissy en s'accrochant

à la manche de Larkin. Ne nous laissez pas ici. Il veut ma fille !

— Ça va, Cissy. Nous allons vous emmener, dit Jamieson d'un ton rassurant, de même que Diana et les filles. Greg aussi. Son pied a besoin d'être soigné.

— Et Joe, sanglota Cissy. Prenez Joe avec vous…

— Je ne quitte pas Redall, jeta Greg. Vous avez dit que mon pied pouvait attendre, Hal. Conduisez Joe à ma place.

— J'ai bien peur que nous ne puissions pas en prendre d'autres, dit Mat, inquiet. Le docteur Jamieson doit revenir avec nous, car on a besoin de lui ailleurs, et nous serons déjà huit.

— Allez-y, confirma Kate. Nous nous débrouillerons. Je crois que ce sont les deux jeunes filles qui courent le plus grand danger.

— Je veillerai sur vous tous, mademoiselle Kennedy, ne vous en faites pas, dit Bob Garth, soucieux de ne pas se laisser gagner par la peur ambiante.

Ils regardèrent le véhicule de police remonter lentement le chemin.

— Vous devez regretter qu'il n'y ait pas eu de place pour vous, dit Greg à Pete.

— Si vous allez au cottage, il vaudrait mieux que quelqu'un reste ici pour veiller sur le petit et sur ces dames.

Greg rit de façon sarcastique.

— Je crois qu'elles considéreraient cette remarque comme condescendante, et sûrement sexiste, répliqua-t-il en rentrant.

— J'en doute, dit Bob Garth. N'oubliez pas qu'il y a un meurtrier dans les parages.

— Vous ne comprenez vraiment rien ! Il ne s'agit pas d'un homme…

— Greg, intervint Kate en posant une main sur son bras.

— Non, insista-t-il avec colère. Nous ne cherchons pas un psychopathe ou un voleur. Nous essayons d'arrêter un homme mort il y a près de deux mille ans…

— Peut-être, monsieur Lindsey, dit Bob sans perdre son impassibilité. Mais mort ou vivant, il n'en constitue pas moins une menace réelle. Je crois que ce gentleman a raison. Quelqu'un devrait rester ici.

— En tout cas, je vais avec vous, dit Kate. J'étais une amie de Bill et la locataire de ce cottage. Il est normal que je vous accompagne.

— J'y vais moi aussi, ajouta Jon en entourant de nouveau Kate de son bras. Je ne te perds plus de vue, maintenant.

Elle leva son regard vers lui, étonnée, et sourit. Doucement, elle prit sa main, sans voir la colère qui animait soudain le visage de Greg.

71

Anne et Pete regardèrent le groupe disparaître parmi les arbres. La maison sembla tout d'un coup très silencieuse.

— Une tasse de thé?

Pete accepta. Sur le canapé, enfoui sous les couvertures, Patrick était plongé dans un profond sommeil. Il avait pleuré, tout comme Kate, lorsque Diana lui avait appris la mort de son père, mais la fatigue avait fini par l'emporter sur le chagrin.

Ils s'installèrent face à face à la table de la cuisine.

— Je mettrais bien quelques gouttes de rhum dans ma tasse, dit Pete.

Son visage rougeaud et buriné se creusa d'une multitude de rides lorsqu'il sourit.

— Je me demande ce que je fais ici, dit Anne d'un ton ironique.

— Moi aussi. Cela m'apprendra à me mêler des affaires des autres. Tout ce que je voulais, c'était prendre un dernier client avant de rentrer.

Il se pencha vers sa tasse et souffla sur le liquide brûlant.

— Que va-t-il se passer, à votre avis? demanda Anne après un long silence.

— La police a dit qu'elle enverrait prendre M. Lindsey et ce pauvre type, au cottage.

— Oui, mais à propos de Marcus?

— Ben... il va falloir s'occuper de ce bonhomme, dit-il en se passant la main dans les cheveux d'un air embarrassé.

— On ne peut pas mettre des fantômes en prison.

Soudain, Anne s'immobilisa, tous ses sens en alerte.

— Qu'est-ce que c'était?

Ils tendirent l'oreille.

— Bon Dieu! Je ne m'attendais pas qu'il revienne! Pas si vite, dit Pete en se levant, le visage pâle.

Ils l'entendaient tous deux clairement, maintenant. Un bruit de pas à l'étage. Des pas lents et pesants.

Sans dire un mot, Pete saisit le couteau à pain et sortit de la cuisine sur la pointe des pieds en jetant un coup d'œil rapide à Patrick, qui dormait toujours.

Anne monta l'escalier derrière lui et s'arrêta pendant qu'il examinait le couloir menant aux chambres. Il n'y avait rien. Avec précaution, il s'avança sur le parquet ciré et ouvrit une première porte. Un examen de l'étage pièce par pièce ne révéla rien d'anormal. Seule la chambre de Patrick se distinguait par une odeur étrange.

— On dirait du tabac, dit Anne.

— Cela n'a rien de romain, en tout cas, rétorqua Pete avec un rire bref. Peut-être que le garçon fume en cachette. Ou alors, c'est M. Lindsey qui surveille.

— Je ne suis pas sûre de puiser du réconfort dans cette idée, répondit Anne en frémissant.

— Vous devriez, pourtant. Allons, redescendons. Il fait rudement froid dans cette foutue maison.

De retour en bas, ils s'arrêtèrent au chevet de Patrick, qui dormait profondément.

— «L'homme ne perçoit jamais complètement ni

ne comprend entièrement», dit Anne à mi-voix. C'est de Jung. J'essaie de m'en souvenir quand je n'arrive pas à éclaircir un problème. Cela me console.

Elle s'assit dans un fauteuil, épuisée.

— Son parfum à elle est revenu.

Il avait fallu plusieurs minutes avant qu'il ne soit détectable.

— En effet.

Pete également avait remarqué que le jasmin avait remplacé l'odeur du tabac.

— Qu'allons-nous faire?

— Que voulez-vous qu'on fasse? Il faut attendre.

72

Nion flottait en direction de la plage, au-dessus des eaux. La tombe où il était resté enfermé si longtemps avait disparu, mais cela n'avait plus d'importance. Plus rien n'importait maintenant que ses forces revenaient. C'était cet homme, sur le rivage, le poète, qui lui avait donné de l'énergie. En secret, il l'avait puisée en lui pendant qu'il était penché sur la jeune fille. Sa merveilleuse Claudia était là aussi, à portée de main, toujours à ses côtés. Sa haine pour Marcus et sa malédiction lui avaient donné assez de force pour eux deux. Ensemble, ils allaient enfin se faire justice.

Kate était pendue au bras de Jon. La belle, l'indépendante Mme l'Intellectuelle était pendue comme une idiote au bras de cet efféminé. Pourquoi avait-elle dit que tout était fini entre eux si ce n'était pas vrai? Greg se sentit pris d'une colère effrénée. Elle était magnifique, comme la Claudia qu'il avait dessinée encore et encore quand il vivait seul au cottage.

Il se pencha sur sa canne, essayant de maîtriser

sa fureur. Le vent était complètement tombé et la tempête n'était plus qu'un souvenir. Une douceur nouvelle flottait dans l'air et l'apaisait quelque peu.

Ils n'étaient pas préparés à la vision qui les attendait au cottage. Au sortir du bois, ils s'arrêtèrent devant ce qui avait été le jardin en friche d'une maisonnette sise dans un cadre idyllique. Le cottage était maintenant entouré d'une mare d'eau sombre qui montait jusqu'au milieu de la porte, presque comme dans la peinture qui avait tant impressionné Kate. Au-delà, vers les salants, la mer empiétait partout sur les terres. Elle avait creusé de nouvelles voies à travers le sable et son domaine s'était étendu. Déjà, des canards sauvages s'affairaient dans les eaux boueuses.

— La tombe doit être au fond de tout cela, dit Greg d'un ton neutre.

— Alors, Marcus a gagné. Jamais nous ne saurons ce qui est arrivé.

Bob Garth se frottait nerveusement les paumes sur sa veste.

— Où avez-vous laissé le corps quand vous êtes partis ? Etait-ce au rez-de-chaussée ?

— Oh, non ! dit Kate en enfouissant son visage dans ses mains.

— Je vais aller avec vous, dit Greg au policier. Kate, restez ici. Il n'y a aucune raison pour vous d'entrer dans le cottage.

Les deux hommes s'avancèrent, suivis à contrecœur par Jon. L'eau tourbillonnait autour de leurs bottes. Quand ils réapparurent, au bout de longues minutes, ils avaient tous trois l'air lugubre.

— L'eau a fait des dégâts considérables, mademoiselle Kennedy, dit Garth, qui s'était suffisamment ressaisi. Mieux vaut que vous n'y alliez pas maintenant. Nous allons attendre que l'enquêteur et le coroner jettent un coup d'œil et nous enlèverons le corps de M. Norcross.

Kate acquiesça. Elle n'avait, de toute façon, aucun désir de retourner au cottage.

— Voulez-vous que nous allions voir la tombe ? L'eau n'est pas très profonde et elle se retire rapidement.

Greg arrivait à son tour. L'eau glacée engourdissait son pied et atténuait la douleur. Kate fit signe que oui, mais à contrecœur. Elle était si fatiguée qu'elle se demandait si elle pourrait faire un autre pas. Avec précaution, elle avança dans l'eau boueuse, la semelle de ses bottes dérapant sur ce qui avait été la pelouse. Deux petites fleurs roses avaient persisté sur le buisson de daphnés, dans le coin. Un merle était perché sur la plus haute branche.

La marée était encore haute ; impossible de repérer la tombe sous les vagues. De l'eau jusqu'à la moitié des mollets, Kate avançait au hasard. Les dunes avaient changé. Sans ses repères habituels, elle était désorientée au milieu de cette vaste étendue d'eau.

— S'il y avait des corps dans cette tombe, dit Bob Garth, il aurait fallu une enquête du coroner.

— Exactement ce que Marcus ne voulait pas.

Garth regarda Greg en fronçant les sourcils. Ici aussi, le sentiment étrange d'une présence anormale le gagnait. Le sentiment que, s'il ne se tenait pas sur ses gardes, il entendrait ou verrait des choses qu'il valait mieux ignorer.

— Croyez-vous réellement à ces histoires de fantômes ?

— Préférez-vous croire qu'un fou meurtrier se balade dans les bois ?

— Nous cherchons effectivement un meurtrier, monsieur Lindsey, répondit Garth d'une voix neutre. Je préfère réserver mon jugement sur son identité, pour l'instant.

Greg se tut. Il venait de sentir à nouveau qu'on tentait insidieusement de faire intrusion dans son esprit. Marcus cherchait encore une source d'énergie. Avec colère, il se libéra de son emprise. Autour de lui, les autres contemplaient la mer en silence. Le visage de Kate avait changé. Avait-elle senti la

428

menace, elle aussi? Elle tourna subitement la tête vers Greg. Dans ses yeux se lisaient la peur et l'incertitude.

— Pourquoi ne rentrons-nous pas? demanda-t-il doucement. Nous n'avons plus rien à faire ici, n'est-ce pas? Il faut attendre que l'eau se retire.

— Oui, allons-y, répondit Bob qui parut remarquer pour la première fois la pâleur du visage de Kate. Vous avez tous vécu des heures difficiles, n'est-ce pas? Il est incroyable que des gens puissent se trouver ainsi coupés du monde, en plein vingtième siècle.

Il se mit à patauger en direction du cottage, heureux de mettre fin à son immobilité.

— Je dois poser des scellés sur la porte avant de partir. Si vous voulez vous promener sur la plage en attendant, cela ne me prendra qu'une minute.

Kate s'approcha de Jon et appuya la tête sur son épaule. Il lui prit la main.

— Ce sera bientôt fini.

Avec un soupir qui ressemblait fort à un sanglot, elle se serra contre lui. Jon l'entoura de son bras, conscient du regard sinistre de Greg. Kate se tourna vers celui-ci et sourit faiblement.

— Que va-t-il se passer maintenant?

— Rien. L'enquête va sûrement faire chou blanc et les choses en resteront là. Personne ne fera mention du rôle qu'Alison a joué dans toute cette affaire. Personne ne saura jamais vraiment ce qui est arrivé.

— Sauf nous, murmura-t-elle. Et Marcus pourra reposer en paix, maintenant que la tombe a disparu.

— Vous croyez? fit Greg en ricanant.

— Pas vous? demanda-t-elle en serrant très fort la main de Jon.

— Non, pas du tout. Il est encore ici. J'ai senti sa présence.

Greg ferma les yeux en soupirant. Oh oui, il était encore ici, tout comme Claudia. Ils cherchaient l'énergie d'êtres vivants pour soutenir leur haine. La disparition de la tombe ne signifiait rien. Bob

Garth vissait un moraillon à la porte. Il n'y avait maintenant plus rien à faire. La lutte finale allait bientôt débuter.

Derrière lui, Jon avait passé un bras autour de Kate. Le croyaient-ils aveugle ? Il releva son col et croisa les bras sur sa poitrine. Aucune importance. En matière de rage et de jalousie, Marcus était un maître sans égal.

73

Sous la surface de l'eau, le sable était agité d'un mouvement incessant, et la mer prenait la couleur du sol qu'elle envahissait. Les grains en suspension dansaient au rythme des vagues et créaient un nouveau paysage sous-marin. La mer, ennemi inlassable, grignotait la côte millimètre par millimètre, tantôt progressant avec lenteur, tantôt bondissant sur sa proie pour lui arracher des fragments qu'elle déposait ensuite à l'autre bout du monde.

Lorsque l'eau parvint jusqu'au fond de la couche d'argile, les derniers lambeaux de peau tannée commencèrent à se dissoudre. Non loin, le torque d'or s'enfonça plus profondément dans la vase et s'immobilisa enfin contre une dent de mammouth, victime bien antérieure du marais.

Nion continuait de chercher. Il était seul. Claudia était partie avec les autres et l'énergie qu'ils dégageaient. La plage était maintenant déserte. Il sentit la colère monter en lui. Etait-il définitivement lié à cet endroit ? Prisonnier pour l'éternité ? Autour de lui, la mer était devenue calme. Les eaux avaient cessé d'attaquer la terre et se faisaient maintenant caressantes, comme l'amant qui a mené à bien une conquête longuement préparée. Il les avaient vus, la femme et les deux hommes qui l'aimaient. Il avait senti l'hostilité entre Jon et Greg. Ainsi se répétait l'histoire.

Amusé, il attendit. Ils avaient deviné le drame qui s'était déroulé ici. Ils connaissaient le secret du Romain. Ils le haïssaient, mais le craignaient également, car sa puissance était grande. Marcus Severus Secundus. Puissant et rusé, malgré la terreur qu'il avait éprouvée au moment de sa mort.

Anne avait préparé de la soupe. En silence, ils s'assirent tous autour de la table, à l'exception de Patrick, qui continuait de dormir sur le canapé. Il ne s'était réveillé qu'une fois, s'était frotté les yeux et avait demandé d'un ton plaintif :

— Est-ce vrai, ce qui est arrivé à papa, ou n'était-ce qu'un rêve ?

— J'ai peur que ce ne soit la vérité, Patrick, avait dit Anne en posant la main sur son épaule en guise de réconfort.

— Bon, qu'allons-nous faire ? demanda Jon à Bob Garth après quelques minutes passées à manger en silence.

Dix minutes auparavant, Bob avait reçu un message par téléphone mobile. Une voiture de police était en route et venait les chercher. Le jeune homme prit une tranche de pain et y tartina une épaisse couche de beurre.

— Dès que la voiture arrivera, je rentrerai faire mon rapport. Je peux vous emmener, monsieur Cutler, si vous le désirez. Vous, et tous ceux qui voudront venir.

— Vas-y, Anne, dit Kate. Tu ne peux pas prolonger ton séjour ici.

— Je ne te laisserai pas, répondit fermement sa sœur.

— Ne vous inquiétez pas pour Kate, fit Jon. Je prendrai soin d'elle. Elle revient avec moi.

— Je ne rentre pas à Londres, Jon. Pas encore. Je veux assister aux funérailles de Bill. Ensuite, j'irai quelque temps chez mes parents. J'allais passer Noël chez eux, de toute façon.

— Kate, je t'en prie… dit Jon.

— Restez, Kate, pria Greg. Au moins jusqu'à ce que les eaux se soient retirées du cottage. Ce ne sera pas long.

— Elle ne va tout de même pas retourner là-bas ! se récria Jon. Après tout ce qui s'est passé ? Vous êtes fou…

— Elle l'a loué pour six mois, répondit Greg, imperturbable.

— Bien des choses ont changé depuis. Je suis désolée, mais je ne peux pas rester ici, Greg. Plus maintenant. Pas après que Bill…

Un craquement impérieux provenant du téléphone mobile de Bob Garth mit fin à leur conversation. Bob écouta attentivement le message et sourit.

— De bonnes nouvelles : les Farnborough rentrent chez eux. Mme Farnborough a deux côtes fêlées et la petite Susie souffre d'épuisement, mais autrement, il n'y a rien de sérieux. Mme Lindsey va passer la nuit à l'hôpital avec Alison. Les médecins croient qu'elle n'a rien mais ils vont tout de même effectuer une tomographie du cerveau pour s'en assurer. Qui vient avec moi ? Avez-vous pris une décision ?

De toute évidence, il lui tardait de partir.

— Vas-y, Anne. Je vais reprendre mes affaires dès qu'on me laissera retourner au cottage et je gagnerai le Herefordshire. Allie est entre de bonnes mains. La tombe a disparu. Il n'y a plus de danger. Je sais que tu t'inquiètes à propos de ton travail et d'ailleurs, C. G. t'attend.

— Pourriez-vous nous laisser à l'entrée du chemin ? demanda Anne. Pete a suggéré que je le suive au moins jusqu'à la route principale, pour que je ne m'égare pas.

— Exact, dit le chauffeur en s'inclinant de façon comique. Et je vais lui offrir un repas à Colchester, pour la rassurer sur l'hospitalité de ce pays. Ne vous inquiétez pas, pensez plutôt à vous.

— Je ne suis pas rassurée de te laisser ici, dit Anne en étreignant sa sœur. Que vas-tu faire à propos de Greg et Jon ? ajouta-t-elle à voix basse, consciente du conflit qui couvait entre les deux hommes.

— Tout ira bien pour Kate, coupa Jon. Je vais m'en assurer.

— Oui, veillez bien sur elle.

Lorsque la voiture arriva enfin, Patrick y grimpa également. Il n'avait pas protesté quand Greg avait suggéré qu'il aille tenir compagnie à sa mère à l'hôpital.

Kate regarda Jon et Greg tandis que le véhicule disparaissait parmi les arbres. Greg s'était détourné pour mettre des bûches dans la cheminée. Le silence sembla tout d'un coup menaçant.

— Vous devez rester pour les funérailles de papa, Kate. Il l'aurait souhaité.

Quelqu'un devait bientôt venir prendre le corps de Roger pour l'emmener à la morgue.

— Je ne sais pas, Greg. Je vous en prie, donnez-moi le temps de réfléchir. Je pourrais revenir pour cette journée-là.

— Pour cette journée-là ! répéta Greg d'un ton ironique. Comme c'est gentil !

Il se raidit subitement, inquiet. La température de la pièce baissait rapidement.

— Il est revenu. Le sentez-vous ?

— Marcus ? dit Jon en entourant Kate de ses bras.

— Oui, confirma Greg, l'air presque satisfait.

Kate frissonna.

Greg sentait la colère et la haine du Romain, mais un autre sentiment s'y ajoutait, cette fois : la peur. Etrange. Que pouvait craindre Marcus ?

Pendant un instant, personne ne bougea, puis, dans un geste de défi, Greg saisit une chandelle et se dirigea vers la porte du bureau. La pièce était vide et silencieuse. Le corps de son père reposait sur le lit, couvert d'un drap blanc. Greg s'en approcha. Etait-ce de Roger que Marcus avait peur, ou bien d'autre chose ?

Il se tourna et prit le dernier tableau qu'il avait peint de la femme en bleu. Claudia. Il le hantait depuis si longtemps, ce visage beau et énigmatique. Il contempla les grands yeux ovales. Ils irradiaient la haine, une haine qui semblait dirigée contre lui. Il fronça les sourcils en effleurant la peinture du bout des doigts et regagna le salon avec la toile.

— Alors, qu'en pensez-vous? dit-il en plaçant le tableau sur un fauteuil.

Jon s'accroupit de façon que ses yeux soient à la hauteur du visage.

— Remarquable.

Pour la première fois, il sentit une odeur de jasmin dans la pièce. Curieusement, elle semblait provenir de la toile même. Il huma l'air. La fragrance lui montait à la tête. Elle était puissante, excitante.

— Il comprend enfin, murmura Greg en étudiant sa réaction.

Kate s'accroupit à côté de Jon.

— C'est une belle œuvre. Jon? Ça va? dit-elle en le regardant avec surprise.

— Quoi?

Il tourna légèrement son visage vers elle, mais sans que son regard quitte le portrait. Doucement, il récita :

— «Un épais limon recouvre la terre
Que recouvre, à son tour, une argile profonde
Enfermant en son sein cavalier et monture
— Ami, ennemi — dans la même tombe ocre.»

— Jon...

— Laissez-le, railla Greg. Pauvre Kate, vous avez une rivale. Voyez ce dont elle est capable, cette putain. Sa puissance est infinie.

— Taisez-vous, Greg! Jon! Jon, qu'y a-t-il?

Il leva les yeux vers elle, mais sans la voir.

74

Il se savait mourant. Etendu sur son lit, son épouse à son chevet, il regarda les serviteurs alimenter le brasero en silence. Il faisait froid, très froid, bien que ce fût encore l'été. Ses yeux fouillèrent l'ombre autour de lui. Ils étaient là, Nion et Claudia, à l'attendre. La malédiction avait fait son œuvre. La toile dans laquelle il allait se prendre était tissée, et ses fils s'étendaient jusqu'aux coins les plus reculés de l'univers. Mais il leur échapperait. Aussi longtemps que son crime resterait inconnu et qu'aucun être humain sur terre ne pourrait l'en accuser devant les dieux, il lutterait comme un vrai soldat romain, errant dans les espaces entre les mondes, là où elle ne le trouverait jamais.

Le souffle lui manqua soudain et sa respiration devint pénible. La panique s'empara de lui. Pas maintenant ! Il n'était pas encore prêt ! Les tablettes. Des tablettes de cire avaient été glissées sous son oreiller. Un prêtre y avait gravé les formules qui le protégeraient et le guideraient vers des régions inaccessibles. Il avait donné des ordres pour qu'on l'enterre sans incinération. Son esprit resterait ainsi ancré à la terre. Les serviteurs étaient partis. La pièce était vide. A travers un brouillard, il vit que son épouse sommeillait, la tête posée sur un bras. Il devait être minuit, l'heure la plus solitaire. Par la porte entrouverte, il entendait l'eau de la fontaine, dans l'atrium. Le son était plaisant, réconfortant. Il évoquait la musique des étoiles invisibles parmi lesquelles il errerait bientôt, avant l'aube, perdu dans l'immensité du temps. Il essaya de tourner légèrement la tête alors que la flamme de la lampe, à son chevet, se mettait à baisser. Soudain, la pièce s'emplit d'une odeur de jasmin.

Lorsque Kate s'éveilla, la nuit était tombée, mais la pièce était éclairée par une petite lampe sur la table de chevet. Elle se redressa et regarda autour d'elle, se demandant ce qui l'avait tirée de son sommeil. C'était un bruit de moteur. Elle s'efforça en vain de rassembler ses forces pour se lever et aller voir, mais déjà ses yeux se refermaient.

Quand elle les rouvrit, il faisait jour.

En bas, le salon était vide, mais on l'avait remis en ordre. Une odeur de café lui chatouilla les narines. Elle trouva Jon dans la cuisine, fouillant parmi les boîtes et les conserves de Diana.

— Bonjour.

Il sursauta et sourit. L'entourant de ses bras, il l'embrassa sur le front.

— Bonjour. As-tu réussi à dormir?

— Oui. Cela semble incroyable, mais j'ai réussi.

La veille, après qu'il eut contemplé le tableau pendant ce qui avait semblé des heures, il s'était assis dans le fauteuil près du feu et avait à peine dit un mot de la soirée. Il lui avait fait peur. Greg, par contre, s'était montré remarquablement aimable et rassurant. C'est lui qui l'avait persuadée de monter prendre un peu de repos.

— Ai-je bien entendu une automobile, la nuit passée? Qui était-ce?

— On est venu prendre le corps de Roger, expliqua Jon en baissant la voix. Greg les a attendus.

— Pauvre Roger, il était si gentil! Je l'aimais beaucoup. Tout cela a été terrible, Jon.

Elle se blottit dans ses bras et posa la tête sur son épaule, puisant du réconfort à son contact. Il était de nouveau lui-même, elle le sentait bien. Regardant en direction du salon par-dessus son épaule, elle constata que le tableau avait disparu.

— Où est Greg?

— Il est sorti.

— As-tu dormi dans le salon, la nuit dernière?

— Oui, dans le fauteuil.

— Et tu as senti cette odeur de jasmin?

— Oui. Son visage… Il est magnifique.

— De la façon dont l'a peint Greg, oui. Mais il est aussi effrayant, ne trouves-tu pas ?

— Il l'a enlevé, je crois, dit-il d'un air distrait. Cet homme est dérangé, Kate.

— Intense, artiste, angoissé, mais pas dérangé.

— Si. Il est jaloux au point d'en perdre la tête. Je ne suis pas paranoïaque, Kate. Il représente une menace pour toi.

— Jon…

— Je sais bien que cela paraît absurde ; j'en suis néanmoins persuadé. Il y a quelque chose dans ses yeux… Tu dois revenir avec moi. Aujourd'hui même. Tu sais, j'ai versé la moitié de ce que je te devais sur ton compte. Le reste va suivre à la fin de janvier. Il ne faut pas que cette question demeure un obstacle entre toi et moi.

— Jon, je t'en prie, n'allons pas trop vite. Je vais rentrer à Londres. Je dois y aller de toute façon pour prendre le train jusque chez mes parents. Je dois régler la question de l'assurance, et en ce qui nous concerne… Je ne sais pas, Jon. Pas tout de suite. N'allons pas trop vite.

Elle l'aimait, mais quelque chose la retenait pourtant. Les liens s'étaient rompus entre eux. Il faudrait du temps pour les renouer.

Elle poussa un soupir. Une complication s'était ajoutée : Greg. Elle ne savait pas encore exactement ce qu'elle éprouvait pour lui.

— Dès que je pourrai retourner au cottage, je ferai mes valises et nous chercherons une façon de les faire suivre. Ensuite, nous partirons, Jon.

Marcus ne remarquerait peut-être pas leur départ. Elle se dirigea lentement vers la fenêtre et observa le jardin d'un air songeur.

— Jon, regarde ! Les chats.

Ils étaient assis côte à côte sur le muret bordant la pelouse.

— Ils sont revenus. C'est sûrement signe qu'il n'y a plus de danger.

— Au moins à l'extérieur, dit Jon en souriant. Toi et ta sœur, vous avez de ces croyances à propos des chats... Je vais devoir m'y faire à nouveau.

Un rayon de soleil perçait les nuages et réchauffait une partie du muret. Fidèles à leur réputation, les deux chats s'étaient confortablement installés à cet endroit précis.

Un mouvement attira l'attention de Jon. Greg, qui avait passé un long moment à contempler la Volvo à moitié submergée dans le marais, revenait vers la maison. Il avançait lentement, traînant son pied blessé. En apercevant les chats, il sourit et se dirigea vers eux. D'abord, ils se levèrent à son approche, puis ils se hérissèrent et bondirent en bas de leur poste pour détaler à toute vitesse. Jon tourna la tête vers Kate, estomaquée.

Sur le visage de Greg apparut une expression de colère, qui se dissipa dès qu'il les aperçut à la fenêtre.

— Pauvre vieille bagnole ! Elle est foutue maintenant, dit-il en entrant.

Il enleva ses bottes en grimaçant de douleur.

— J'ai vu la police qui descendait au cottage. Les agents m'ont dit que nous ne pourrions pas nous y rendre avant la fin de la matinée. Ils vont chercher Bill et une équipe de nettoyeurs va s'occuper du plus gros des dégâts. La mer s'est apparemment retirée.

— Pourquoi les chats ont-ils réagi ainsi à votre approche, Greg ? demanda Kate en prenant trois tasses dans une armoire.

— Ils ont eu peur, Dieu sait pourquoi. Mais ils reviendront dès que maman sera de retour.

Il les avait senties en même temps qu'eux. La frustration et la rage. Et maintenant, la peur. Marcus. Il savoura une gorgée de son café.

— Etes-vous toujours déterminée à quitter Redall ?

— Aujourd'hui même, Greg. Je vais habiter chez ma mère jusqu'après Noël.

— Et ensuite ?

438

— Je verrai, dit-elle en s'asseyant de l'autre côté de la table. Qui sait, peut-être reviendrai-je pour écrire un livre sur Boudicca?

— Après Noël, elle revient chez moi, dit fermement Jon. Si je parviens à lui faire oublier quel idiot j'ai été de la laisser partir.

Greg le regarda fixement. La rage était revenue. Marcus tentait à nouveau de s'emparer de lui, en utilisant sa jalousie. Greg se leva brusquement en repoussant sa chaise et s'éloigna de la table en titubant.

— Greg? fit Kate, subitement alarmée.

— Ça va.

Il se détourna pour cacher son visage. Cela venait par spasmes. C'était exactement ce qui était arrivé à Alison; c'est ainsi qu'elle avait tué Bill.

— Allez-y, tous les deux. Descendez au cottage et faites vos valises. Je resterai ici.

Il disparut dans le bureau en faisant claquer la porte derrière lui. La vue du lit vide et des trois couvertures soigneusement repliées l'arrêta net. Il resta immobile, laissant une immense vague de tristesse déferler sur lui. «Où es-tu, papa? Aide-moi, je t'en prie», implora-t-il en silence en se laissant tomber dans le fauteuil. Longtemps, il contempla le portrait qu'il avait laissé, la nuit précédente, sur le bureau. Claudia était si belle, si perfide, si maléfique! Les yeux de Greg s'emplirent de larmes.

Il se leva, prit le tableau et le porta lentement à ses lèvres. L'odeur de jasmin était revenue, étrange, envoûtante, obsédante.

Il entendit Jon et Kate mettre leurs bottes et leurs manteaux dans le vestibule. Ses mains se serrèrent sur le tableau quand il les entendit parler à voix basse, presque sur un ton de conspirateurs. Puis la porte se referma et ce fut le silence. Il la regarda dans les yeux. Claudia...

Sans même faire d'effort, il abattit la toile contre son genou.

75

Quelque peu réticents, Kate et Jon pénétrèrent dans le petit salon. Le corps de Bill avait été enlevé et la police était partie. Les nettoyeurs avaient fait disparaître le plus gros de la boue et laissé les fenêtres ouvertes pour aérer. Kate fut soulagée. Elle avait craint que l'odeur de la mort n'imprègne définitivement la maison. La pièce avait retrouvé son aspect normal et seule y persistait l'humidité.

— Je vais monter m'occuper de mes affaires, dit-elle à Jon.

Kate ne mit que peu de temps à faire ses valises, et à ranger ses livres et papiers dans les boîtes. Plus tard, ils emprunteraient le véhicule d'un voisin pour tout rapporter à la ferme. Elle jeta un dernier regard à la maisonnette, humant l'air inconsciemment pour y déceler des traces de jasmin ou de tourbe. Il n'y avait rien. Le cottage était vide. Rassurée, elle ferma la porte pour la dernière fois.

Les eaux s'étaient retirées lentement du jardin en laissant une mare de boue. Il restait encore de la neige du côté nord, sur le tapis de feuilles mortes. Le vent du sud, après les longues journées de tempête, était doux, presque chaud. Jon se tourna vers Kate :

— Veux-tu voir la tombe avant que nous partions ?

Derrière eux, les eaux de l'estuaire scintillaient sous le soleil. Jon et Kate se dirigèrent à pas nonchalants vers le rivage. Les hautes dunes avaient fait place à de petits monticules de boue recouverts d'un tapis d'algues foncées, arrachées du fond de la mer par les vagues furieuses. Une nuée de goélands s'envola à leur approche, tandis qu'ils avançaient vers l'endroit où s'était trouvée l'excavation.

— C'était à peu près ici, non ? demanda enfin Jon.

Les repères avaient été effacés, la dune elle-même

était nivelée. Autour d'eux, le sable semblait avoir été refaçonné par des enfants géants qui auraient joué avec d'énormes pelles. Kate sourit, soulagée.

— Elle a disparu. Il n'en reste aucune trace.

Elle s'attendait à sentir la présence de Marcus. Mais il n'y avait ni rage, ni peur, dans l'air, seulement des cris d'oiseaux et le soupir des vagues contre le sable.

— Elle a disparu, dit-elle à nouveau en prenant la main que lui tendait Jon.

— Pas tout à fait, dit-il en riant. Regarde.

Un morceau de métal torsadé émergeait du sable. Jon se pencha et l'en retira.

— Un torque. Celui que tu avais trouvé ?

Kate le prit à contrecœur.

Ombre sur le sable, Nion attendait, invisible. C'était son torque, celui que Claudia lui avait donné, qu'il avait lancé dans le marais en sacrifice aux dieux. Il n'était plus, maintenant, qu'un demi-cercle de métal abîmé dans les mains d'une mortelle. Il se sentit irrésistiblement attiré vers eux, la femme qui tenait son torque et l'homme qui l'aimait. L'homme qui lui donnerait sa force.

Loin derrière eux, Greg s'immobilisa en serrant les poings. Imbéciles ! Ne pouvaient-ils pas tout simplement s'en aller ? Ne comprenaient-ils pas que c'était ici que tout était arrivé ? Le Romain, la femme et son amant celte. Morts ensemble. Deux hommes attirés par la même femme. Une histoire aussi vieille que le monde.

Il se dirigea lentement vers eux, en se sentant presque coupable. Jon lâcha la main de Kate.

— Vous comprenez probablement qu'il y avait un autre homme, lança Greg d'un ton désinvolte en s'approchant. Pour quelle autre raison Marcus aurait-il voulu tuer la femme qu'il aimait ?

Il prit le torque des mains de Kate et l'examina.

— Pourquoi n'avons-nous pas entendu parler de l'autre, de l'amant? Marcus l'a également tué, n'est-ce pas?

Son regard passa de Kate à Jon.

Derrière eux, simples souffles d'air dans le vent, Nion et Claudia se dirigeaient l'un vers l'autre. Bientôt, ils seraient réunis.

— Rentrons, Greg. La tombe a disparu. Il n'y a plus rien à faire ici.

Greg resta immobile, les yeux fixés sur le torque dans ses mains.

— Ils sont ici, murmura-t-il. Marcus est ici avec Claudia et l'autre, l'amant. Je les sens. Ils sont prisonniers de cette plage. Un triangle pour l'éternité.

— Greg, interrompit Kate, alarmée, rentrons.

— Pourquoi? demanda-t-il d'un ton ouvertement hostile.

— Parce qu'il est tard. Jon et moi devons partir. Le trajet est long jusqu'à Londres.

— Non, dit-il en leur tournant le dos pour regarder la mer. Je ne vous crois pas. Vous n'aimez pas Londres, vous vous souvenez?

Jon se rembrunit, étudiant les gestes de son rival avec circonspection. Tranquillement, il posa une main sur le bras de Kate.

— Allons-nous-en, chuchota-t-il de façon presque inaudible.

Elle se tourna pour le suivre, mais Greg fit volte-face, la rage au cœur.

— Non! Vous n'irez nulle part.

Marcus était maintenant pressant, avide.

— Ne soyez pas stupide, Greg, lança Kate d'un ton péremptoire. Nous partons. Si vous voulez rester, cela vous regarde.

Elle lui tourna le dos. Greg examina de nouveau

le torque et ses yeux s'emplirent de larmes. Il ne pouvait plus continuer de se battre. Marcus et Kate, c'était trop pour lui. Il s'élança maladroitement à sa suite.

— Vous ne pouvez pas partir. Je ne vous laisserai pas faire. Le torque est un signe…

Jon lâcha le bras de Kate et se tourna vers Greg, laissant libre cours à sa colère.

— En voilà assez! Kate vous l'a dit: elle part. Vous ne signifiez rien pour elle.

Furieux, il arracha le torque des mains de Greg.

— Cet objet a déjà causé assez de malheurs. Qu'il retourne d'où il vient.

De toutes ses forces, il le lança vers la mer. Comme l'objet touchait les eaux grises, une fureur incontrôlable s'empara de Jon.

Une force irrésistible le ramenait vers la mer. Les mains pressées sur ses tempes, il ne pouvait rien entendre d'autre que le rugissement des vagues. Il ne vit pas la terreur de Kate lorsqu'un vent porteur d'une odeur de jasmin éleva subitement un tourbillon autour d'elle.

— Jon! Greg, faites quelque chose. Marcus s'est emparé de lui. Aidez-le. A l'aide!

— Non, pas Marcus, dit Greg en éclatant d'un rire sardonique. Marcus est ici, en moi! Lui est possédé par Nion.

Le nom lui était venu sans effort, le nom que son épouse avait crié dans l'aube, à Beltane. Nion le druide.

Les voix devenaient de plus en plus faibles dans le grondement des vagues. Subitement, Greg eut peur. Marcus était là; il était en lui. Il se tourna et courut vers la mer. L'eau glacée entoura ses chevilles, neutralisant la douleur.

Combattre. Il devait combattre. L'eau lui arrivait maintenant aux genoux. Elle était froide, pure, puissante.

Combats. Combats le Romain.

Combats ou péris.

Où était Roger? Il avait promis de l'aider. Aide-moi à le combattre. Un mélange de douleur, de peur et de colère l'envahit.

Une vague s'écrasa contre sa taille, arrêtant sa progression. Il se tourna vers la plage.

Combattre. Jon aussi luttait, et le tumulte dans sa tête était assourdissant.

Récite. Emplis-toi la tête de quelque chose, comme Anne l'a dit. Ne le laisse pas t'envahir. Récite...

Nion doit obtenir vengeance.

Marcus est vaincu.

Empli de courroux, Nion cherchait le Romain qui avait causé sa mort...

Combats. Combats la colère dans ton esprit.

Récite.

Byron. Kate l'ignorait, mais il avait appris des strophes entières de Byron par cœur. «Partout où nous marchons, cette terre est hantée, sacrée...» Cherche au fond de ta mémoire. «Toutes les tragédies se terminent par une mort...» Etait-ce bien de Byron? Qu'importe.

Jon s'éloigna de la mer en titubant. Où était-elle? Où était Claudia, son amour? Non. Kate. Où était Kate? Il n'y avait plus personne. Ils étaient tous partis. Nion devenait de plus en plus puissant. Marcus? Où était Marcus? Nion devait le vaincre à tout jamais.

Récite, c'est la seule façon. Rejette le druide. Ne le laisse pas entrer. Il ne gagnera pas.

En sanglotant, il tomba à genoux sur le sable humide.

«Toute en beauté, elle s'avance, comme la nuit
Des cieux étoilés et sans nuages;
Et le meilleur de l'ombre et de la lumière
Se retrouve dans son aspect et dans ses yeux.»

Il répéta les mots encore et encore, jusqu'à ce que ses forces le quittent et que sa voix s'éteigne.

Marcus les voyait clairement, maintenant, par les yeux de Greg. Ils étaient là, tout près, et s'avançaient l'un vers l'autre.

Nion et Claudia.

Jon et Kate.

Greg gémit quand une nouvelle vague frappa ses cuisses. Sa vision était brouillée. Il n'arrivait pas à voir clairement.

Jon et Kate.

Nion et Claudia.

Lentement, Greg commença à comprendre. Marcus se nourrissait de haine et de jalousie. C'étaient les armes dont il avait besoin. Serrant les poings, il fit un pas en direction de la plage, puis un autre.

Combats.

Combats la présence étrangère dans ta tête.

Combats-le avec l'amour. L'amour qui transcende le temps et l'espace.

Nion et Claudia.

Jon et Kate.

Greg sentit la rage et la haine faiblir, puis se tarir. Il fit un autre pas vers la plage. Marcus était en train de perdre. L'amour triompherait toujours de la haine.

Loin au-dessus de l'horizon, un rayon de soleil traversa les nuages et transforma en argent la surface de l'eau. Il le contempla, bouleversé, et mit enfin le pied sur le rivage. Il avait gagné. Marcus faiblissait, diminuait. Il se frotta les yeux. Le mauvais rêve était fini. Il avait disparu en emportant avec lui son fardeau de douleur au fond de l'éternité.

Kate leva des yeux remplis de larmes vers Greg. Elle berçait doucement la tête de Jon sur ses genoux. La douce fragrance du jasmin l'entourait de toutes parts.

Les mains sur sa tête étaient douces et éloignaient la douleur.

Sa voix. C'était sa voix. Elle était là. Elle était avec lui.

En pleurant, Nion le druide posa sa tête sur les doux replis de la robe bleue et sentit une paix profonde gagner son cœur.

NOTE DE L'AUTEUR

Le nom de Nion est tiré du calendrier celtique : Beth,
Luis, Nion (bouleau, sorbier, frêne), dépeint par Robert
Graves.

Ce livre a de multiples origines. Parmi les principales,
il y a l'étonnement et la peur dans la voix d'un petit garçon, il y a de nombreuses années, tandis que nous contem-
plions tous deux, derrière la fenêtre, un jardin plongé
dans la nuit après un mauvais rêve ; une visite solitaire à
Sutton Hoo et aux bords de la rivière Deben, un froid
après-midi d'hiver où le vent sifflait dans les pins ; une
longue visite recueillie à la dépouille de l'Homme de Lin-
dow, au British Museum, ainsi que la vue, depuis la
fenêtre de mon bureau, du pays qu'habitèrent jadis Trinobantes et Romains, au bord des prés salés, juste devant
la mer du Nord.

4219

Composition Interligne B-Liège
Achevé d'imprimer en Europe (France)
par Brodard et Taupin à La Flèche (Sarthe)
le 19 juin 1996. 1336P
Dépôt légal juin 1996. ISBN 2-277-24219-5
Éditions J'ai lu
84, rue de Grenelle, 75007 Paris
Diffusion France et étranger : Flammarion